COLLECTION « BEST-SELLERS »

HENRY DENKER

UNE URGENCE POUR LE Dr GRANT

roman

traduit de l'américain par Marie-Alyx Revellat

ÉDITIONS ROBERT LAFFONT
PARIS

Cet ouvrage a été publié pour la première fois aux États-Unis par Simon and Schuster, à New York, sous le titre

THE PHYSICIANS

à ma femme Edith

« La Médecine, le plus noble de tous les arts... »

HIPPOCRATE

1

Il se pencha sur son microscope et se concentra pour faire la mise au point. En allongeant le bras pour prendre son scalpel, il leva machinalement les yeux sur l'horloge murale et se passa la main dans les cheveux, signe d'extrême tension. Il n'oubliait pas qu'il avait promis de faire une causerie aux mères de famille d'une H.L.M. dans l'après-midi. Le temps! Il manquait toujours de temps!

Il appliqua son scalpel contre le fragment de tissu fixé sous la plaquette du microscope et entreprit de compter le nombre de cellules comprises dans le spécimen grisâtre et élastique. Son visage se rembrunit. Que de dégâts auraient pu être évités si seulement la mère avait connu les règles élémentaires de l'alimentation prénatale. Encore un bébé qui aurait pu naître normal et viable s'il avait été bien nourri au stade de fœtus.

Soudain, l'interphone nasilla au-dessus de sa tête :

— Docteur Grant, docteur Christopher Grant.

Sa première réaction fut de faire la sourde oreille mais il savait qu'il répondrait. Posant son scalpel, il décrocha l'appareil :

— Le docteur Sobol vous demande, Monsieur.

— Bien, passez-le moi.

Le docteur Sobol ne le dérangeait que dans des cas urgents.

Un instant plus tard, la voix de Sobol s'éleva, lasse, brisée, nuancée de regret.

— Chris, pourriez-vous monter tout de suite à l'U.S.I.?

— J'arrive.

Pourquoi les ascenseurs des hôpitaux sont-ils toujours aussi lents? se demanda Grant en grimpant les quatre étages qui menaient à l'unité de soins intensifs. Avec une salle toujours pleine de nouveau-nés, ses cours du matin aux étudiants et les exigences de son premier amour, la recherche, il était constamment sous pression.

Au moment même où il abordait le dernier palier il réfléchissait à son rapport sur les enfants atteints de troubles cérébraux, ces petits patients qu'il appelait « les bébés Reynolds », nom du promoteur de l'une des principales résidences à bon marché de la ville.

Il pensait sans cesse au paradoxe de la situation : son laboratoire, ses travaux de recherche, les salles mêmes qu'il traversait n'existaient que grâce aux bienfaits de ce même John Stewart Reynolds.

Le docteur Sobol attendait devant la paroi vitrée de la salle des soins intensifs de pédiatrie. Un homme aux cheveux gris, grand et distingué se tenait à côté de lui. Chris était sûr de ne l'avoir jamais vu pourtant son visage lui semblait familier. Dès qu'il l'aperçut, Sobol s'avança seul à sa rencontre. Le docteur Michael Sobol était un homme de petite taille et, dans la blouse blanche qu'il portait au cours de ses tournées et de ses conférences à l'Ecole de médecine, il paraissait plus fluet encore. Son visage au teint rouge avait une expression perpétuellement gênée. Derrière ses lunettes, ses yeux semblaient toujours larmoyants, ses cheveux grisonnants commençaient à se raréfier. Il n'avait pas l'air imposant pour être le chef du service de pédiatrie d'un établissement hospitalier aussi important que le Metropolitan General, hôpital annexé à l'Université.

— Chris, dit-il d'une voix douce, la polyclinique de Parkside vient de nous envoyer un bébé né deux ou trois semaines avant terme mais il pèse deux kilos six cents, aussi n'est-il pas un prématuré. Il est visiblement atteint de jaunisse mais pas dangereusement. Pourtant, je voudrais que vous vous occupiez personnellement de ce cas.

Grant l'interrogea d'un regard étonné.

— Le bébé s'appelle Simpson mais il pourrait aussi bien

porter le nom de Reynolds, expliqua Sobol en se tournant à demi vers l'étranger qui attendait devant la salle des prématurés.

Chris Grant fit alors le rapprochement. Le visage distingué lui rappelait le profil de la plaque de bronze qui ornait le foyer du bâtiment de la recherche. L'homme était John Stewart Reynolds.

— Ainsi, la fille de Reynolds est la mère, dit-il.

— Chris, vous savez que je me moque de la fortune et du rang social. Aucun enfant de mon service n'est plus important qu'un autre. Ils reçoivent tous les meilleurs soins mais, dans ce cas...

Chris lui sut gré de ne pas poursuivre. Il lui déplaisait qu'un homme dont les travaux contribuaient au progrès de la science soit dans l'obligation humiliante de fournir des explications. Pour dissiper son embarras, il dit vivement :

— Ne vous inquiétez pas, Mike. Je lui consacrerai tout le temps qu'il faudra.

Sobol lui jeta un regard reconnaissant :

— ... Bien... bien, fit-il. Je veillerai à ce que vos recherches ne pâtissent pas trop de cette interruption.

— Je le sais, répliqua Grant libérant le vieil homme de tout sentiment de culpabilité.

— Tenez-moi au courant. Appelez-moi toutes les deux ou trois heures. Au besoin, téléphonez-moi, insista Sobol.

Chris ouvrit la porte de la salle des soins intensifs et s'effaça. Sobol entra le premier. Reynolds s'apprêta à le suivre mais Chris manœuvra de façon à lui barrer le passage.

— Vous ne pouvez pas entrer ici, expliqua-t-il avec douceur.

Reynolds rougit. Il n'était pas habitué à se voir interdire quoi que ce soit. Chris Grant ne céda pas.

— C'est mon petit-fils, protesta-t-il. J'ai le droit de savoir ce qu'il a, ce que l'on fait pour lui.

— Ecoutez, Mr Reynolds, pour le moment vous ne pourriez que gêner ceux qui connaissent leur métier et vont essayer de soigner votre petit-fils.

Grant se glissa dans la pièce et referma la porte derrière lui.

Reynolds ne chercha pas à dissimuler son ressentiment. Il se posta derrière la paroi vitrée et suivit des yeux les moindres gestes de Chris Grant.

A première vue, la salle des prématurés ressemblait à un aquarium privé parfaitement entretenu. Des caisses en plastique transparent nommées isolettes étaient rangées le long des murs. Dans chacune, un enfant prématuré luttait pour survivre. Certains d'entre eux, âgés de quelques heures à peine, gardaient encore la position du fœtus et leurs côtes saillantes se soulevaient et s'affaissaient au rythme de leur respiration spasmodique. Plusieurs de ces minuscules patients avaient le bras relié à un flacon rempli de solution intraveineuse.

Des électrodes couvraient presque entièrement leur corps frêle. Elles étaient reliées à l'appareil placé derrière chaque isolette pour enregistrer tous les signes de vie. D'autres appareils servaient à maintenir la température et l'humidité ambiantes à l'intérieur de la couveuse.

Dans l'un des incubateurs en plastique, bébé Simpson âgé de quarante-huit heures respirait assez normalement bien que la couleur bronzée de sa peau fût un signe évident de jaunisse.

Chris Grant l'observa un moment. Héritier d'une immense fortune et d'une grande puissance, ce nouveau-né de cinq livres et demie ne paraissait guère différent de tous ceux qui lui passaient entre les mains. Avec son visage tout plissé, ses paupières fermées, c'était un pathétique morceau de l'humanité. Inconscient de ce qui l'entourait, il ne ressentait que les besoins naturels d'air et de nourriture. Son petit corps ne semblait pas assez développé pour contenir tous les organes complexes qui composent un être humain complet. Une auréole bleuâtre striée de rouge marquait la place où le cordon ombilical avait été noué. C'était un petit d'homme affrontant la vie et toutes ses incertitudes, à commencer par celle que présentait son état actuel.

Chris Grant passa les mains par les ouvertures de l'isolette pour soulever son patient. Il le tourna puis le retourna pour procéder à un examen superficiel et surtout pour palper le foie. La glande remplissait-elle sa fonction de nettoyer le courant sanguin et de modifier les éléments nocifs de façon qu'ils puissent être excrétés sans danger.

— Le foie ne paraît pas anormalement dur, signala Sobol. Jetez donc un coup d'œil sur le rapport de Parkside, ajouta-t-il avec une menace de réprobation dans la voix.

Chris prit le papier que lui tendit l'infirmière-chef. Il le parcourut des yeux puis son regard se fixa sur le passage important.

— Une mère avec rhésus négatif? dit-il d'un air interrogateur.

— Continuez à lire, insista Sobol.

— Pas de précédente grossesse, pas de transfusion. Le test de Coombs, pratiqué au début de la grossesse n'a pas mis en évidence d'anticorps spéciaux, lut Chris. Ont-ils vérifié s'il n'y a pas d'infection?

— Le rapport signale que les examens n'ont révélé aucune trace d'infection. Mais vous connaissez Parkside...

Ce commentaire reflétait la lutte éternelle entre les hôpitaux et les cliniques privées — les instituts de recherche ne se fiaient jamais tout à fait aux travaux effectués dans les cliniques qui, à leur tour, accusaient les hôpitaux d'être trop attachés à la théorie, à la recherche et à l'expérimentation.

— Quel est le dernier taux de bilirubine indiqué? demanda Chris allongeant la main vers le rapport.

Sobol le devança.

— Il n'y a eu qu'une seule analyse. Le taux est de quatorze.

— Une seule? Avec une jaunisse aussi marquée et quand la mère a un rhésus négatif.

— Et ce n'est pas tout, dit Mike. Regardez le rapport concernant le test de Coombs pratiqué sur le bébé.

Chris reprit sa lecture et, soudain, il leva les yeux avec une expression de surprise.

— Incompatibilité de rhésus? Comment est-ce possible?

— Au point où nous en sommes, quelle importance? demanda Mike. Si ces indications sont exactes, ce bébé devra faire l'objet d'une attention toute spéciale.

— Ont-ils fait signer une autorisation d'exsanguino-transfusion?

— Pas d'après le rapport, répondit Sobol.

— Bon Dieu! ils auraient dû, en cas de nécessité.

Chris en avait vu assez pour savoir qu'il fallait agir vite. Il allait demander le matériel nécessaire pour prendre un échantillon de sang mais l'infirmière-chef l'avait devancé et, le lui tendit. Il glissa de nouveau les mains par les hublots et, tout doucement, il préleva un échantillon de sang sur le talon du bébé. Il le transféra dans l'éprouvette qu'il scella et remit à l'infirmière.

— Faites faire une bilirubine, un autre Coombs et une analyse de sang pour recherche d'infection.

L'infirmière sortit. Chris se tourna vers un interne :

— Envoyez quelqu'un à Parkside. Il me faut un échantillon du sang de la mère. On aurait dû en envoyer un avec la copie du rapport. Je ne me fie qu'aux résultats de notre laboratoire.

Sobol savait qu'il pouvait reprendre son enseignement et ses tâches administratives sans inquiétude. L'attitude à la fois irritée et résolue de Chris Grant lui garantissait que le bébé ne pouvait être entre de meilleures mains.

— Donnez-moi des nouvelles à intervalles réguliers.

Grant acquiesça d'un signe de tête. En sortant, Sobol s'arrêta pour échanger quelques mots avec John Stewart Reynolds qui lorgnait Chris à travers la paroi vitrée. Visiblement cet homme ne se fiait à personne, pas même à des experts dans des domaines qu'il ignorait complètement; ce simple fait suffisait à indisposer Grant. L'idée qu'il était en même temps le promoteur de tant de H.L.M. n'apaisait pas son ressentiment.

Il lui tourna le dos et reprit son examen. Le foie du nouveau-né était décidément normal.

— Nous allons le placer dans une unité de photothérapie dit-il.

L'infirmière porta le bébé avec ses électrodes et son matériel à perfusion dans une autre isolette. Chris appliqua un masque de tissu sur les yeux fermés de l'enfant et le fixa. Une fois sûr qu'aucune lumière ne pouvait plus pénétrer dans l'œil et endommager la rétine, il abaissa sur la couveuse un couvercle immaculé dont la partie interne contenait une batterie de douze tubes fluorescents placés si près l'un de l'autre qu'ils paraissaient se toucher. Il le brancha et une lumière bleu pâle descendit sur le petit corps bronzé. Chris retira ses mains par les ouvertures et observa quelques instants.

Quand il se retourna enfin, il s'aperçut que Reynolds le regardait toujours avec une expression de fureur et de méfiance encore plus accentuée.

— Je vais dans mon bureau, dit-il à l'infirmière. Appelez-moi dès que les renseignements arriveront du labo.

Avant qu'il ait complètement ouvert la porte, Reynolds l'interpella :

— Alors, docteur.

— Je n'aime pas parler de mes patients dans un couloir, dit Grant. Si vous voulez bien m'accompagner.

— Allons, fit Reynolds avec impatience.

A peine eurent-ils fait quelques pas qu'il demanda :

— Que comptez-vous faire? Quel traitement allez-vous appliquer à ce garçon?

— Mr Reynolds, appelons-le comme il convient.

— C'est-à-dire?

— Un nouveau-né. Quand nous lui aurons fait franchir le stade, il sera un bébé et alors seulement, vous pourrez attacher de l'importance au fait qu'il est un garçon.

— Je me moque de votre terminologie. Je veux savoir exactement ce qu'il a et comment vous comptez le traiter.

— C'est justement le sujet dont je ne veux pas discuter dans un couloir, dit calmement Grant qui sentait la colère monter chez Reynolds.

Ils poursuivirent leur chemin en silence. Chris fit entrer Reynolds dans son petit bureau et lui désigna un siège mais Reynolds resta debout, préférant sans doute tirer avantage de sa haute taille pour dominer la situation. Par la suite, Chris devait découvrir que c'était là une de ses tactiques favorites.

Reynolds était grand et bien conservé pour un homme qui avait dépassé la soixantaine. Sa peau normalement colorée et parsemée de taches de rousseur était tendu sur une mâchoire carrée; il avait les cheveux blancs et taillés en brosse à la mode militaire. Le ton grinçant de sa voix indiquait qu'il pouvait être dangereux lorsqu'il se mettait en colère. Ses employés et ses concurrents s'en étaient rendu compte au cours des années.

Chris était au courant de certaines des légendes qui s'étaient formées autour du personnage mais, quand il s'agissait de médecine et, particulièrement de sa spécialité, la pédiatrie, il n'était pas homme à s'incliner aisément devant un professionnel et encore moins devant un profane, aussi important fût-il.

Lorsqu'il eut fermé la porte, Reynolds le questionna vivement :

— De quoi souffre cet enfant et comment allez-vous le soigner?

— Il a une jaunisse et j'ai déjà commencé à le traiter.

— Comment?

— En faisant tout ce qu'il m'est possible de faire. Tant que je n'ai pas le résultat des examens, il faut que je procède avec prudence.

— Je n'ai pas remarqué que vous lui appliquiez un traitement, protesta Reynolds. Vous lui avez fait une prise de sang et vous l'avez placé sous perfusion. Y a-t-il quelque chose de spécial dans la solution intraveineuse? Dans ce cas, je veux savoir ce que c'est?

— Mr Reynolds, si vous voulez nous aider je vous demanderai deux choses.

— S'il vous faut de l'argent ou un avion pour faire venir des spécialistes ou du matériel...

Reynolds fit le geste de sortir son carnet de chèques.

— D'abord asseyez-vous, dit Chris froidement, ensuite taisez-vous.

Reynolds serra les mâchoires. Enfin, il se décida à prendre place dans le fauteuil placé en face de Grant.

— Maintenant, reprit Grant, si nous pouvons parler calmement, je vous dirai tout ce que vous désirez savoir.

— Qu'a-t-il?

— Nous ne le savons pas encore exactement.

— Est-ce grave?

— Je ne le crois pas pour le moment. Nous en saurons davantage quand notre propre labo nous aura confirmé la cause de la jaunisse. C'est pour vérification que j'ai prélevé cet échantillon de sang. C'est également pourquoi l'enfant est relié à des appareils enregistreurs. Dans les cas de jaunisse, il est indispensable d'observer le processus de la maladie pendant plusieurs heures pour voir si l'état évolue en mieux ou en pire.

— Mais vous venez de dire que vous aviez commencé à le traiter. Si vous ne savez pas ce qu'il a comment pouvez-vous le traiter?

Chris se dit que tout ingénieur ou architecte travaillant sur un projet Reynolds était soumis au même genre d'interrogatoire.

— Chez un nouveau-né, la jaunisse peut avoir plusieurs causes, expliqua-t-il. En fait, la plupart des bébés ont une jaunisse plus ou moins légère. C'est ce que nous appelons l'ictère physiologique.

— Si c'est tellement courant, pourquoi Coleman avait-il l'air inquiet? demanda Reynolds avec méfiance.

— Coleman?

Chris n'avait jamais entendu prononcer ce nom.

— Le jeune remplaçant du docteur Mitchell, le médecin de ma fille. Mitchell a la grippe et il ne veut pas que les bébés soient exposés à la contagion. Un type bien ce Mitchell. Très consciencieux.

— C'est ce que j'ai entendu dire, admit Chris.

Reynolds en revint à sa question.

— Si la jaunisse physiologique est tellement courante pourquoi Coleman vous a-t-il envoyé le petit?

— Simple précaution.

Chris défendait Coleman bien qu'il ne l'eût jamais vu. Les profanes accusaient toujours les médecins, jamais la nature.

— La jaunisse peut être grave, reprit-il. Ses causes...

— Par exemple? interrompit Reynolds vivement.

— Une infection, ou une incompatibilité entre le sang de la mère et celui de l'enfant. Dans le cas présent, elle est vraisemblablement provoquée par une incompatibilité de rhésus. Ou bien si l'enfant est prématuré...

Reynolds l'interrompit de nouveau.

— Il n'est pas prématuré. Il est simplement né deux semaines avant terme, trois tout au plus, d'après le docteur Mitchell et, comme il pèse plus de cinq livres, on ne peut le classer dans la catégorie des prématurés.

Chris était surpris des connaissances de Reynolds. Sans doute était-il homme à approfondir tous les sujets qui l'intéressaient.

— Je n'ai jamais dit que votre fils était prématuré... commença-t-il.

Il s'arrêta, conscient d'avoir dit *fils* au lieu de petit-fils puis il enchaîna :

— Les bébés nés avant terme sont plus prédisposés à la jaunisse que les autres. Les raisons tiennent à une histoire de chimie du sang très compliquée.

— Vous pouvez me l'expliquer, je ne suis pas stupide, insista Reynolds.

— Je n'en vois pas l'utilité.

— C'est à moi d'en décider, répliqua Reynolds d'une voix rauque.

— Mr Reynolds, je n'ai pas l'intention de faire un cours sur les modifications du sang chez un nouveau-né à un profane. Je n'ai pas le temps. Votre petit-fils est soigné aussi bien que possible pour le moment. Nous essayons de déterminer la gravité de son état. Nous faisons ce qu'il faut pour combattre la jaunisse aussi efficacement que nous le pouvons, dit Chris qui cherchait à mettre fin à l'entretien.

— Ecoutez, ne me confondez pas avec vos parents nécessiteux et ignorants que vous réduisez arbitrairement au silence.

Reynolds se leva, dominant Chris Grant de toute sa hauteur.

Chris le regarda froidement.

— Nous n'avons pas besoin de donner d'explications à nos « parents nécessiteux et ignorants ». Ils nous écoutent. Ils croient ce que nous leur disons et s'en vont, sûrs que nous faisons tout ce qu'il est humainement possible de faire pour sauver leurs gosses.

— Vous êtes un malappris, fulmina Reynolds. Je vais ordonner à Sobol de vous retirer le cas.

— Franchement, je ne demanderais pas mieux.

— Ne croyez pas qu'il ne le fera pas. Savez-vous que c'est *moi* qui ai insisté pour que Sobol soit muté du Mont Sinaï pour venir ici? Les autres membres du conseil d'administration hésitaient à nommer un Juif à la tête du service; alors, je leur ai dit : « En ce qui concerne le médecin, prenez le meilleur et, si le meilleur est un Juif, prenez-le. »

— Parfaitement jugé, dit Chris, s'abstenant de tout autre commentaire. Sobol *est* le meilleur.

— La question n'est pas là! Pour l'instant, dites-vous qu'un homme susceptible d'influer sur votre carrière médicale vous demande des renseignements concernant son petit-fils. Et vous n'avez même pas la courtoisie de les lui donner.

— Je vous ai donné tous les renseignements que nous avons pour le moment, répondit Chris.

— Je veux être au courant de tous les dangers qui le menacent et de tout ce qui peut être fait pour les écarter.

Peut-être parce que la menace que Reynolds avait lancée semblait viser Sobol plus encore que lui-même, Chris Grant décida de faire un effort pour apaiser la colère de son interlocuteur.

— Mr Reynolds, vous ne seriez pas plus avancé si vous connaissiez les dangers que court l'enfant et les possibilités de traitement, expliqua-t-il posément.

— J'ai le droit de savoir.

— Sa mère en a le droit, ou son père... dit Chris avec douceur mais fermeté.

— Sa mère se remet d'un accouchement difficile. Quant à son père je l'ai envoyé à Saint-Louis pour affaires.

— Il travaille pour vous?

— Oui, il travaille pour moi, répondit Reynolds, irrité de cette question.

— Et vous n'auriez pas pu envoyer quelqu'un d'autre à Saint-Louis à un moment pareil? demanda Chris.

Reynolds se contenta de le foudroyer du regard.

Après avoir marqué ce point, Chris réfléchit qu'il ferait mieux de donner tous les renseignements voulus au grand-père de son petit malade.

— Dans ces conditions, Mr Reynolds, puisque c'est vous qui assumez le rôle des parents, je vais vous exposer toutes les données du problème.

L'expression de Reynolds s'adoucit légèrement. Il allait avoir satisfaction après tout.

— La jaunisse est la conséquence de ce que nous nommons maladie hémolytique, c'est-à-dire une affection qui détruit le sang de l'enfant. Elle peut être bénigne mais elle peut aussi être dangereuse. Extrêmement dangereuse.

— Et dans le cas de mon petit-fils?

— Ecoutez-moi, je vais vous le dire. La jaunisse se déclare pour l'une des raisons que je vous ai données : les globules rouges commencent à se détériorer, ce qui provoque l'émission d'une substance, la bilirubine, dans le courant sanguin. C'est cette substance jaune qui donne au patient ce teint bronzé. La gravité de la maladie dépend du taux de bilirubine contenue dans le sang. S'il est maintenu assez bas, la biliburine est excrétée et ses effets disparaissent.

— Mais si le taux ne baisse pas suffisamment? insista Reynolds.

— Si le taux de bilirubine s'élève à vingt, l'enfant court des dangers. Je commence à m'inquiéter à quinze, parfois à moins; cela dépend du patient.

— Vous parlez de dangers, lesquels?

— Si elle est assez concentrée, la bilirubine peut atteindre le cerveau, suivant la proportion et produire des effets.

— Quels effets? demanda Reynolds de plus en plus inquiet.

— Elle peut créer un état que nous appelons *kernictère*.

— C'est-à-dire?

— C'est une altération de l'encéphale... et d'autres régions aussi, expliqua Chris avec ménagements.

— Vous voulez dire que la bilirubine pourrait provoquer des troubles cérébraux?

— C'est exactement ce qui pourrait se produire. Elle peut entraîner des troubles de la vue ou de l'élocution ou du contrôle des membres ou de l'ensemble des fonctions cérébrales.

Chris n'hésita pas à exposer les pires effets que pouvait produire la prolongation d'un taux de bilirubine élevé.

— Vous pensez que mon petit-fils pourrait...

Reynolds s'interrompit et reprit :

— Ecoutez donc, je me moque du prix. Faites venir par avion tous les spécialistes qu'il faut. Je mets mon appareil à votre disposition. Je veux que cet enfant reçoive les meilleurs soins.

— Il ne peut être mieux soigné qu'il l'est.

— Que lui avez-vous fait? Une perfusion pour l'alimenter?

— La solution intraveineuse contient un antibiotique. Je préfère prévenir les risques d'infection avant même que les résultats du laboratoire me parviennent. C'est une partie du traitement immédiat.

— Une partie? dit Reynolds d'un air sceptique. Je n'ai pas vu qu'il ait reçu d'autres soins.

— Vous l'avez vu mais vous ne saviez pas ce que je faisais.

— J'ai vu quoi? cria Reynolds.

— Vous m'avez vu abaisser un couvercle sur son isolette.

Reynolds fit un signe affirmatif.

— C'est un appareil de photothérapie.

— Photothérapie? répéta Reynolds lentement sans cacher sa méfiance.

— La photothérapie est un procédé qui consiste à traiter la jaunisse par l'application d'une lumière bleu intense.

— Ce n'était qu'une lumière fluorescente très ordinaire, comme celle qu'on emploie dans les supermarchés et les bureaux.

— C'est juste.

— Et vous appelez cela une thérapie? fulmina Reynolds. Quelle médecine de charlatan pratiquez-vous donc ici? Appelez Sobol au téléphone.

— Il est en train de faire son cours.

— Quand il s'agit de mon petit-fils, je me moque bien de ce que les autres peuvent faire. Appelez-le.

— Ecoutez, Mr Reynolds, si nous interrompons le cours de Sobol votre petit-fils ne s'en portera pas mieux. Nous faisons tout ce qu'il est humainement possible de faire. Nous en saurons davantage dans quelques minutes. Pour l'instant, personne, pas même Sobol, ne peut vous en dire davantage.

— Arrangez-vous pour qu'il quitte ce cours...

Reynolds s'aperçut soudain qu'il s'était mis à crier. Il reprit sur un ton plus modéré.

— Comprenez-moi. C'est mon petit-fils, mon unique héritier mâle. Ce petit bonhomme couché dans cette caisse en plastique pourra réaliser toutes ses ambitions y compris celle de devenir un jour président des Etats-Unis s'il lui plaît. Il faut qu'il soit sain et fort.

Il n'accusait plus, il plaidait.

— Mr Reynolds, il a toutes les chances de se rétablir, sans complications ni effets secondaires. Si notre rapport confirme celui de Parkside je ne prévois pas d'ennuis graves. Les pourcentages sont tout à fait favorables pour lui.

— Ce n'est pas ce que vous paraissiez penser tout à l'heure. En vous voyant à travers la vitre, j'ai constaté que vous étiez préoccupé. Furieux même.

— Je me mets en colère aussi facilement que vous, dit Chris en souriant pour masquer son inquiétude.

— Ce n'était pas une simple colère.

— C'est vrai. D'après le rapport, le taux de bilirubine dépassait dix.

— Quel était le taux exact?

— Quatorze, admit Chris.

— C'est mauvais, conclut Reynolds amèrement.

— Pas absolument mauvais. Ce n'est pas bon, voilà tout.

— Ne me racontez pas d'histoires.

— Quatorze c'est pire que dix évidemment mais nous sommes loin de vingt qui est très mauvais.

— Pourtant, quatorze... murmura Reynolds qui essayait de juger la situation.

— J'ai dit que ce n'était pas bon. C'est pourquoi j'ai eu aussitôt recours à la photothérapie qui permet de réduire le taux.

— Et ce procédé est toujours efficace?

— Pratiquement dans tous les cas qui ne sont pas extrêmes.

Reynolds parut un peu soulagé.

— La lumière fluorescente a cet effet?

— Certainement.

— Est-ce possible? Comment agit-elle?

Chris se demanda si, à ce stade, il ne valait pas mieux éviter de donner des explications. Aussi, choisit-il prudemment ses mots.

— Eh bien, la fréquence des rayons lumineux des tubes fluorescents a la même fréquence de résonance que la bilirubine. Quatre, cinquante quatre. Lorsque nous projetons des rayons lumineux de la même fréquence sur le corps de l'enfant, la bilirubine s'effrite et elle est ainsi plus facilement éliminée dans l'urine, soulageant l'organisme d'une concentration dangereuse.

Reynolds le questionna du regard.

— Un chanteur peut faire éclater une vitre par les vibrations de sa voix, reprit Chris. C'est le même principe. Quand la voix et le verre vibrent à la même fréquence, le verre se brise s'il est assez fragile.

Reynolds ne semblait pas convaincu. Il marmonna :

— Il est impensable que la vie d'un enfant malade puisse dépendre d'un pareil traitement.

— Pourquoi pas? C'est un vieux remède. Pendant des siècles on a placé les bébés atteints de jaunisse devant une fenêtre. Ils guérissaient plus vite. Un jour, un médecin s'est avisé d'étudier la question. Etait-ce la lumière solaire qui possédait cette étrange vertu curative ou n'importe quelle lumière avait-elle le même pouvoir? Il découvrit que toutes les sources de lumière agissent mais que la lumière bleue est la plus efficace. Cette méthode est assez couramment employée depuis quelques années; en tout cas, c'est ce que nous pouvons faire de mieux en attendant les résultats du labo.

La sonnerie du téléphone retentit.

— C'est sans doute le labo, dit Chris en décrochant l'appareil.

Mais il se trompait. Quelqu'un lui rappelait qu'il avait promis de faire une causerie dans l'après-midi.

— Je n'ai pas oublié. J'irai, répondit-il.

Il raccrocha et se tourna vers Reynolds :

— Je regrette. Ce n'était pas le labo.

Pendant cette brève interruption, Reynolds avait été ressaisi par le doute.

— Ecoutez, dit-il avec colère, mon petit-fils est menacé de troubles mentaux et tout ce que vous trouvez moyen de faire c'est d'allumer ces maudits tubes.

Chris poussa un profond soupir. Toutes les explications qu'il pouvait donner à un profane, aussi intelligent soit-il, seraient forcément mal interprétées.

— Voyons, Mr Reynolds. Jusqu'à présent rien ne prouve que votre petit-fils court un danger d'altération mentale. Vous m'avez demandé de vous exposer toutes les éventualités et c'est ce que j'ai fait. Maintenant, il nous faut attendre. Les résultats du labo nous apprendront si l'état de l'enfant est meilleur ou pire. S'il est meilleur, nous n'avons pas à nous inquiéter. S'il est pire nous verrons ce qu'il y a lieu de faire, mais tant que nous ne les connaissons pas, nous ne pouvons tirer de conclusions ni prendre des mesures extrêmes ou hardies. Les médecins ne doivent pas être alarmés et les alarmistes ne doivent pas embrasser la carrière médicale.

Reynolds n'était pas homme à se laisser influencer par les sentiments d'autrui.

— Et si son état s'aggrave, que ferons-nous? demanda-t-il.

Si Chris avait été moins irrité ce *nous* l'aurait sûrement amusé.

— Si son état s'aggrave nettement, *nous* aurons recours à une exsanguino-transfusion.

— Une exsanguino-transfusion?

— Nous remplaçons progressivement le sang altéré de l'enfant par un sang sain de son groupe et nous recommençons deux fois l'opération. En général elle réussit.

Reynolds hocha la tête. Il allait poser de nouvelles questions lorsque la sonnerie du téléphone intervint opportunément.

— Le labo, dit Chris en décrochant l'appareil... Bilirubine, seize. Etant donné les circonstances ce n'est pas trop mal. Infection? Négatif? Bien. Et le test de Coombs? (Chris se redressa dans son fauteuil). Ainsi, c'est une incompatibilité de rhésus? Vous en êtes sûr? Recommencez le test. Pourquoi? Parce que, d'après le rapport, bien que la mère ait un rhésus négatif, elle n'a pas eu de sensibilisation antérieure. Recommencez, refaites également une bilirubine dans deux heures.

Chris raccrocha. Reynolds demanda sur un ton lugubre :

— Ça va mal, hein?

— Non. Dans l'ensemble, les circonstances sont plutôt favorables.

— Vous semblez préoccupé par cette incompatibilité de rhésus.

— Pas préoccupé, étonné.

Chris se demandait comment ces troubles avaient pu se produire mais il n'eut pas le temps de réfléchir. Reynolds insistait.

— Un taux de bilirubine de seize est-il près de la zone de danger?

— Pas trop. Il y a huit heures, il était de quatorze mais le test a été fait dans un autre hôpital. Une partie de cette petite différence — et de quatorze à seize, elle n'est pas grande — peut être due au changement de matériel et de techniciens. Une élévation de deux unités en huit heures c'est bon signe.

Chris reprit le téléphone, demanda le service des soins intensifs de pédiatrie et appela l'infirmière-chef.

— Nan, dans deux heures, vous ferez prélever un échantillon de sang sur le bébé Simpson et vous l'enverrez au laboratoire. Je serai de retour à ce moment-là. Il faudrait aussi que tout soit prêt pour une exsanguino-transfusion. Nous prendrons une décision dès que nous connaîtrons les résultats de la prochaine bilirubine.

Avant même que Chris ait raccroché, Reynolds s'exclama :

— Vous serez de retour! Que voulez-vous dire, docteur?

— Je suis attendu à Rixie Square pour faire une causerie à un groupe de mères nécessiteuses sur les soins pré- et postnatals, expliqua Chris.

Et il ôta sa blouse de laboratoire pour enfiler une veste bleu marine.

— Alors, pendant que mon petit-fils est en danger vous allez sortir pour palabrer.

— Mr Reynolds, je ne peux absolument rien pour votre petit-fils avant de connaître les résultats de la prochaine bilirubine et il faut attendre deux heures. Entre-temps nous ne pouvons qu'appliquer la photothérapie. Je peux me rendre plus utile en donnant des conseils qu'en restant là à tourner en rond.

— Ecoutez! dit Reynolds brusquement. Je vous paierai tous les honoraires que vous me demanderez mais restez là. Faites-vous remplacer pour cette sacrée causerie.

— Si je pouvais accepter des honoraires, ce qui m'est impossible étant attaché à cet hôpital, je serais malhonnête. Je vous répète que je ne peux absolument rien pour votre petit-fils en ce moment. Nous devons attendre et voir venir, dit Chris avec patience.

— Si c'est aussi simple, pourquoi faites-vous préparer tout ce matériel pour votre retour?

— Si le prochain taux de bilirubine est nettement supérieur et que je décide de pratiquer une exsanguino-transfusion, je ne veux pas perdre de temps. Au fait, si vous voulez faire quelque chose pour votre petit-fils, faites signer cette formule d'autorisation par son père ou sa mère.

Chris sortit un papier du tiroir de son bureau.

— Une autorisation pourquoi?

— Une autorisation d'exsanguino-transfusion, en cas de nécessité.

— Pourquoi vous faut-il le consentement des parents?

— Parce qu'une exsanguino-transfusion comporte des risques. L'opération peut entraîner des complications dans trois pour cent des cas et le pourcentage de mortalité est de un pour cent.

— De mortalité? s'exclama Reynolds surpris. Vous voulez dire qu'un enfant qui subit une exsanguino-transfusion court le risque de mourir?

— Un enfant sur cent. C'est pourquoi nous essayons d'empêcher l'élévation du taux de bilirubine par la photothérapie avant de recourir à la transfusion.

Reynolds hocha la tête. Il paraissait angoissé mais moins agressif. Il prit la formule.

— Ne pourrais-je signer ce papier? Je ne voudrais pas alarmer ma fille.

— Le règlement de l'hôpital exige la signature du père ou de la mère, répondit Chris avec une certaine sympathie pour cette sollicitude paternelle.

— C'est bon, dit enfin Reynolds, mais je ne fais qu'aller et revenir. Soyez là à mon retour, docteur.

Chris se dit que Reynolds avait toujours eu l'habitude du commandement et il décida de ne plus s'en formaliser.

— Rendez-vous dans deux heures, dit-il.

Reynolds s'arrêta sur le seuil de la porte. Chris remarqua pour la première fois l'éclat métallique de ses yeux bleus.

— Docteur, remettez-moi cet enfant... en bon état... et je vous promets tout ce que vous voudrez; un nouveau laboratoire, une autre aile, un matériel ultra-moderne, le poste que vous ambitionnez.

— Nous ferons de notre mieux comme toujours.

Reynolds ne bougea pas.

— Je veux que vous le traitiez comme un futur président des Etats-Unis; ne l'oubliez pas.

Il se retourna et longea le couloir. Chris le suivit des yeux. Il le croit, se dit-il. Il le croit vraiment.

Avant de sortir, Chris passa dans la salle des soins intensifs pour jeter un coup d'œil sur son petit patient. Etat stationnaire. Dans deux heures il serait fixé.

2

La réunion se tenait à l'école du 146 Rixie Square ainsi baptisé en l'honneur du héros local le plus éminent de la Première Guerre mondiale mais c'était le quartier le plus laid de la ville. Au milieu de taudis vétustes se dressaient quelques-unes des H.L.M. les plus neuves et les plus hautes de la cité. Plusieurs étaient des bâtiments Reynolds, l'Ecole publique du 146 avait été ouverte trois ans auparavant pour recevoir les nouveaux effectifs.

Chris Grant prit place sur l'estrade de l'auditorium à côté de la directrice, une femme noire plantureuse. Il observa les mères qui entraient dans la salle. Certaines étaient toutes jeunes et attendaient vraisemblablement leur premier enfant, d'autres semblaient étonnamment vieilles pour des femmes enceintes. Peu à peu, tous les sièges furent occupés. *El Medico,* comme l'appelaient la plupart d'entre elles, était célèbre dans le quartier et son assistance, composée en majeure partie de femmes noires et portoricaines, venait écouter le beau jeune homme qui employait des termes qu'elles comprenaient. Il attendait leurs questions et leur disait tout ce qu'elles voulaient savoir. Contrairement à bien d'autres médecins d'hôpital, il ne s'impatientait pas lorsqu'elles cherchaient leurs mots. Il ne leur demandait rien — ni leurs votes ni leur soutien pour des causes ou des actions d'ordre racial.

Le bruit des voix s'éteignit dès que la directrice eut réclamé le silence. Elle présenta Chris.

— *Tu eres una madre antes de tener tu bebe,* commença-t-il, répétant la phrase que venait de lui enseigner l'un de ses internes.

Elles s'amusèrent de ses fautes de prononciation dont certaines étaient commises intentionnellement pour libérer ses auditrices de la crainte qu'inspirent les médecins aux êtres simples; et surtout il voulait leur dire dans leur propre langue :

— Tu es mère avant de mettre ton enfant au monde.

Puis il se lança dans un exposé où les mots lait et *leche* revenaient fréquemment. Il n'utilisait jamais l'un sans l'autre. En outre, il insista sur l'importance des examens prénatals et sur la nécessité absolue d'un régime alimentaire substantiel et bien équilibré pour la mère et pour l'enfant. Il ajouta que, dans ce pays, avaient grandi des générations de garçons et de filles qui s'étaient élevés de la pauvreté à une situation prospère et enviée mais uniquement grâce à la puissance de leur cerveau. Il expliqua que le secret de la force cérébrale réside dans l'apport d'aliments appropriés au cours des mois qui précèdent et qui suivent la grossesse. Il sut leur faire accepter ses paroles et leur donner le désir de mettre ses théories en pratique.

Quand il eut terminé son discours, les questions fusèrent de toutes parts. Les femmes voulaient s'assurer qu'elles l'avaient bien compris. Il répondit dans la mesure où son temps le lui permettait tout en prenant soin de ne pas paraître pressé. Avant de repartir pour l'hôpital, il promit qu'il reviendrait faire une nouvelle causerie. Toute l'assistance se leva pour l'applaudir. Il sortit accompagné par le bruit des acclamations.

John Stewart Reynolds attendait devant l'unité des soins intensifs. Il regardait à travers la vitre l'incubateur où son minuscule petit-fils gisait sous la lumière bleue des tubes fluorescents. Les médecins avaient beau dire qu'elle avait le pouvoir de guérir, il en douterait toujours. Au moment où Chris arriva dans le couloir, Reynolds se retourna pour lui faire face mais le jeune médecin le devança.

— Nous devrions avoir les résultats du laboratoire, dit-il

avant que Reynolds ait eu le temps d'ouvrir la bouche. Je vais voir.

Il se glissa dans la salle et se dirigea vers l'isolette. Il lui sembla que le bronzage du bébé s'était légèrement atténué mais, dans des cas pareils, un bon médecin ne se fie pas uniquement à sa vue. L'infirmière de nuit s'approcha :

— A-t-on prélevé cet échantillon de sang? demanda-t-il.

— Oui, il y a plus de cinq minutes. Les résultats devraient arriver d'un instant à l'autre.

— Je vais les attendre, murmura Chris d'un air préoccupé.

Il avait exposé la situation au grand-père avec circonspection. Un taux de bilirubine qui ne serait pas inquiétant chez un bébé de trois ou quatre jours pourrait être très alarmant au cours des premières vingt-quatre heures de sa vie.

Pendant qu'il attendait les résultats, il décida d'appeler Coleman, le médecin responsable de la polyclinique de Parkside. Heureusement, celui-ci faisait sa tournée, aussi n'eut-il aucune peine à le joindre. Il voulait la liste des médicaments administrés à Mrs Simpson pendant sa grossesse. Les profanes connaissent les effets de la thalidomide en raison de la publicité dont elle a fait l'objet. D'autres remèdes ont également des effets désastreux — même l'aspirine prise à doses fortes ou continues.

Coleman vérifia les rapports de Mitchell et affirma qu'aucune drogue nocive n'avait été administrée à la fille de Reynolds. Il ajouta que la membrane ne s'était pas rompue trop tôt. Ainsi, il était peu probable que le bébé ait attrapé une infection au cours de l'accouchement.

La copie du rapport de Parkside établissait que les deux tests Apgar — évaluation de l'état circulatoire, respiratoire et neurologique — avaient été effectués dans la salle d'accouchement, conformément à la pratique courante — le premier, une minute après la naissance, le second cinq minutes plus tard. Le bébé avait un score normal les deux fois. Cependant, en ce qui concernait le point principal que Chris voulait vérifier, le rapport devenait vague et Coleman n'était guère plus précis.

— A quel moment avez-vous diagnostiqué la jaunisse? insista Chris.

Coleman hésita avant de répondre :

— En réalité, ce n'est pas moi qui l'ai constatée.

— Oh! je vois, dit Chris sur un ton de reproche.

— J'ai été appelé sept heures après l'accouchement, expliqua Coleman avec impatience. Rappelez-vous que j'assurais le remplacement du docteur Mitchell mais tout s'est passé normalement; la délivrance a été un peu plus longue que d'habitude, un peu dure pour la mère mais normale. Aussi n'avions-nous aucun sujet d'inquiétude.

— Bien que la grossesse n'ait duré que trente-six semaines?

— Trente-sept, corrigea Coleman et l'enfant avait un poids correct. D'ailleurs les tests étaient parfaits. Les deux Apgar étaient normaux.

— Oui, je sais. Quand avez-vous constaté la jaunisse?

— J'essaie de vous expliquer que ce n'est pas moi qui l'ai constatée. J'avais déjà mes propres patients quand j'ai dû subitement prendre en charge les malades de Mitchell. Aussi n'ai-je pas pu revoir chaque patient aussi souvent que je le fais d'habitude. C'est l'infirmière qui m'a prévenu ce matin...

— Ce matin...! s'exclama Chris sans cacher sa surprise.

— Je vous ai dit que j'étais terriblement occupé, répondit Coleman sèchement. En fait, c'est moi qui ai conseillé à la famille de vous envoyer le bébé.

— Parfait! mais quelqu'un sait-il si les symptômes de la jaunisse se sont manifestés au cours des premières vingt-quatre heures ou non? Il est indispensable que je le sache.

— Je ne puis vous donner aucune précision à ce sujet, admit Coleman. Je n'ai vu le bébé qu'après l'appel de l'infirmière, trente-six heures après sa naissance.

Chris consulta alors le dossier médical du petit malade. Il s'aperçut que la première mention du changement de teint n'avait été portée que trente-deux heures après l'accouchement. L'infirmière n'avait averti Coleman que le lendemain matin. Il avait aussitôt ordonné une bilirubine qui n'avait fait que confirmer les soupçons de l'infirmière. Ainsi, personne ne pouvait le renseigner avec précision sur le moment de la première apparition des signes de jaunisse.

Le téléphone de la salle des soins intensifs ne sonnait pas. Il clignotait. Chris prit immédiatement l'appareil des mains de l'infirmière.

— Ivan? Ici le docteur Grant. Avez-vous les résultats pour le bébé Simpson?

— Taux de bilirubine inchangé. Toujours seize.

Chris s'était attendu à une augmentation d'un demi pour cent. Manifestement, la photothérapie contribuait à tenir le mal en échec. C'était encourageant; pas concluant, simplement encourageant.

— Merci Ivan. Nous referons une bilirubine dans deux heures. Assurez-vous qu'il y aura quelqu'un pour s'en occuper.

Il décida d'annuler son rendez-vous avec Alice et de renoncer à la représentation prévue dans son abonnement au théâtre. Il attendrait au besoin toute la nuit que la situation évolue dans un sens ou dans l'autre. Ou bien le taux de bilirubine s'élèverait ou bien la photothérapie avait déjà fait son œuvre.

En sortant de l'U.S.I. il se trouva en face de John Reynolds. Chris lui expliqua que l'état de l'enfant se maintenait s'il ne s'améliorait pas. Si les choses suivaient leur cours normal, la bilirubine devrait commencer à diminuer. Il resterait dans les parages pour s'en assurer ou pour prendre les mesures nécessaires dans le cas contraire. Reynolds avait-il obtenu l'autorisation écrite de sa fille? Le vieil homme la lui tendit.

— Qu'allons-nous faire à présent?

— On fera une nouvelle analyse dans deux heures. Jusque-là, nous ne pouvons qu'attendre.

— Il est tard. Si vous n'avez pas dîné non plus, voulez-vous me tenir compagnie?

— Je préfère manger à la cafétéria. Il sera plus facile de me joindre.

— Vous prévoyez une urgence?

— Non. Je veux simplement rester dans les parages pour attendre les résultats du labo.

— Alors si vous n'y voyez pas d'inconvénients je dînerai avec vous.

— Vous allez être obligé de porter votre plateau.

— Ces jeunes imbéciles sont tous pareils, gronda Reynolds. Quand j'étais gosse je portais mon déjeuner dans une gamelle. Je parie que vous ne savez même pas ce que c'est. Je ne suis pas né dans l'opulence. Je me suis élevé à la force du poignet. J'ai mangé des aliments que vous ne voudriez pas toucher et dans des endroits où vous n'oseriez pas mettre les pieds. Alors, ne me jetez pas à la tête votre histoire de plateau.

Il se tut puis demanda brusquement :

— Il n'y a pas de quoi prendre un verre par ici, n'est-ce pas?

— Non.

— Si vous voulez boire, j'ai un bar dans ma voiture. Mon chauffeur peut nous apporter une bouteille.

— Non merci. Je ne bois jamais quand je suis de service.

— Puis-je faire apporter un verre pour moi?

— Le jour où un certain Grant pourra dire à un certain Reynolds ce qu'il peut faire ou ne pas faire, il fera plus chaud qu'aujourd'hui.

Au lieu de s'irriter, Reynolds sourit.

— Quelle impertinence! dit-il. Mais ce n'est pas pour me déplaire. J'étais ainsi à votre âge.

Bien que John Reynolds eût pris du gigot avec des pommes de terre, une salade, un dessert et un café, il ne mangea pratiquement rien. Chris en conclut qu'il avait simplement faim de compagnie. Reynolds avait beau essayer de parler d'autre chose il en revenait toujours au sujet de son petit-fils. Puis il s'en écarta délibérément comme s'il se rendait compte qu'il le fallait.

— Voilà qui doit perturber votre vie sociale, docteur, dit-il faisant allusion à l'heure tardive où même la cafétéria de l'hôpital était à peu près déserte.

— Il est certain que ce n'est pas fait pour la faciliter. Nous devions aller au théâtre ce soir.

— Nous?

— Avec une fille que je connais.

Il restait intentionnellement vague au sujet d'Alice Kennan la séduisante instructrice des infirmières. Chris avait fait sa connaissance en recrutant des volontaires pour ses cours d'adultes. Ils se connaissaient depuis près d'un an.

— Vous avez l'intention de vous marier un de ces jours? questionna Reynolds.

— Tout le monde a l'intention de se marier un jour.

Reynolds ne put s'empêcher de proposer :

— Si jamais vous voulez ma loge au théâtre, vous n'avez qu'un mot à dire.

Il n'avait pas besoin de préciser que si la ville possédait un théâtre de premier ordre c'était grâce à ses largesses. Chris Grant et tous les abonnés étaient les obligés de Reynolds à cet égard et ils le savaient. D'ailleurs John Stewart Reynolds participait pour une grande part à l'existence de tout ce qui avait une valeur culturelle dans la ville.

Chris continua à manger en silence. Il jetait de temps en temps un regard sur l'horloge murale, guettant le moment où il pourrait prélever un nouvel échantillon de sang pour la prochaine analyse cruciale de bilirubine. Après le repas il leur restait encore une heure à attendre. Chris invita Reynolds à visiter le pavillon de pédiatrie.

— Vous l'avez déjà vu mais, comme c'est vous qui l'avez financé en majeure partie, vous serez peut-être content de vous rendre compte officieusement de l'emploi qui a été fait de votre argent.

Reynolds acquiesça d'un signe de tête, vida sa tasse de café et ils sortirent. Chris lui montra les salles d'opération et de thérapie pour les enfants atteints de maladie congénitale ainsi que les pouponnières. Dans la salle des tests neurologiques, il vit que Reynolds frémissait en pensant à son petit-fils. Il traversa la pièce rapidement et se dirigea vers son propre laboratoire où il expliqua la nature de ses recherches. Il prit soin d'éviter l'appellation « bébés Reynolds » que, pour la première fois, il associait à un homme, pas à un groupe d'immeubles.

Les deux heures étaient passées. Ils retournèrent dans le secteur des soins intensifs. Pendant que Reynolds attendait dehors, Chris examina l'enfant. Bien qu'il décelât un changement favorable dans le teint du bébé, il préleva un échantillon de sang et décida de l'apporter lui-même au laboratoire.

L'analyse du taux de bilirubine ne prit pas plus de cinq minutes. Cette fois, il aborda Reynolds avec un large sourire :

— Eh bien? demanda avidement celui-ci.

— Je crois que nous sommes sortis de l'auberge, annonça Chris; le taux de bilirubine est de quatorze, cinq.

— Il a baissé de près de deux pour cent?

Reynolds sourit aussi, visiblement soulagé.

— C'est grâce à la photothérapie remarqua Chris. Médecine de charlatan que cette lumière fluorescente bien ordinaire, ajouta-t-il en s'offrant le luxe de taquiner le vieux monsieur.

— C'est sans doute vrai.

Reynolds exultait. Chris lui tendit une blouse stérile et ouvrit la porte de la salle des soins intensifs.

— Allons, entrez si vous voulez.

Ils s'approchèrent de l'isolette où le bébé Simpson gisait sous une batterie de lampes. Il respirait faiblement mais régulièrement sans paraître gêné par l'aiguille à perfusion et les électrodes fixées sur son petit corps. Chris passa ses mains par les ouvertures de l'incubateur pour retourner doucement le bébé d'un côté puis de l'autre. Quand il eut terminé son examen, il leva les yeux sur Reynolds et murmura :

— Oui, je crois que nous sommes sortis de l'auberge.

Reynolds ne répondit pas. Il fixait l'enfant du regard et sa vue se brouillait. Chris comprit soudain que ce bébé représentait le but de tous ses efforts. Il se demanda si Reynolds avait eu un fils ou s'il avait dû se contenter d'une fille.

— Pouvez-vous vous rendre compte dès maintenant? questionna Reynolds brusquement.

— Je vous ai dit qu'il est en nette amélioration.

— Non, ce n'est pas cela. Je veux parler des troubles... mentaux.

Sa voix était rauque et dure.

— Je vais lui faire subir des tests dès que je le jugerai opportun. Dans un jour ou deux.

— Et alors nous saurons? demanda Reynolds cherchant désespérément une garantie.

— Ce n'est pas aussi simple... commença Chris.

Reynolds l'interrompit :

— Expliquez-moi. Je suis capable de comprendre.

— Nous ferons des tests et nous jugerons mais il ne faudra pas conclure que d'autres manifestations ne se produiront pas plus tard.

— Plus tard? c'est-à-dire? une semaine? un mois?

— Quatre ou cinq mois mais, tout de même, nous avons maîtrisé la situation à temps.

— Bien, bien, marmonna Reynolds.

Puis il dit soudain :

— Puis-je... puis-je passer les mains par les ouvertures et le toucher?

— Si vous les frictionnez bien, je n'y vois pas d'inconvénient.

Reynolds se savonna les mains comme si la vie de son petit-fils dépendait du soin qu'il y mettait. Chris l'aida à les glisser doucement par les hublots en plastique flexible. Avec d'infinies précautions, le grand-père effleura le petit corps du bout des doigts. Puis il retira lentement ses mains et les battants en plastique se refermèrent.

Quand il se retrouva dans le couloir désert, il dit à Chris :

— Je tiens à vous remercier, docteur. Vous connaissez vraiment bien votre affaire. Restez avec lui encore quarante-huit heures, jusqu'à ce que vous soyez pleinement rassuré et je vous serai reconnaissant toute ma vie. Vous verrez que je suis homme à exprimer ma gratitude autrement que par des mots.

— A aucun moment je n'ai agi dans l'intention de m'attirer votre gratitude.

— Grant, un jour viendra sûrement où John Stewart Reynolds pourra vous être utile. Alors, vous n'aurez qu'à allonger la main et prendre le téléphone pour obtenir tout ce que vous désirerez.

Sachant qu'un homme comme Reynolds accueillerait mal toute protestation, Chris se contenta de remercier.

— D'abord, nous allons remplacer cette représentation de ce soir que vous avez manquée vous et votre amie.

— C'est inutile.

— J'insiste. Quel est votre prochain soir de liberté?

— Mercredi.

— C'est bon, mercredi, dit Reynolds comme s'ils venaient de conclure un marché.

Rassuré, Reynolds se dirigea vers l'ascenseur d'un pas énergique. Chris le suivit des yeux en pensant qu'il valait mieux être son ami que son ennemi. C'était un homme passionné, capable de reconnaissance mais aussi de haine implacable.

3

L'offre de Reynolds pour le mercredi suivant rappela à Chris qu'il avait complètement oublié de téléphoner à Alice. Ce n'était d'ailleurs pas la première fois. Il consulta sa montre. Dix heures et demie. Sans doute dormait-elle. Entre deux maux il fallait choisir le moindre : devait-il l'appeler et risquer de la réveiller ou ne pas l'appeler du tout. Dans ce dernier cas, il s'exposerait à des questions blessantes le lendemain. Pour une femme aussi séduisante, Alice Kennan était très portée à la jalousie, ne sachant pas exactement si c'étaient ses devoirs professionnels ou un intérêt d'ordre sentimental qui motivait un emploi du temps aussi irrégulier. C'était l'une des raisons pour lesquelles elle affirmait que jamais elle n'épouserait un médecin. Trop de médecins d'âge mûr lui avaient fait la cour. Certains étaient mariés avec des infirmières qu'ils avaient rencontrées au Metropolitan General comme elle-même avait rencontré Chris.

Non, décidément, quand elle se marierait ce ne serait pas avec un médecin et, en tout cas, pas un médecin aussi séduisant que Chris Grant. Seulement, alors que les autres n'étaient que de simples passades Chris Grant avait des chances de réussir.

Chaque fois qu'elle passait la nuit avec Chris, elle devait se raisonner. Elle ne voulait pas dépendre complètement de lui pour la satisfaction de ses besoins physiques. L'amour était réservé à la nuit, pour le moment où on le désire éperdûment. Elle goûtait ces instants de plaisir merveilleux où elle l'emprisonnait entre ses bras et ses longues jambes ravissantes, où ils étaient unis par la passion et le désir de se posséder. Une fois satisfaite, lorsqu'ils pouvaient s'allonger côte à côte et digresser sur l'amour, sur leur amour, elle reprenait son sang-froid et insistait sur sa décision de ne pas épouser un jeune et charmant médecin.

Et pourtant, malgré ses dénégations, Alice ne pouvait s'empêcher d'être jalouse. Chris s'en amusait. Si son indépendance lui avait tenu moins à cœur, elle n'aurait pas paru aussi illogique quand elle essayait d'affirmer son instinct de propriété.

Il se dit qu'il ferait mieux de l'appeler. Il décrocha; la sonnerie retentit six fois. A ce stade, il conclut soit qu'elle n'était pas chez elle soit qu'elle dormait profondément. S'il raccrochait après l'avoir réveillée et forcée à aller jusqu'au téléphone, elle se sentirait frustrée. S'il insistait pour avoir la la confirmation de son absence c'était lui qui risquait d'être jaloux.

Enfin, elle répondit. C'était plus une onomatopée qu'une parole.

— Allie... chérie... Excuse-moi pour ce soir.

Elle sortait d'un sommeil tellement profond qu'elle ne se souvint pas tout de suite qu'ils avaient rendez-vous.

— C'est bon, c'est bon, dit-elle trop vite.

— J'avais une urgence, expliqua-t-il.

— Heu, heu, articula-t-elle encore somnolente et poursuivant le dialogue par habitude.

— A demain? demanda-t-il.

— Heu, heu, fit-elle encore un peu trop vivement, ce qui donnait une idée de la colère qui avait dû la saisir au début de la soirée.

— Va te remettre au lit, dit Chris.

Il savait que le lendemain elle ne se rappellerait même pas qu'il l'avait appelée. Du moins tout s'était passé sans scène, sans accusation, sans explications. Elle raccrocha sans même lui souhaiter une bonne nuit.

Il se la représenta regagnant son lit toute dodelinante. Cette simple image suffit à éveiller son désir. A présent, il avait envie d'être auprès d'elle comme il l'aurait été s'ils étaient allés au théâtre ensemble. Il serait en train de l'embrasser fièvreusement. Elle attirerait son visage contre ses seins tièdes et parfumés. Elle le faisait souvent même quand elle était endormie. De toutes les femmes qu'il avait connues, elle était celle qui le comblait le mieux. Un jour, lorsqu'elle serait revenue de ses préjugés contre les médecins en tant que maris, il lui demanderait sûrement de l'épouser. Pour le moment, il acceptait les conditions qu'elle lui imposait. Sa propre carrière avait des exigences qui s'accommodaient très bien de cette situation.

En se rendant à son appartement situé dans le bâtiment qui faisait face à l'hôpital, Chris acheta le journal du matin. Sur la première page s'étalait un titre en gros caractères :

EMEUTE A RIXIE SQUARE!

— Bon Dieu! s'exclama-t-il.

Il commença à lire l'article. Pour une cause encore indéterminée, une émeute avait éclaté devant l'école du 146 peu après sa conférence. L'article était vague en ce qui concernait ses origines mais très détaillé quant à ses conséquences. Les manifestants avaient envahi le centre commercial, cassé les vitrines, dévalisé les magasins d'alimentation et volé des appareils de radio et de télévision.

Enfin la police, assistée des pompiers, avait pu disperser les émeutiers. Le maire avait promis d'ordonner une enquête.

Chris gardait ses yeux fixés sur le titre de l'article tout en se déshabillant. Si seulement toute cette énergie pouvait être canalisée à des fins constructives. Malgré tous ses efforts, des générations d'adultes mal nourris continueraient à produire des générations d'enfants handicapés.

Il se coucha épuisé, poursuivi par les images de ces femmes qui avaient assisté à sa conférence avec tant d'intérêt. Peut-être certaines d'entre elles suivraient-elles ses instructions. Avant de sombrer dans le sommeil, sa dernière pensée fut pour elles. Pourvu qu'aucune n'ait été impliquée ou blessée dans cette maudite émeute.

Le lendemain matin, juste avant de donner son premier cours de soins postnatals, Alice Kennan l'appela. Ses élèves étaient déjà rassemblées dans la salle mais il lui restait une minute et demie avant l'heure prévue et elle en profita pour donner un rapide coup de téléphone.

— Chris...

Elle n'était jamais démonstrative au téléphone.

— Avons-nous rendez-vous mercredi? demanda-t-elle.

— En général, tu prends note de ce genre de choses. Si tu le dis c'est que c'est vrai. En tout cas, je sais que je suis libre.

— Ce n'est pas moi qui le dis. Mais quand tes fleurs sont arrivées ce matin avec un mot d'excuse pour hier soir...

— Mes fleurs? s'exclama-t-il, sidéré.

— Des roses, merveilleusement rouges avec de longues tiges. Et elles ont un parfum! J'adore qu'on me fasse la cour avec des roses.

— Alors tâche de trouver qui te fait la cour?

— Il y a une carte de toi avec des excuses pour hier soir, insista-t-elle. Elle m'annonce que nous allons au théâtre mercredi soir. Tu dis que tu viendras me chercher pour dîner à sept heures.

— Moi je dis cela? demanda Chris éberlué.

Mais sa surprise ne dura qu'un instant.

— Oh je comprends, reprit-il. Ces roses viennent de John Stewart Reynolds. Quand il entre en scène, ce n'est pas pour faire du vent.

— S'il envoie toujours des roses comme celles-ci, il peut entrer chez moi, dit Alice en riant.

Il aimait entendre le rire d'Alice même au téléphone. Il se représentait ses yeux malicieux.

— Reynolds a dû t'envoyer ces fleurs parce que je n'ai pas eu le temps de t'appeler pour te donner des explications.

— Oh! si tes lapins sont suivis chaque fois d'un envoi de roses je serai comblée.

Chris eut un rire intérieur. Elle ne se souvenait décidément pas de son appel tardif. Ce n'était pas la première fois. Ainsi, les roses de Reynolds avaient encore plus de poids.

Au cours des quelques jours qui suivirent, Chris Grant se surprit à demander les résultats de labo du « bébé Reynolds ». Il prescrivait des séances intermittentes de photothérapie pour le « bébé Reynolds » et consultait la fiche du « bébé Reynolds » bien que la fiche et les rapports d'hôpital aient été établis au nom de « Bébé Simpson ». Dans son esprit, cet enfant qui se rétablissait si bien était la propriété exclusive de John Stewart Reynolds. Le terme « bébé Reynolds » avait un sens tout différent de l'appellation « Bébés Reynolds » que Chris employait pour ses recherches. Pendant un moment, il fut tenté de modifier cette expression par respect pour l'homme qu'il commençait à accepter et même à aimer à cause de l'ardente affection qu'il vouait à son petit-fils. Cependant, en fin de compte, il conserva l'expression originale faute de substitut approprié.

Leur soirée de mercredi au théâtre fut beaucoup plus somptueuse que Chris ne l'aurait imaginé. Une limousine de Reynolds vint les attendre devant l'appartement d'Alice, le chauffeur les conduisit dans le plus beau restaurant de la ville où le maître d'hôtel les accueillit comme des habitués de marque.

Après le dîner, la voiture les amena au théâtre. Ils entrèrent dans la loge de Reynolds juste avant le lever du rideau. Le public de l'orchestre les regarda d'un air intrigué se demandant qui pouvait bien occuper la loge de Reynolds.

Plus tard, lorsque la voiture les reconduisit chez Alice, Chris dit avec le plus grand sérieux :

— Tu pourrais profiter de ce genre de luxe constamment si je prenais une clientèle privée.

Comme toujours quand elle sentait la moindre allusion au mariage, Alice répondit à côté de la question :

— C'est à toi d'en décider Chris. Fais ce qui te plaît.

Elle savait qu'il ne prendrait jamais une clientèle privée. La recherche et l'enseignement étaient trop importants pour lui.

La voiture s'arrêta devant sa porte. Elle dit assez haut pour que le chauffeur l'entende :

— Appelle-moi demain matin.

— Je peux au moins t'accompagner jusqu'à ta porte, dit-il surpris.

— Je peux aller jusque-là toute seule.

Et elle sortit rapidement. Son brusque départ le contraria tellement qu'il l'appela dès qu'il fut chez lui.

— Qu'est-ce qui t'a pris? Que t'ai-je fait?

— Toi, rien.

— *Quoi* alors? J'espérais que nous finirions une délicieuse soirée d'une façon plus délicieuse encore.

— Oh! c'était une soirée merveilleuse. Mais t'es-tu demandé comment John Reynolds a su qui j'étais et connaît mon adresse?

— Je n'y ai pas pensé.

— Eh bien, moi j'y ai pensé, dit-elle sur un ton interrogateur.

— Je te donne ma parole que je n'ai pas mentionné ton nom.

— Serait-ce Sobol alors?

— Sûrement pas. Mike est trop respectueux de la vie privée d'autrui.

— Eh bien, ton omnipotent Reynolds a découvert qui je suis et où j'habite. Et, si je n'y fais pas attention, ma vie sexuelle n'aura plus de secrets pour lui. Or, je ne veux pas de ça.

— Bon Dieu, explosa Chris, seule une femme peut penser à ces choses-là.

Son sentiment de frustration ne dura pas longtemps. Alice dit doucement :

— Si tu y tiens toujours, pourquoi ne pas appeler un taxi et venir chez moi maintenant.

C'est ce qu'il fit.

Chemin faisant, il se dit que John Reynolds était capable d'envahir complètement la vie d'un autre être pour peu qu'on le laissât faire. Cet homme était dangereusement sympathique et séduisant quand il voulait s'en donner la peine. Il fallait se tenir sur ses gardes.

Le bébé Simpson se rétablit aussi bien que possible. Son taux de bilirubine baissa nettement au cours des soixante-douze heures qui suivirent l'application de la photothérapie. Dans la mesure où un pédiatre peut en juger chez un bébé aussi jeune, Chris Grant était convaincu qu'il n'y aurait pas d'effets secondaires. Le psycho-pédiatre confirma ses observations. D'après tous les tests et réactions possibles à ce stade, le développement de l'enfant semblait suivre un cours normal. Au bout d'une semaine, Chris le rendit à sa mère.

Le jour où le bébé Simpson sortit de l'unité des soins intensifs du Metropolitan General, une Continental Mark IV toute neuve, portant la plaque DM, attendait dans le parking de l'hôpital. Les clés et la carte grise placées sous enveloppe se trouvaient à la réception au nom du docteur Christopher Grant une carte de visite accompagnait le tout avec ces mots : « Merci, cher Chris. John. »

Le soir même, Chris renvoya les clés avec une note exprimant sa reconnaissance mais refusant le présent trop généreux. Deux jours, plus tard, la voiture fut retirée du parking. John Stewart Reynolds fut obligé de limiter l'expression de sa gratitude à l'envoi d'une lettre extrêmement élogieuse au conseil d'Administration. Il louait le docteur Grant non seulement pour son traitement hautement efficace mais pour sa considération à l'égard des proches parents de son patient et pour la peine qu'il prenait à s'assurer que ces proches parents avaient pleinement compris la situation.

Le dossier Simpson-Reynolds parut classé. Le traitement avait réussi. Le malade était rétabli. Les résultats dépassaient toutes les espérances.

Mike Sobol était particulièrement reconnaissant à Chris. Il nourrissait un projet de nouveau laboratoire spécialement consacré à l'étude du psychisme des nouveau-nés, une spécialité encore trop pauvre pour atteindre le maximum d'efficacité. Elle nécessitait un matériel coûteux dont une partie n'avait encore jamais été construite. La réduction des subventions accordées par les autorités fédérales allait l'obliger à chercher l'appui de quelques mécènes dont le plus en vue était John Stewart Reynolds. Chris lui avait facilité la tâche.

C'est du moins ce qu'il crut pendant un certain temps.

4

Quatre mois s'étaient écoulés. Le docteur Christopher Grant exposait les résultats de ses recherches devant les membres de la Société de pédiatrie des Etats-Unis. La conférence était accompagnée de projections appropriées. Ce n'était pas son premier exposé sur les bébés Reynolds mais c'était la première fois qu'il s'adressait à une assistance aussi nombreuse et aussi distinguée. Plusieurs de ses auditeurs étaient déjà des spécialistes éminents à l'époque où Chris n'était encore qu'étudiant en médecine.

Il commença par rendre hommage aux chercheurs qui avaient étudié le problème avant lui et déclara qu'il avait pu faire franchir un pas aux recherches en étudiant les frères et sœurs survivants des bébés Reynolds morts. Ces enfants vivaient; oui, mais leur inaptitude à se développer mentalement ou physiquement à un stade approchant de la normale corroborait nettement les découvertes antérieures.

Ses auditeurs l'écoutaient avec une attention et une gravité qui parurent encourageantes. Il allait présenter ses commentaires personnels après la lecture de son article lorsqu'il vit un homme entrer dans la salle par une porte latérale. L'intrus murmura quelques mots à l'oreille d'un médecin présent qui lui désigna Chris du doigt. L'homme parut décontenancé mais il s'assit, décidé à attendre.

Chris se força à reporter toute son attention sur son sujet.

— L'importance toute particulière de ces enfants que j'appelle « bébés Reynolds » n'est pas simplement d'ordre médical. Ces enfants sont le produit d'une société soi-disant éclairée. Leurs familles qui vivaient dans des taudis ont été relogées dans des immeubles neufs entourés de pelouses. Elles sont censées bénéficier d'un niveau de vie supérieur à la misère. Et pourtant, sous mon microscope, je découvre que ces progrès n'ont guère réussi à améliorer la qualité des cellules cérébrales de ces malheureux enfants.

Chris remarqua que l'intrus triturait une feuille de papier et donnait des signes d'impatience. Cependant, il poursuivit car il en venait à la substance même de son exposé.

— Des millions de dollars sont employés pour venir en aide à ces infortunés, *une fois que* le mal est fait. Avec beaucoup moins d'argent, ils auraient pu naître normaux et devenir des individus productifs. Il aurait suffi que leurs mères aient été instruites de l'importance que présente une alimentation prénatale convenable. Il y a une vingtaine d'années, le noir stéréotypé dans notre folklore était un paresseux et un instable. Tout le monde se moquait de lui sans se rendre compte que l'*apathie* et la *léthargie* sont les deux caractéristiques les plus remarquables produites par une mauvaise alimentation dans l'enfance. Ce que nous avons pris pour une caractéristique raciale ou une infériorité génétique est en réalité un trait que nous avons introduit par nos omissions dans une partie substantielle de notre population noire. J'estime qu'un nouvel ordre de priorité s'impose mais c'est à nous pédiatres qu'il appartient de prendre en main la situation. Nous devons utiliser nos connaissances médicales pour veiller à ce que les programmes économiques et sociaux de notre pays soient fondés sur des faits médicaux concrets et non sur des théories. Faute de quoi, une génération frustrée en engendrera une autre et encore une autre. Et nous perdrons notre temps, nos efforts et notre substance à édifier des programmes quand il sera trop tard. Et nous passerons toute notre vie à essayer de traiter des patients incurables pour des déficiences qui étaient évitables pendant les phases post et prénatales. Avant que la réunion soit ajournée je propose que nous passions une résolution demandant au gouvernement d'étudier la question et de prendre les mesures nécessaires.

Cette conclusion fut accueillie par de vifs applaudissements. Seuls les médecins les plus conservateurs se montrèrent réservés. Chris n'en fut ni surpris ni déçu. Sur le moment, il était surtout désireux de connaître l'identité de l'homme qui se frayait un passage à travers la foule et agitait une feuille de papier au bout de son bras en disant.

— Docteur Grant! C'est très urgent.

Chris prit la note et lut le bref message : « Appelez immédiatement votre hôpital. »

— Excusez-moi, dit-il aux médecins qui essayaient de l'aborder.

Il quitta l'auditorium pour se mettre en quête d'un téléphone. Une multitude de suppositions lui traversaient l'esprit. L'idée que Mike Sobol avait été frappé d'une crise cardiaque s'imposa à lui. Il avait déjà eu une coronarité massive et il s'était surmené ces derniers temps avec ses cours, ses recherches, ses tâches administratives et ses efforts désespérés pour recueillir l'argent nécessaire à l'installation du nouveau laboratoire de neurologie. Par deux fois, Chris lui avait suggéré de se ménager mais Sobol avait fait la sourde oreille.

Chris demanda l'hôpital; le standard lui passa la ligne. En entendant la voix de Sobol, il se sentit soulagé mais elle lui parut cassée et haletante.

— Mike?

— Oui, Chris. Excusez-moi de vous déranger mais c'est urgent. John Stewart Reynolds m'a appelé ce matin. Il dit que le bébé Simpson donne des signes de troubles mentaux.

— Qu'est-ce que vous dites? s'exclama Chris incrédule.

— Le bébé Simpson ne semble pas normal.

— Handicapé mental?

— C'est ce qu'indiquent les symptômes.

— Je ne le croirai pas avant de l'avoir examiné moi-même.

— Ce ne sera pas facile.

— Pourquoi?

— Reynolds vous rend responsable de tout.

Avant que Chris ait eu le temps de se ressaisir, Sobol reprit :

— Je vous en prie, prenez le premier avion et rentrez.

Chris alla aussitôt dans sa chambre pour faire sa valise mais à peine eut-il commencé qu'il entendit frapper à la porte. Jeremy Bingham médecin à l'hôpital des Enfants de Boston et Carl Ehrenz, directeur du service de pédiatrie à l'hôpital UCLA venaient lui rendre visite.

— Nous ne venons pas ici en délégation dit Bingham en souriant. En fait, nous nous sommes surpris dans l'ascenseur en train de courir le même lièvre.

Ehrenz se présenta :

— Carl Ehrenz, U.C.L.A.

— Je sais, monsieur. J'ai lu tous vos articles, dit Chris.

— Voilà l'affaire en deux mots, interrompit Bingham. Nous vous voulons tous les deux et aux meilleures conditions. C'est à vous de choisir. Voulez-vous exercer dans une communauté civilisée comme Boston ou préférez-vous faire de la pédiatrie itinérante dans des zones frontières?

Les deux hommes se mirent à rire mais, en pensant à la colère implacable de Reynolds, Chris fut tenté d'accepter toute offre susceptible de lui éviter une confrontation avec l'empire Reynolds. Si la voix inquiète de Sobol ne l'avait retenu, il aurait étudié les propositions.

— Je vous remercie tous deux, dit-il enfin. Je viens d'être rappelé pour un cas urgent. Ne m'en veuillez pas, je vous en prie, mais je suis obligé de boucler ma valise pour aller à l'aéroport.

Abandonnant son sourire de commande, Bingham dit sur un ton grave :

— Grant, si ma proposition vous intéressait, faites-le moi savoir immédiatement.

— C'est entendu, monsieur.

Pendant le voyage de retour Chris examina toutes les possibilités. Le petit Simpson lui avait-il été envoyé trop tard? Chez les bébés nés avant terme une jaunisse peut causer des dégâts irréversibles. Pourtant, à aucun moment, la bilirubine n'avait atteint un niveau dangereux et la photothérapie avait eu une action efficace. Cependant, quatre mois plus tard, des symptômes de troubles cérébraux se manifestaient. Impossible se dit-il.

L'enfant n'était vraisemblablement pas handicapé. Un

grand-père hyperanxieux et démesurément ambitieux comme John Stewart Reynolds pensait sans doute que son petit-fils serait exagérément précoce. N'avait-il pas mentionné lui-même à Reynolds que les signes de déficience mentale risquaient d'apparaître vers quatre ou cinq mois? Le grand-père avait dû être aux aguets et, à présent, il interprétait le moindre indice qui lui déplaisait comme un signe de lésion cérébrale.

Chris refusa de s'alarmer.

— Je ne sais que vous dire, soupira Sobol. Bien sûr le personnage est déraisonnable. C'est justement pourquoi nous devons être prudents. Extrêmement prudents.

— Qui a examiné le gosse? demanda Chris.

— Mitchell.

— Personne d'autre?

— Mitchell est un bon médecin. C'est vrai qu'il aime l'argent mais je l'estime en tant que praticien. S'il dit que le bébé présente des symptômes de kernictère, je suis bien obligé de le croire.

— Je veux examiner l'enfant moi-même.

— Nous n'avons pas légalement le droit d'exiger un examen. Je ne puis que le demander comme une faveur.

— Et Reynolds n'est pas d'humeur à nous accorder des faveurs.

— Pas d'après le son de sa voix au téléphone. Je peux l'appeler, je peux demander...

— Pas tout de suite.

Chris était trop bouleversé pour se fier à ses propres impulsions.

— Je suis navré pour les répercussions que cette situation peut avoir sur votre projet de laboratoire neurologique.

— Nous sommes à la merci des largesses royales quoi qu'en pensent les profanes; mais je m'arrangerai.

Cependant, au désordre de ses cheveux collés sur son crâne moite, Chris se rendit compte que les projets de Mike étaient bien compromis. Sobol avait compté sur Reynolds non seulement pour sa contribution personnelle mais pour faire appel à la générosité du reste de la communauté.

— Avant de croire que cette jaunisse a laissé des séquelles, je veux examiner cet enfant, dit Chris brusquement. Vous connaissez les parents. La plupart du temps, les troubles qu'ils voïent ne sont que le reflet de leur propre inquiétude.

Sobol hocha la tête. Il doutait qu'un examen pût apporter des données susceptibles de modifier ou d'améliorer la situation. Il allongea le bras pour décrocher le téléphone quand Chris reprit :

— Je veux aussi examiner la mère et interroger le père.

— Je ne peux rien promettre, Chris. Je ne puis que demander. Après tout, nous n'avons pas le droit d'exiger.

— Notre examen et un historique complet sont importants pour établir un diagnostic, insista Chris.

— Je vais essayer de lui expliquer.

La voix de Sobol semblait exprimer des regrets pour sa répugnance à engager une lutte. Il ne pouvait admettre que les médecins soient parfois obligés d'user de diplomatie et de persuasion.

— Je vais essayer de leur expliquer.

Sobol écarta les papiers qui couvraient son bureau et cachaient le téléphone. Sa main resta posée sur l'appareil un moment avant de le soulever.

— John, ici Mike Sobol, dit-il d'une voix douce.

— Oui?

— Grant est rentré. Il se tourmente et pense qu'une erreur de diagnostic est toujours possible. Il voudrait examiner l'enfant lui-même...

Reynolds l'interrompit.

— Mitchell est notre médecin. J'ai confiance en lui.

— Mitchell mérite toute votre estime mais aucun médecin n'est infaillible. Un autre avis ne peut faire de mal. Voyons John, nous nous intéressons beaucoup à cet enfant et nous essayons seulement de vous aider.

— Je ne sais pas.

— John, je vous en prie. Mitchell est peut-être trop obsédé par ce cas. Sans doute est-il tendu parce qu'il sait ce que vous ressentez. Cela peut influer sur le jugement d'un médecin.

Reynolds se tut un long moment avant de répondre :

— Où l'examen aura-t-il lieu?

— Ici, à l'hôpital, dit vivement Sobol qui sentit Reynolds prêt à céder.

— Non, répliqua Reynolds sèchement. Mais si vous pouvez venir l'examiner chez moi, en présence de Mitchell, je pense que ce sera possible.

— Parfait, merci, dit Sobol avec un accent de reconnaissance.

— Demandez pour la mère, c'est important, souffla Chris.

Comme si une idée venait de lui traverser l'esprit Sobol ajouta sur un ton détaché :

— Au fait, John, nous aurons peut-être à poser quelques questions auxquelles seule votre fille saurait répondre. Peut-elle être présente?

— Je trouve que c'est une épreuve pénible étant donné la situation que Grant lui a créée.

— John... Nous ne sommes pas encore certains de la gravité de la situation; nous ne savons pas qui en porte la responsabilité. Alors abstenons-nous de lancer des accusations.

Le visage de Sobol était congestionné par la colère et la tension. Il n'aimait pas que ses jeunes collaborateurs soient attaqués de cette façon.

— Grant peut examiner l'enfant devant Mitchell, s'il lui plaît mais ne comptez pas sur la présence de ma fille.

Reynolds parlait si fort que Sobol n'eut pas à répéter ses paroles à Chris. Celui-ci hésita puis il se dit qu'un examen valait mieux que rien. Il acquiesça d'un signe de tête.

— C'est bien John. Voulez-vous nous donner un rendez-vous pour cet après-midi ou est-ce trop tôt?

— Cet après-midi à quatre heures, dit Reynolds sur un ton agacé.

Et il raccrocha.

5

La maison de Reynolds se dressait tout en haut de Walnut Hill, le quartier le plus luxueux de la ville. Elle se trouvait à quelques minutes du portail d'entrée. Quand Grant et Sobol arrivèrent, une autre voiture portant la plaque de docteur en médecine était déjà rangée dans l'allée circulaire. Mitchell les avait donc précédés.

Un valet de pied leur ouvrit la porte. Il leur fit traverser un immense hall au sol de marbre couvert d'un tapis d'Orient amarante et les conduisit en haut du grand escalier. Chris remarqua sur le mur plusieurs Manet et un Van Gogh. La fortune de Reynolds, qui apparaissait dans des signes extérieurs toujours de bon goût, n'était décidément pas surestimée.

Ils furent introduits dans la chambre du bébé. Chris vit avec surprise que la pièce était une nursery complètement équipée du genre de celles que des parents fortunés et non des grands-parents, aménagent. Ainsi, son opinion initiale se trouva renforcée. John Reynolds considérait l'enfant comme son fils.

Reynolds les accueillit avec froideur. Il les présenta à Mitchell que Sobol connaissait assez bien mais que Grant n'avait jamais vu. Mrs Reynolds, une petite femme fine et fragile comme une tasse de porcelaine, attendait à côté du berceau. Elle essaya de leur sourire mais n'y parvint pas. Elle était manifestement sous l'effet d'une grande tension comme si elle aussi subissait une épreuve. Quand elle lui tendit la main, Chris la sentit glacée.

Il regarda l'enfant, un joli bébé blond aux joues roses avec un petit nez fin. C'était le genre de bambin que les parents croient plus beau que tous ceux qui posent pour une publicité de langes ou de savon. Mais Chris Grant savait que, par une sorte de perversité de la nature, les déficiences mentales les plus terribles affectent parfois les enfants les plus beaux.

Pendant qu'il observait le bébé en attendant ses réactions à son égard, il demanda à Mitchell :

— Il mange bien?

— Modérément.

— Il dort?

— Pas trop mal.

— Augmentation du poids?

— Au-dessous de la moyenne, répondit Mitchell dont l'expression servait de commentaires.

Chris se pencha sur le berceau pour passer la main sur la petite tête. Elle ne présentait aucun signe de déformation crânienne prononcée. Il la mesura et ses premiers soupçons sérieux furent confirmés. La dimension de la tête était légèrement inférieure à la moyenne. Il prit sa lampe de poche, l'alluma et la passa devant les yeux du bébé. Aucune réaction. Il recommença. Le regard resta vague et ne réagit pas à la lumière.

Il souleva le petit malade. Il était presque totalement inerte entre ses mains, « désarticulé » dans la terminologie de sa spécialité. Pour la première fois Chris eut véritablement peur. Sentant le regard de Reynolds fixé sur lui, il remit l'enfant dans son berceau et le posa sur le ventre en espérant qu'il allait au moins essayer de redresser la tête. Il ne fit pas le moindre effort. Chris souleva doucement la tête mais il constata l'absence de tonicité des muscles du cou, tonicité qui se manifeste avant l'âge de trois mois. Il palpa le petit corps des pieds à la tête et force lui fut de se rendre à l'évidence; il était anormalement sous-développé.

Il mit l'enfant en position assise mais le petit ne put se maintenir et retomba. Il le plaça sur le dos. En se tournant pour prendre un lange, il vit que Mrs Reynolds tremblait à cause de la tension croissante qui régnait dans la pièce depuis qu'il avait commencé son examen. Mike Sobol transpirait abondamment. Mitchell gardait un silence hostile.

Chris plaça le lange sur le visage de l'enfant. A quatre mois, un bébé doit essayer de l'écarter. Celui-ci ne bougea pas. Il était nettement anormal, sans doute atteint de lésion cérébrale.

Chris se rappela amèrement les mots qu'il avait utilisés dans son article sur les « bébés Reynolds » : « L'apathie et la léthargie sont des symptômes évidents d'anomalies psychiques. » Le syndrome se manifestait dans la personne d'un bébé qui, bien que convenablement alimenté avant et après la naissance, n'en souffrait pas moins d'une lésion cérébrale. Mike Sobol chercha le regard de Chris. Leurs prévisions les plus pessimistes étaient confirmées.

— Peut-être faudra-t-il faire un électro-encéphalogramme, dit Chris doucement.

— Après tout ce que vous venez de constater? intervint Mitchell. Atonie, inaptitude à suivre du regard, inaptitude à redresser la tête. Absence de réaction au test du lange. Vous croyez vraiment qu'un EEG est nécessaire?

Chris était accablé. Un électro-encéphalogramme ne ferait que confirmer des découvertes qui n'étaient que trop évidentes.

Reynolds rompit le silence :

— Et alors docteur? demanda-t-il avec une agressivité contenue.

Chris se tourna vers lui.

— Mon diagnostic corrobore celui du docteur Mitchell dit-il. Je veux parler à la mère, ajouta-t-il soudain.

— C'est à moi que vous allez parler, jeune homme, répondit sèchement Reynolds. Venez.

Chris jeta un coup d'œil sur Mike qui le regarda avec une expression d'impuissance.

Connaissant le caractère de son mari, Mrs Reynolds essaya de s'interposer.

— John... je t'en prie... à quoi bon?

Reynolds lui imposa silence d'un regard. Il ouvrit la porte, fit passer Grant et Sobol, descendit les marches du grand escalier et entra dans une bibliothèque aux murs couverts de boiseries.

Sur un immense bureau ancien était installé une batterie de téléphones qui reliaient John Stewart Reynolds à ses multiples entreprises. Sur un coin, se trouvait un écran d'ordinateurs électroniques sur lequel il pouvait faire apparaître les cotations des valeurs de n'importe quel marché du globe. Chris eut la sensation que cet homme dirigeait le monde de cette pièce remplie d'objets d'art, de toiles de maîtres et de livres anciens qui semblaient n'avoir jamais été lus.

Reynolds se plaça devant son bureau mais il resta debout.

— Alors?

Il accusait Chris et le déclarait coupable par ce simple mot.

— John, intervint Sobol. Il y a deux choses à considérer dans le cas présent.

— Une seule chose importe, interrompit Reynolds avec fureur. Mon petit-fils est atteint d'une lésion cérébrale. Il n'y a aucune contestation à ce sujet. Même votre brillant docteur Grant en convient. Reste une question : A qui la faute?

— Avant de parler de faute... commença Sobol.

Mais Reynolds ne voulait rien entendre. Il se tourna vers Chris.

— Docteur, vous savez ce que cet enfant représentait pour moi. Vous connaissez les projets que j'avais formés pour lui, les ambitions que je nourrissais. Je vous en ai fait part. Je ne suis pas homme à me gargariser de mots. Cet enfant *aurait pu* devenir président des Etats-Unis. Tout prouve qu'il était parfaitement normal à la naissance. Que lui avez-vous fait?

— Mr Reynolds, je répète que je veux parler à votre fille, répondit Chris.

— Vous me parlerez à moi et honnêtement, ce que vous n'avez pas fait jusqu'à présent, jeune homme.

— Ce n'est pas vrai, protesta Chris.

— Vraiment? Pourquoi ne m'avez-vous pas tout dit?

— Quoi tout? demanda Chris intrigué.

Il interrogea Sobol du regard mais Mike parut tout aussi surpris.

— Oui, tout, répéta Reynolds avec violence. Vous autres

médecins croyez avoir le monopole de la science. Lorsque je vous ai demandé des renseignements détaillés sur le traitement que vous appliquiez à mon petit-fils, vous m'avez écarté comme si vous aviez affaire à un de vos stupides malades nécessiteux. Eh bien, ce n'est pas le cas. Dès que les symptômes ont commencé à apparaître — et c'est *moi* qui les ai décelés le premier — je suis allé moi-même à la bibliothèque médicale.

« Oui, je me suis documenté, j'ai relevé tous les signes et symptômes de déficience neurologique chez les enfants, de la naissance à l'âge de quatre mois. Les tests que vous avez faits là-haut, je les ai faits moi-même. C'est *moi* qui ai attiré l'attention de ma fille sur l'état du petit, c'est moi qui l'ai signalé au docteur Mitchell. Quand il s'agit de mon petit-fils, je n'ai confiance en personne.

— John, personne ne peut ressentir cette épreuve comme vous la ressentez, dit Sobol. Je connais tous les espoirs que vous fondiez sur cet enfant mais certaines choses échappent à la compétence des médecins.

— Pas celle-ci, gronda Reynolds.

— Les signes de jaunisse étaient évidents. Votre propre médecin l'a constaté. C'est d'ailleurs pourquoi le docteur Coleman nous l'a adressé.

— Oui, l'enfant avait la jaunisse et il avait besoin d'être soigné en conséquence.

— C'est ce que Grant a fait. Il a traité le petit malade aussitôt et aussi efficacement que possible, expliqua Sobol.

Chris eut l'impression que Mike plaidait sa cause et il lui était pénible d'avoir placé le vieux médecin dans cette situation.

— Vous étiez là, Mr Reynolds, intervint-il. Vous avez assisté à toutes les étapes du traitement au cours des premières vingt-quatre heures. Vous avez vu la jaunisse s'atténuer dans les douze heures. Vous vous êtes penché sur son isolette. Je vous ai autorisé à passer vos mains par les ouvertures. Vous ne vous en souvenez pas?

— Oh oui, je me souviens! Mais ce que j'ignorais à l'époque et que vous m'avez délibérément caché c'est la nature des effets secondaires.

— Quels effets secondaires?

— J'ai découvert une foule de renseignements intéressants dans cette bibliothèque médicale, jeune homme. Tout ce qui concerne votre précieuse photothérapie. Pourquoi ne m'avez-vous pas dit toute la vérité? Pourquoi m'avez-vous délibérément trompé?

— Je ne vous ai pas trompé.

— Quand l'avenir de mon petit-fils était en jeu vous m'avez menti : « C'est un traitement magique. Vous projetez une lumière sur l'enfant et le résultat est miraculeux. »

— Jamais je n'ai employé ces mots.

— Pas les mots mais c'était l'impression que vous donniez. Vous avez placé un bébé atteint de jaunisse sous ces rayons et, à cause de la fréquence de la lumière, ou quelque autre billevesée, le taux de bilirubine baisse. La jaunisse disparaît! L'enfant est guéri. Pourquoi ne m'avez-vous pas parlé des risques? Des effets secondaires? Pourquoi? demanda Reynolds dont la colère se nuançait d'un sentiment de compassion pour lui-même.

— Vous auriez dû m'avertir, reprit-il d'une voix brisée. J'aurais compris. J'aurais fait appel à d'autres médecins; essayé d'autres traitements. Vous auriez dû me dire...

— Quoi John? demanda Sobol avec douceur. Quels effets secondaires?

— Les effets de cette maudite photothérapie. Elle provoque des troubles d'estomac, des éruptions, des lésions oculaires chez d'aussi petites créatures.

— Les deux premiers effets secondaires sont transitoires, dit Chris et je l'ai protégé contre l'éventualité de troubles oculaires. Vous l'avez vu vous-même. N'importe quel médecin vous dira que l'enfant ne souffre pas de lésions rétiniennes.

— Et la dimension de sa tête? Que dites-vous de cela? Un médecin a écrit que, chez certains enfants, la photothérapie a pour effet d'empêcher la croissance crânienne.

— Les avis diffèrent à ce sujet, dit Chris et des articles récents contestent le fait y compris un exposé du même médecin.

— Que voulez-vous que me fassent toutes ces contestations

alors que mon petit-fils est couché là-haut avec une tête plus petite que la normale et qu'il va rester dans cet état toute sa vie. Je me moque bien de savoir que certains médecins ont des opinions divergentes. Jamais vous n'auriez dû entreprendre ce traitement! Jamais.

— John, c'est une forme de traitement dont l'efficacité est reconnue.

— Je ne me fie plus à aucun médecin, Mike. Pas même à vous.

Sobol rougit mais il garda le silence. Reynolds reprit comme pour lui-même.

— Toute une vie. Il va rester idiot tout le reste de sa vie... et de la *mienne*. Il y a quarante ans que j'attends un héritier mâle, un petit-fils à défaut d'un fils. Et quand enfin il m'en arrive un, il est détruit, détruit... par des hommes soi-disant compétents, par des hommes qui sont censés personnifier l'honneur mais qui mentent, qui dissimulent la vérité, qui prétendent que tout ira bien quand ce n'est pas vrai, qui font valoir les bienfaits d'un traitement sans en mentionner les risques.

Il se tourna vers Chris Grant.

— Ne vous imaginez pas que vous allez vous en tirer à bon compte, jeune homme. Avant que j'en aie fini avec vous, vous allez regretter le jour où vous avez choisi d'embrasser la carrière médicale. Je vous ruinerai.

— John...? murmura Mike Sobol sur un ton interrogateur, espérant apprendre ce que Reynolds comptait faire.

— Jeune homme, continua Reynolds, dédaignant l'interruption, je vais vous poursuivre pour faute professionnelle. Je demanderai cinq millions de dommages-intérêts. Je me moque de ne pas toucher cet argent si je réussis à vous détruire. Ensuite, vous pourrez toujours essayer d'obtenir un poste dans un autre hôpital. Essayez donc de conserver votre permis d'exercer quand j'en aurai fini avec vous. Vous pouvez dire adieu à votre carrière de médecin, tout au moins dans ce pays.

— John, si vous n'avez aucune considération pour le reste, pensez à cet hôpital que vous avez vous-même aidé à construire et à entretenir, implora Mike.

— Et pour une fois que j'en ai réellement besoin, voyez ce qui arrive, vociféra Reynolds. Je me moque bien de cet hôpital à présent.

— Vous ne pensez pas ce que vous dites, dit Sobol.

— Quand John Stewart Reynolds fait une promesse ou une menace, il pense ce qu'il dit.

Puis révélant la force de son désir de vengeance il ajouta :

— Ce n'est pas seulement l'argent de Reynolds que vous allez perdre. C'est aussi celui de l'Etat et du gouvernement fédéral. J'ai une influence dont vous ne soupçonnez pas encore la portée. Quant à vous, canaille, ajouta-t-il à l'adresse de Chris, je vous briserai, quand bien même ce serait le dernier acte de ma vie.

JOHN REYNOLDS SIMPSON,
enfant mineur, représenté par son père Lawrence Simpson
et LAWRENCE SIMPSON *demandeurs*
contre
L'HOPITAL GENERAL METROPOLITAN, CHRISTOPHER GRANT
et
MICHAEL EDWARD SOBOL
docteurs en médecine,
défendeurs

Les demandeurs ci-dessus nommés, représentés par leurs conseils, PARKINS, SEARS et WADLEIGH attaquent les défendeurs pour les motifs suivants :

Chris Grant fixa des yeux le document légal, le premier qu'il ait jamais reçu. Puis il lut la suite. Il était accusé d'avoir pratiqué sur John Reynolds Simpson un traitement ayant occasionné des lésions graves et permanentes. Le montant des dommages et intérêts réclamés s'élevait à cinq millions de dollars. Une somme ridiculement exagérée, il le savait, mais il se rappelait la menace de Reynolds bien que le nom de celui-ci ne fût pas mentionné sur le document.

Mike Sobol et l'administrateur de l'hôpital en reçurent également une copie. Comme les avocats de Reynolds — Parkins, Sears et Wadleigh — étaient en même temps ceux de l'hôpital, ils demandèrent à être relevés de cette fonction en raison du conflit d'intérêts par trop évident.

En conséquence, la compagnie d'assurances qui couvrait l'hôpital et son personnel pour fautes professionnelles dut désigner les défenseurs de son choix. Comme Chris Grant et Mike Sobol étaient tous deux attachés à l'établissement, elle était obligée de les défendre également.

Dès que la procédure de l'action en justice fut entamée, la presse donna une large publicité à l'affaire car le nom de Reynolds s'y trouvait mêlé et à cause de l'importance des dommages et intérêts réclamés. Au cours des dix jours qui suivirent, Chris Grant reçut deux lettres : l'une de Boston, signée de Jeremie Bingham, l'informait que, « en raison de l'urgente nécessité de pourvoir le poste de professeur adjoint », il avait fallu l'attribuer à un autre médecin. La seconde venait de Carl Ehrenz de l'U.C.L.A. Bien que les termes fussent différents la substance était la même. Ehrenz retirait son offre... Christopher Grant ressentit les effets de la marque de Caïn dès le début d'une carrière qui s'annonçait brillante.

6

A travers la paroi transparente de l'isolette, Chris Grant regardait le bébé né à terme, mais anormalement petit, qui cherchait désespérément sa respiration. Ses cris aigus ne s'interrompaient que lorsque le petit corps se convulsait dans un spasme et qu'un vomissement verdâtre s'échappait de sa bouche tordue. L'infirmière de l'U.S.I. fronçait les sourcils d'un air indigné.

— Bon Dieu! dit-elle, on aurait dû l'obliger à avorter dans un cas pareil.

— Où est la mère?

— Maternité, salle C.

— On l'a questionnée?

— Elle prétend qu'elle est restée trois jours sans se droguer avant l'accouchement.

Les yeux fixés sur le bébé qui se débattait, Chris grommela avec colère.

— Elle a menti. A-t-elle dit quelle était sa dose habituelle?

— Deux injections par jour.

— Apportez-moi une seringue et de la chlorpromazine.

Elle alla chercher la trousse à injection et le flacon contenant le médicament. Chris fixa l'aiguille hypodermique et puisa une petite dose dans le flacon. Glissant ses mains par les ouvertures de l'isolette, il stérilisa une région des fesses menues du bébé, planta rapidement l'aiguille et injecta le remède. Le bébé eut un léger soubresaut puis il parut se calmer. Chris tendit la seringue à l'infirmière et lui demanda un tampon de gaze. Il essuya doucement la substance verdâtre que le malheureux bambin avait rejetée puis il attendit que le sédatif eût commencé à faire son effet.

— Il va s'endormir maintenant, dit-il à l'infirmière. Alimentez-le chaque fois qu'il se réveillera. Faites-lui absorber autant de nourriture qu'il peut en prendre. Il ne gardera pas tout mais plus il en gardera mieux cela vaudra. Et maintenant, je vais aller voir la mère.

Au moment où il s'écarta de l'isolette, une jeune aide-soignante lui tendit le téléphone.

— Ici Grant, j'écoute.

— Chris, ne devriez-vous pas être dans mon bureau en ce moment, dit la voix de Sobol?

C'était un ordre formulé comme une question. Or, Mike Sobol n'avait pas l'habitude de s'exprimer ainsi.

— J'ai un nouveau-né drogué à un stade dangereux. Il faut que j'aille voir la mère immédiatement.

— L'enquêteur de la compagnie d'assurances est ici.

— Il attendra, répondit Chris sèchement.

Il était furieux de la menace qui planait sur lui et sur ses patients dont l'état de santé pouvait dépendre désormais des exigences d'un procès.

Sobol insista :

— Combien de temps vous faut-il! dit-il de sa voix grave.

— Tout le temps nécessaire pour lui tirer les vers du nez, répliqua Chris sur un ton irrité.

Il regretta aussitôt de faire supporter à Sobol les effets de sa colère, aussi reprit-il plus aimablement :

— Mike, il faut que j'obtienne de cette femme tous les renseignements que je pourrai lui tirer. Je doute qu'elle veuille parler mais il faut que j'essaie. Chaque minute compte.

— Bien Chris. Je vais le retenir. Appelez-moi dès que vous le pourrez.

— Je vous le promets.

Au-delà de la salle C se trouvait une petite chambre particulière réservée aux malades dont l'état nécessitait le plus grand calme ou qui pouvaient déranger les autres patients. La mère morphinomane avait été logée dans cette pièce de peur que la privation de sa drogue ne provoque des cris et des plaintes qui risquaient de troubler la paix de la salle.

Au moment où Chris s'approcha de la porte, l'infirmière sortait de la chambre avec une cuvette recouverte d'un linge. Il n'eut pas besoin d'explication. L'odeur aigre lui monta aux narines. Comme son bébé malade, la mère avait vomi.

— Comment va-t-elle? demanda-t-il.

— Mal. Je crois qu'il lui faut une piqûre.

— Il faudra qu'elle parle si elle la veut, dit Chris amèrement.

La mère était à peine sortie de l'enfance. Elle n'avait guère plus de seize ans. Elle avait le teint foncé et des traits qui indiquaient un mélange de races au cours de précédentes générations. Décharnée et ravagée par la maladie dont elle était elle-même responsable, elle avait la peau du visage tendue sur une ossature fondamentalement saine. Ses lèvres tremblaient, bien qu'elle essayât de les contrôler. Elle fixa sur Chris un regard à la fois implorant et furieux.

— Vous êtes docteur? demanda-t-elle.

Chris fit un signe affirmatif en observant son visage.

— Vous devez me faire une piqûre. C'est permis, un docteur peut la faire.

Sa voix avait un accent de désespoir. Brusquement, elle se pencha sur le côté. Chris l'entendit vomir pendant que son corps se convulsait. Quand elle se fut soulagée, elle se retourna vers lui, les lèvres encore barbouillées de salive aigre.

— Essuyez-vous la bouche, ordonna Chris.

Elle obéit.

— Et maintenant, il y a certaines choses que je veux savoir.

— J'ai besoin d'une piqûre, gémit-elle.

— Et moi j'ai besoin de renseignements, dit Chris sèchement. Votre bébé est en mauvais état et nous faisons ce que nous pouvons pour lui. Mais il faut quelques précisions pour le soigner convenablement.

— Pouvez-vous le sauver? demanda-t-elle, radoucie.

— Les pronostics ne sont pas très bons.

— Combien de chances a-t-il? murmura-t-elle les larmes aux yeux.

— Au mieux une chance sur trois.

— Jésus! soupira-t-elle.

Les larmes débordèrent. Pour le moment, elle parut avoir oublié sa propre détresse.

— Il faut que vous me disiez toute la vérité.

Elle inclina la tête mais cacha son visage entre ses mains.

— Combien d'injections par jour?

Elle hésita un instant.

— Dix, avoua-t-elle enfin.

Chris resta médusé.

— Et quand avez-vous eu la dernière?

— Ce matin.

Chris parut surpris.

— Une amie, expliqua-t-elle. C'est une très bonne amie qui me l'a faite.

— Je veux parler de la dernière avant l'accouchement?

— Avant l'accouchement...?

Elle réfléchit, cherchant une réponse qui satisferait Chris.

— La veille au soir.

— La veille au soir?

— J'ai besoin d'une piqûre, gémit-elle.

— Vous êtes sûre que c'était la veille au soir?

— Il me faut une piqûre... tout de suite... sans quoi...

Elle se tourna sur le côté et se remit à vomir.

Chris s'approcha du lit.

— Ecoutez-moi. Vous n'êtes pas ma patiente. C'est votre bébé qui m'intéresse. Je me moque de ce qui peut vous arriver à vous. Je veux la vérité. Avez-vous eu une piqûre juste avant de partir pour l'hôpital?

Voyant qu'elle se taisait, il l'agrippa par les épaules, et la maintint fermement.

— Répondez.

La fille se débattit. Chris serra plus fort.

— Avez-vous eu une piqûre avant de partir pour l'hôpital? Il est important que je sache quand vous avez eu la dernière injection avant l'accouchement. Cela peut m'aider à sauver votre enfant.

Elle continua à se débattre jusqu'au moment où Chris promit :

— Si vous répondez, vous aurez votre piqûre.

Elle fixa sur lui un regard méfiant. Il répondit par un signe affirmatif.

— Dans le taxi sur le chemin de l'hôpital, murmura-t-elle. Et maintenant, je vous en prie... je vous en prie ah! je vous en prie.

Elle commença à sangloter.

— Dans le taxi... sur le chemin... répéta Chris évaluant les chances de son petit patient. Je vais veiller à ce que vous soyez soulagée.

Il ouvrit la porte poursuivi par ses supplications :

— Je vous prie... je vous en prie.

Il s'arrêta au bureau de l'étage.

— Appelez son médecin; qu'il ordonne une piqûre; elle en a besoin.

Il retourna dans la salle des nouveau-nés et s'approcha de l'isolette où le bébé semblait calmé. Sa bouche minuscule s'ouvrait et se fermait légèrement comme pour têter. Quand il se réveillerait on pourrait l'alimenter. C'était bon signe. S'il gardait la nourriture ce serait mieux encore. Edith Riley, l'infirmière de service, vint près de lui.

— Edie, il faudra lui refaire une autre piqûre de chlorpromazine d'ici cinq heures.

— Bien monsieur, ils attendent toujours, ajouta-t-elle.

— Qui donc?

— Le docteur Sobol et l'enquêteur.

Sa visite à la mère du bébé lui avait fait oublier le procès. La lumière du téléphone se remit à clignoter.

— Chris?

C'était Sobol qui rappelait.

— J'arrive, dit Chris.

Il se tourna vers l'infirmière.

— Surveillez-le attentivement, recommanda-t-il. En cas de tremblements spasmodiques ou de vomissements incoercibles, appelez-moi immédiatement où que je sois.

— Même dans le bureau du docteur Sobol?

— Où que je sois.

En longeant le couloir, Chris se demandait si tous ses soins étaient vraiment opportuns. Même s'il réussissait à le sauver contre tout espoir, à quoi bon? Que savait-on sur la vie ultérieure de ces enfants nés d'une mère droguée? Peut-être ce bébé avait-il des prédispositions qui finiraient par le détruire de toute façon. Dans de tels moments, toutes ses études de pédiatrie lui semblaient vaines.

Il arriva dans l'entrée du bureau de Sobol. La porte était ouverte. La secrétaire l'attendait.

— Salut, Marcie.

— Entrez tout de suite, dit-elle sans sa cordialité habituelle.

Son attitude lui donnait un aperçu de ce qui l'attendait à l'intérieur. Il s'en rendit compte en voyant le visage cramoisi et l'expression tendue de Mike Sobol.

— Chris, voici Mr Colwell, l'enquêteur de la compagnie d'assurances qui nous couvre.

Charles Colwell était un homme corpulent et d'âge moyen. Chris jugea qu'il pesait au moins douze kilos de trop. Il lui parut dangereusement mou. Colwell lui tendit une main flasque et son teint vermillon révélait qu'il était amateur d'apéritifs. Il avait une voix insinuante et suave ainsi qu'une tendance agaçante à sourire en parlant et ce sourire était accompagné d'un léger « h'mm » qui semblait vouloir dire : « comprenez-vous le danger de votre position? » Chris le prit en grippe dès la première minute. Mais il l'écouta et répondit à ses questions aussi exactement que possible.

— Nous avons eu quelques entretiens préliminaires avec les avocats de Reynolds, dit Colwell. Après tout, aucun de nous n'a rien à gagner à une longue procédure. Il vaudrait mieux pour nous tous que nous évitions le procès, surtout pour vous, docteur Grant.

Chris lança un coup d'œil à Sobol qui suggéra :

— Ecoutez-le, Chris. C'est important pour nous tous.

— Je ferai de mon mieux pour coopérer, dit Chris plus pour rassurer Sobol pour que toute autre raison.

— La coopération, voilà la clé du succès en justice, dit

Colwell avec son sempiternel sourire. Si nous sommes honnêtes et francs tout ira pour le mieux.

— Mr Colwell, intervint Sobol avec une pointe d'irritation, qu'est-ce qui vous permet de supposer que le docteur Grant pourrait ne pas être parfaitement honnête et franc?

— Je n'ai rien dit de pareil. Je tiens simplement à préciser les règles fondamentales pour que chacun comprenne. Nous avons le droit d'examiner les rapports de l'hôpital, les rapports privés du docteur Grant et nous devons même connaître les pensées de ce médecin au moment de la prétendue faute technique. Dans de telles circonstances ce qu'il a pensé est peut-être aussi important que ce qu'il a fait.

Colwell posa son bloc-notes de papier jaune officiel et se leva.

— Ainsi, il peut arriver qu'un médecin classe une note dans un dossier médical et qu'il le regrette après réflexion. Il est même possible qu'il veuille modifier ses notes pour exposer plus clairement les faits...

Colwell laissa sa phrase en suspens comme s'il avait ouvert un débat.

— Insinuez-vous qu'un rapport d'hôpital pourrait faire l'objet de modifications? demanda Sobol.

— Qui parle de modifications? protesta Colwell. Il s'agit simplement de corrections destinées à donner une idée exacte de ce qui s'est passé. Après tout, les rapports des hôpitaux ne sont pas les tables de la loi. Ils ne sont pas gravés dans la pierre.

— Je n'ai absolument rien à modifier dans ce rapport, dit Chris sèchement.

Colwell ne se laissait pas démonter aussi facilement.

— Si vous aviez pleinement conscience de la lutte qu'il vous faudra mener, vous rabattriez peut-être un peu de votre sacrée fierté? C'est une sale affaire que la poursuite judiciaire pour faute professionnelle. La partie plaignante ne recule pas devant le choix des moyens surtout quand il s'agit d'un demandeur comme John Reynolds. Son nom ne figure pas sur les documents mais c'est lui qui dirige les opérations et il veut votre peau, docteur.

Colwell sortit un cigare de la poche de sa veste, retira l'enveloppe de cellophane et en cassa l'extrémité avec les dents.

— Je vous préviens simplement que si vous voulez changer quelque chose dans votre rapport, c'est le moment de le faire avant qu'il ne mette la main dessus; car il le fera, n'en doutez pas.

— Et alors? ce rapport ne contient rien dont je puisse avoir honte ni sur le plan professionnel ni sur le plan personnel.

— Docteur, je pense que c'est à d'autres d'en juger. Par exemple les hommes de loi de la compagnie d'assurances.

Colwell le mettait de nouveau en garde avec ce léger sourire qui devenait de plus en plus exaspérant.

— Vous devriez examiner ce rapport, Grant, avant qu'un autre ne le fasse. Juste pour le cas où quelque chose pourrait être « mal interprété ».

— Je connais ce rapport et le dossier médical. Je ne veux rien y changer et même si une modification me paraissait opportune, je ne le ferais pas.

Colwell hocha la tête et dit avec amertume :

— Je voudrais bien pouvoir être aussi chevaleresque dans mon métier.

Il prit son bloc comme pour reprendre le questionnaire. Les yeux baissés, il mâchonna le bout de son cigare avant de déclarer d'un air détaché :

— Au fait, la compagnie d'assurances va expédier une lettre dans quelques jours... à moins que vous ne l'ayez déjà reçue...

Sobol flaira un nouveau danger.

— Une lettre? à qui?

— A l'hôpital, à vous, au docteur Grant. Voyez-vous, lorsque le montant de la somme réclamée à titre de dommages-intérêts dépasse la couverture des trois millions de dollars mentionnée dans votre police d'assurances, les médecins et l'hôpital peuvent être directement attaqués. Vous avez le droit de prendre vos propres avocats-conseils bien qu'ils n'aient pas de rôle officiel au procès.

Pour la première fois, Colwell leva les yeux afin de voir si ses paroles étaient comprises.

Sobol se pencha en avant.

— Je croyais que la compagnie d'assurances fournissait la défense. C'est ce qui est écrit sur la police.

— C'est juste, répondit vivement Colwell. Mais si nous sommes condamnés à verser plus que les trois millions de dollars prévus dans votre police, c'est à vous et à l'hôpital qu'il incombera de payer la somme excédentaire. Donc vous avez tous les droits de consulter des avocats de votre choix.

Chris se demanda si cet avertissement était une simple menace ou s'il correspondait à un danger réel.

— Ecoutez, docteur, je ne crois pas que vous compreniez tout le sens de ce que je viens de dire, reprit Colwell. C'est la preuve qu'il s'agit d'une vengeance personnelle. Reynolds n'a pas besoin de cet argent. Il sait, comme le savent les avocats, que cinq millions représentent une somme exorbitante mais, en vous la réclamant, il vous empêche d'être couvert par la compagnie d'assurances de l'hôpital. Il veut votre tête. Alors, à votre place, je réfléchirais sérieusement au contenu de ce rapport puis à ce que vous *voudriez* qu'il soit. C'est votre dernière chance de vous en sortir.

— Ce rapport restera tel qu'il est, dit Chris fermement.

— Comme vous voudrez.

Colwell parut se résigner au pire.

— Maintenant j'ai quelques questions à vous poser, reprit-il. (Il alluma son cigare.) Cette photothérapie est un procédé assez récent, n'est-ce pas?

— Il est utilisé efficacement depuis près de dix ans, intervint vivement Mike Sobol.

— Jusqu'à quel point est-il officiellement pratiqué? Connaissez-vous des hôpitaux réputés où *il n'est pas* en usage?

— Il y en a quelques-uns. Et alors? demanda Chris irrité.

— Grant, en ma qualité de vieux routier en matière de droit civil, laissez-moi vous donner un bon conseil. Quand vous répondez à des questions dans un procès, donnez des réponses directes sans manifester d'émotion. Personne, et surtout pas les juges, ne s'intéresse à ce que vous ressentez : ils veulent des faits, exactement comme moi.

— Des réponses directes. Par exemple : « sortons les véritables rapports du dossier et substituons-leur des documents forgés », dit Grant ironiquement.

— Chris, murmura Sobol dans l'espoir d'apaiser l'irritation de son jeune disciple.

Colwell poursuivit son interrogatoire.

— D'après les médecins de notre compagnie, il y a certains hôpitaux très réputés qui ne pratiquent pas couramment la photothérapie.

— C'est juste, concéda Chris, mais d'autres tout aussi réputés la pratiquent. En outre, cette thérapie a fait l'objet de centaines d'articles écrits par d'excellents spécialistes en matière de pédiatrie.

— Peut-être certains d'entre eux accepteront-ils de venir témoigner en votre faveur. Mais nous verrons la question de la défense un peu plus tard. Voyons, vous n'avez jamais présenté cette thérapie à la commission d'examen de l'hôpital à titre d'expérimentation, n'est-ce pas?

— C'était inutile, intervint vivement Sobol.

Colwell se tourna vers lui.

— Des réponses directes à des questions directes, dit-il. Avez-vous soumis cette forme de thérapie à votre comité d'expérimentation humaine, oui ou non?

— Non, répondit Sobol, exaspéré par l'arrogance de l'enquêteur. Et nous avions une bonne raison pour ne pas le faire.

— C'est bon, soupira Colwell. Quelle était cette raison?

— La meilleure de toutes : à l'époque où nous avons adopté cette méthode, elle n'en était plus au stade expérimental.

Colwell hocha la tête d'un air méditatif.

— En fait, ajouta Sobol, c'est l'une des raisons pour lesquelles j'ai tellement insisté pour que Grant soit affecté à notre hôpital.

— Pourquoi?

— Il avait fait l'expérience de la photothérapie dans son poste précédent et je voulais qu'une unité de ce genre soit installée ici. D'autre part, il n'a accepté de venir ici que si nous adoptions la photothérapie. Comme nous nous intéressions tous deux à la même méthode, nous nous sommes vite mis d'accord. Je ne l'ai jamais regretté.

Colwell prit le temps de réfléchir puis son horripilant petit sourire reparut :

— Vous venez de me fournir un excellent argument pour étayer ma théorie, dit-il jouissant de l'embarras de Sobol.

— Quel argument?

— Je vous ai simplement demandé si vous aviez soumis le procédé à une commission d'hôpital et vous me fournissez quantité d'informations que je ne vous ai pas demandées, informations qui réduiraient la valeur de votre témoignage en faveur du docteur Grant. Vous admettez qu'il est votre protégé; vous l'avez fait venir ici pour pratiquer la photothérapie. Vous êtes donc partial. Eh bien, vous feriez un fichu témoin.

Colwell mordilla le bout humide de son cigare.

— Rappelez-vous ceci tous les deux : ne répondez qu'aux questions qui vous sont posées. Ne donnez ni explications ni excuses. Ne discutez pas. Contentez-vous de répondre.

— Ecoutez, protesta Sobol, nous sommes des médecins, pas des témoins professionnels. Oh! je connais des médecins qui sont capables de jouer ce rôle. Moi-même, j'ai eu l'occasion de témoigner trois fois... non, quatre, au cours de ma carrière mais je n'ai pas de temps à perdre. Je ferai ce que je dois faire dans ce cas précis car j'ai foi en Grant et dans mon œuvre. Seulement ne m'imposez pas des lois et des règlements et une attitude contraire à ma nature. Je ne suis pas un acteur qui apprend un rôle et le récite conformément aux indications données.

Colwell esquissa de nouveau son sourire agaçant :

— Je suis votre ami, dit-il, je suis de votre camp. Attendez d'avoir affaire à la partie plaignante. Vous regretterez de n'être pas acteur.

— Avez-vous d'autres questions à poser? demanda Sobol pressé de mettre fin à l'entretien.

La sonnerie du téléphone retentit. Sobol répondit.

— Je vous ai dit de ne pas nous déranger, Marcie, dit-il à sa secrétaire qui le voyait rarement impatient. Oh... oui, oui.

Il tendit l'appareil à Chris.

— J'écoute, dit Chris vivement.

C'était Edith Riley, l'infirmière de l'U.S.I.

— Le bébé Grove recommence à vomir.

— Beaucoup?

— Oui; et il a des troubles respiratoires. Il semble très mal.

— J'arrive, dit Chris. Et il raccrocha.

— Un instant, docteur, dit Colwell.

— Excusez-moi j'ai un bébé terriblement malade. C'est la fin je crois.

Chris se dirigea vers la porte.

— Docteur Grant, il faut que je vous avertisse...

Chris se retourna pour faire face à Colwell.

— Les procès pour faute professionnelle sont extrêmement empoisonnants. Ils vous prennent tout votre temps. Celui-ci se présente plus mal que la plupart des affaires de cet ordre. Il donne beaucoup de soucis à la compagnie.

— Votre compagnie est payée pour avoir des soucis.

— Dans la plupart des cas nous avons les témoins de la profession de notre côté, poursuivit Colwell. Normalement, c'est le demandeur qui doit citer des médecins susceptibles de rechercher une faute technique chez un compère mais Reynolds a le bras long. Il trouvera une foule d'excellents médecins qui témoigneront contre vous.

— Je le regrette. Et maintenant, excusez-moi, j'ai un malade.

— Encore un détail. Il se peut que vous ne m'aimiez pas mais, que vous le croyiez ou non, j'essaie de vous aider.

Lorsque Chris eut refermé la porte, Mike Sobol demanda :

— Vous n'avez pas dit cela simplement pour l'inciter à coopérer n'est-ce pas?

— Nous sommes très ennuyés. Nous pensons qu'ils peuvent y mettre le paquet et obtenir satisfaction. Mettez donc ce jeune homme en garde. La situation est plus grave qu'il ne l'imagine.

— Ce procès peut ruiner sa carrière.

— C'est pourquoi j'ai voulu me faire une opinion sur lui.

— Et alors?

— Eh bien...

Colwell s'interrompit comme s'il hésitait à révéler ses renseignements. Enfin il se décida :

— Il a été question à la compagnie de proposer un compromis pour un chiffre convenu en cas de procès mais, en ce qui concerne les poursuites judiciaires pour faute professionnelle, un accommodement est plus difficile. Quand il s'agit d'un accident de voiture, d'un incendie, d'un vol, si nous voulons un arrangement, nous faisons notre offre, nous marchandons un peu et nous finissons par régler l'affaire.

— Pourquoi ne pouvez-vous le faire en cas de faute professionnelle?

— Parce que c'est l'un des cas où un compromis ne peut être conclu qu'avec l'accord de l'assuré.

— Je vois, dit Sobol. Après tout, la réputation de l'hôpital, la réputation du médecin sont en jeu et une acceptation de compromis c'est un aveu de culpabilité.

— *Certains* médecins pensent ainsi. D'autres préfèrent un compromis car ils sont contents que l'affaire soit terminée et oubliée.

— Oubliée? Des affaires de ce genre ne s'oublient jamais complètement. Pas dans notre profession.

Colwell tâta le terrain.

— Il est peu probable qu'il accepte?

— Très peu probable. Et je vais vous dire une chose, Mr Colwell, je ne l'accepterai pas non plus.

Colwell fronça les sourcils.

— Voyez-vous, votre compagnie se bat pour de l'argent, expliqua Sobol posément. Beaucoup d'argent, c'est vrai mais l'enjeu n'est tout de même que l'argent; moi, je me bats pour préserver l'avenir d'un jeune homme brillant, une tête chaude, certes, mais un médecin passionné par son métier. Ce gosse là-haut va sans doute mourir mais il est encore plus important pour lui que votre maudite compagnie.

— Nous verrons, nous verrons... marmonna Colwell en rangeant ses papiers dans son porte-documents. Nous n'en sommes qu'au commencement, docteur.

Sobol se rendit compte soudain qu'il avait tellement trituré le revers de sa blouse de laboratoire bien amidonnée qu'il était complètement froissé. Il s'arrêta aussitôt. Il ne voulait pas continuer à manifester son inquiétude devant cet homme arrogant qui était censé les représenter mais n'avait cessé de formuler des menaces voilées pendant tout cet entretien pénible.

Le bébé Grove mourut dans la nuit. Chris l'aida jusqu'au bout dans sa lutte mais il ne fut pas attristé d'en voir la fin. C'était une bataille perdue d'avance et les pronostics n'étaient pas encourageants en cas de survie.

Il descendit dans la salle pour prévenir la mère mais, profitant d'un moment d'inattention, elle avait quitté l'hôpital sans être remarquée. Manifestement, son habitude néfaste l'avait ramenée dans la rue. Il ne fut pas surpris d'apprendre plus tard qu'elle s'était inscrite à l'hôpital sous un nom fictif. Personne ne la connaissait à l'adresse qu'elle avait indiquée. C'était assez courant dans un cas pareil.

Avant de quitter l'hôpital, Chris s'arrêta chez Sobol mais le chef du service de pédiatrie était parti depuis plusieurs heures. Il faudrait que Chris attende le lendemain pour régler la question des entrevues avec Charles Colwell.

7

Comme tous les conseils d'administration des hôpitaux, celui du Metropolitan General était composé d'hommes de loi et d'hommes d'affaires prospères auxquels étaient venues s'ajouter récemment deux femmes-épouses d'hommes riches et qui avaient le temps et l'énergie de se consacrer aux services publics. Chacun des seize membres du conseil était très fier de la réputation remarquable du Metropolitan General qui était célèbre non seulement dans la ville mais dans toute la nation. Les médecins qui faisaient un stage dans cet établissement devenaient rapidement chefs de service dans les hôpitaux les plus importants du pays. Les articles rédigés par le personnel médical étaient toujours bien accueillis. Les nombreux dons provenant de sources publiques et privées témoignaient de la valeur des travaux de recherche effectués à l'hôpital.

Thomas Brady, le président, un banquier influent avait assumé la tâche pénible de convoquer le conseil d'administration pour délibérer sur la grave question du procès intenté par *Simpson contre le Metropolitan General* et les médecins Christopher Grant et Michael Sobol. Avery Waller, administrateur de la firme juridique qui s'occupait du contentieux de l'hôpital avait jugé que la réunion était suffisamment importante pour se déplacer en personne au lieu de déléguer l'un de ses collaborateurs. Pour la première fois de sa longue histoire, le conseil était réuni au complet.

L'immense salle était ornée de superbes boiseries, en chêne foncé. Un épais tapis d'Orient couvrait le sol. La longue table en acajou d'Amérique du Sud avait été tellement polie qu'elle était toute luisante.

Des chaises assorties attendaient que les seize membres prennent place. Brady, un homme de haute taille, aux cheveux blancs, au teint hâlé invita chacun à s'asseoir.

Lorsque tous furent installés, Brady aborda le sujet.

— Nous avons tous conscience de l'extrême gravité de l'affaire qui nous réunit, commença-t-il. Il est déjà assez pénible qu'un hôpital comme le nôtre fasse l'objet de poursuites mais c'est particulièrement navrant lorsque les demandeurs ont été aussi généreux à l'égard de cet établissement.

« Cependant, notre association avec John Reynolds ne doit pas influer sur nos délibérations. Nous devons penser avant tout à cet hôpital, à sa réputation et à ses obligations vis-à-vis de la communauté. Et pour commencer, notre avocat-conseil, Mr Waller, va nous faire le point de la situation.

Court, grassouillet, rougeaud, Waller jouait avec la clé accrochée à la chaîne d'or qui barrait son gilet. Il se cala dans son fauteuil et se racla la gorge :

— Nos collaborateurs ont étudié à fond la question. Nous avons répondu à toutes les convocations et questionnaires mais nous n'avons admis qu'un seul fait : les docteurs Sobol et Grant font partie de notre personnel. Quant aux autres allégations, nous les nions formellement. Nous considérons qu'aucun de ces deux médecins n'est coupable de faute de négligence. Nous avons demandé un résumé des chefs d'accusation. Ils nous l'adresseront sous peu. Alors nous connaîtrons les actes de négligences spécifiques pour lesquels le demandeur porte plainte.

« Je dois vous prévenir tout de suite que le docteur Grant étant attaché à l'hôpital à plein temps, nous ne pouvons légalement décliner la responsabilité de ses actes si la faute professionnelle est prouvée.

Mrs Elliot Forster leva sa main gantée. Sans attendre que le président lui donne la parole, elle demanda vivement :

— Nous sommes bien couverts n'est-ce pas? Je veux dire, c'est bien la compagnie d'assurances qui doit payer les frais?

— Nous verrons cela dans un moment, Mrs Forster, dit

Waller sur un ton affable bien qu'il fût mécontent de cette interruption.

— Je disais donc que nous ne pourrions décliner cette responsabilité parce que, dans ce cas, le montant des dommages-intérêts demandés dépasse la somme prévue dans votre police d'assurances. Si le demandeur obtient gain de cause, l'hôpital ainsi que les docteurs Grant et Sobol seront financièrement responsables. Je n'ai pas besoin de vous dire qui sera obligé de payer en fait.

Mrs Forster était visiblement désolée par cette annonce. Waller poursuivit :

— Mon bureau a examiné les documents de l'hôpital : rapports du laboratoire de recherche, dossier du malade, notes des infirmières. Nous conseillons vivement au conseil d'administration d'accepter un compromis. La compagnie d'assurances est d'accord d'autant plus que, d'après le rapport de l'enquêteur, notre docteur Grant ne semble pas un témoin idéal. Ses tendances combatives le rendent vulnérable à la barre.

L'expression angoissée des membres du conseil d'administration indiquait nettement qu'ils comprenaient toutes les conséquences qu'entraînait cette affaire.

Waller poursuivit :

— Notre cas se présente sous un aspect d'autant moins favorable que, derrière le demandeur, se tient John Reynolds. Tous les jurés savent qu'il n'est pas intéressé par l'argent mais motivé par un désir de justice. Nous devons donc tenir compte d'un autre élément préjudiciable pour nous : l'opinion publique.

Mrs Elliot Forster prit vivement la parole :

— J'imagine que les gens vont dire : « Si c'est ainsi que le petit-fils de Reynolds a été soigné, quel traitement nos enfants peuvent-ils attendre du Metropolitan! »

Cyrus Rosenstiel, propriétaire du centre commercial, renchérit :

— Et je ne saurais les désapprouver. Je propose qu'on en finisse au plus tôt. Plus cette affaire traînera plus elle nous attirera de critiques. La compagnie d'assurances sait-elle si Reynolds serait éventuellement disposé à accepter une transaction?

Le président Brady se pencha en avant :

— C'est justement la question qui est à l'ordre du jour. Nous voudrions transiger. La compagnie le voudrait aussi : mais, jusqu'à présent, rien n'indique que les Reynolds le désirent. En fait...

Brady se tourna vers Waller dont le visage s'assombrit.

— L'un des avocats joue au golf avec deux administrateurs de la firme juridique de Reynolds, dit-il. Il a essayé de les sonder à ce sujet mais il s'est heurté à un mur.

Brady reprit la parole :

— Voici ce que je propose : si l'un d'entre nous est en bons termes avec John Reynolds, il devrait lui rendre visite, l'entretenir de cette affaire. Il pourrait lui exprimer nos regrets et lui dire que nous sommes prêts à assurer tous les torts mais il faudrait lui expliquer aussi que l'hôpital subira un grave préjudice s'il s'obstine à porter plainte. Nous pourrions aussi lui promettre d'exclure le docteur Grant du personnel de l'établissement aussitôt que possible, ajouta-t-il en baissant la voix.

Mrs Forster se hâta de proposer :

— Je serais très heureuse de me rendre utile.

Plusieurs hommes esquissèrent un sourire mais Cy Rosenstiel déclina cette offre de service.

— Je crains, Mrs Forster, que John Reynolds ne soit pas homme à se laisser émouvoir par des arguments féminins. Je suggère que nous lui envoyions, une délégation composée de Tom Brady, Elis Jackson, et Ed Clark.

Brady attendit d'autres suggestions, puis il répondit :

— Si Ed et Ellis sont d'accord, j'accepte de conduire la délégation.

Brady se préparait à lever la séance quand quelqu'un frappa à la porte. Mike Sobol entra. Il avait quitté sa blouse de laboratoire et portait un costume foncé.

— Ah! vous n'avez pas fini, dit-il. Tant mieux.

— En réalité, la réunion vient de s'achever... commença Brady. Mais Sobol l'interrompit brusquement.

— Puisque le conseil d'administration est ici au complet, nous gagnerions du temps.

Brady regarda autour de lui. La plupart des membres du

comité auraient préféré en rester là mais ils ne tenaient pas à offenser l'un de leurs chefs de service les plus respectés. Brady dit enfin :

— A moins que quelqu'un ne soit pressé...

Les membres du comité reprirent leur siège. Brady fit signe à Sobol qu'il pouvait prendre la parole. Le médecin s'exprima avec une fermeté inaccoutumée :

— Vous savez que j'évite les réunions et les assemblées, mais ce soir, en raison de l'importance de l'enjeu, j'ai décidé de me présenter devant vous. Je devine ce qui s'est passé avant mon arrivée et je ne vous blâme pas. Bien sûr, vous voulez sauver l'hôpital, sauver votre réputation, imposer silence à la mauvaise publicité. Je le comprends mais je vous avertis que, parfois, le moyen le plus facile entraîne les conséquences les plus désastreuses et je respecte trop la vie humaine pour accepter de voir un membre de mon personnel offert en sacrifice.

En voyant les réactions de l'assistance, Sobol n'eut pas besoin de confirmation.

— Oui. Je suppose que vous avez déjà pris votre décision. John Reynolds a reçu un coup terrible. Il faut l'apaiser et, comme il a déjà un surcroît de biens matériels, on lui offrira une victime, en l'occurrence un jeune médecin qui, en toute bonne foi, applique un traitement approprié. Un accident s'est produit. Quelle en est la cause exacte? Personne ne le sait. Alors nous allons prendre une décision ici et maintenant. Faut-il affronter l'avenir objectivement ou appliquer une règle de vengeance primitive? En quoi la ruine de la carrière de Christopher Grant pourra-t-elle aider Reynolds ou son petit-fils?

De nombreux toussotements se firent entendre. Enfin, Waller se décida à répondre :

— Docteur Sobol, je voudrais bien que le problème fût aussi simple que vous l'exposez, votre intérêt et le nôtre sont absolument identiques dans le cas présent. Votre point de vue est celui du patron qui veut sauver un membre de son personnel. Je vous comprends, croyez-moi. Vous vous sentez responsable de ce jeune homme. Et pourquoi pas?

Sobol se tourna vivement pour faire face à l'homme de loi.

— Si vous voulez insinuer que je le protège parce que je

me sens responsable de l'avoir fait nommer ici, vous vous trompez. Si je le croyais capable de faute professionnelle, je serais le premier à réclamer sa démission.

Sobol parait le coup précis que Waller avait l'intention de lui porter. Cependant, l'avocat essaya de se dérober.

— Je voulais simplement dire que vous ne dirigez qu'un seul département de l'hôpital. Nous avons la charge de l'ensemble. Nous sommes donc obligés de nous demander quelle est la meilleure solution pour le Metropolitan.

— Exactement, dit Brady qui assuma sa responsabilité de défendre le point de vue du comité. Ecoutez, Mike, maintenant que les autorités fédérales sont de plus en plus dures à la détente, nous ne pouvons montrer trop de zèle pour défendre la réputation de l'hôpital. Ainsi, lorsque nous demandons des subventions pour financer l'un de nos projets — l'un de *vos* projets par exemple — il ne faut pas que cette lamentable affaire nous crée des obstacles. Après mûre réflexion, nous avons jugé que notre devoir était de sauver l'hôpital, pas un simple individu.

— Alors, vous êtes décidé à transiger, dit Sobol avec amertume.

— *Si* nous le pouvons, intervint Waller. Je ne suis pas sûr que Reynolds acceptera.

— Oh oui, il acceptera, répliqua Sobol avec ironie. Il acceptera certainement si vous lui apportez la tête de Grant sur un plateau d'argent comme celle de Jean-Baptiste.

— Ah, je vous en prie! s'exclama Waller sur un ton à la fois surpris et indigné.

Il n'avait pas prévu une attaque aussi vive de la part du médecin habituellement si affable.

— Et que voulez-vous que je vous dise? riposta Sobol, comment voulez-vous que j'appelle ce misérable marchandage? Vous êtes disposés à briser l'avenir d'un jeune médecin brillant pour satisfaire la vanité exaspérante d'un individu parce qu'il jouit d'une grande puissance.

— Il a beaucoup fait pour vous, Mike, remarqua Brady.

— Nul ne le sait mieux que moi, reconnut Sobol, mais ce n'est pas une raison pour que je le laisse faire quand il détruit délibérément un homme. La culpabilité du docteur Grant n'a pas été prouvée et je doute qu'elle le soit jamais.

— Les avocats de Reynolds pensent qu'ils la prouveront, dit Brady. Ils en sont tellement sûrs que nous ne savons pas s'ils accepteront d'aborder la question de compromis.

Sobol éleva la voix d'un ton.

— Je répète que personne ne l'a prouvée jusqu'à présent, en tout cas pas à mes yeux.

— Malheureusement, il suffit qu'elle le soit aux yeux du jury, dit Waller.

— Tant que la preuve de sa culpabilité n'est pas faite, je maintiens que Chris Grant est innocent. Mais ce n'est même pas son innocence qui m'importe le plus. Je pense à ce qui se passera si nous ne le défendons pas. Comment cet hôpital, cette école de médecine attireront-ils les meilleurs sujets si nous avons la réputation d'abandonner nos jeunes médecins à la première menace d'orage? De nos jours, si vous voulez des jeunes gens valables, il faut les chercher et leur offrir les meilleures conditions. Depuis deux ans que Grant est ici, il a déjà reçu une douzaine de propositions de la part d'autres hôpitaux.

« Si vous essayez de régler cette affaire par un compromis tous les jeunes que nous désirons nous attacher vont se dire désormais : « Si j'accepte un poste au Metropolitan et que j'aie la moindre difficulté, me sacrifiera-t-on? » Et la plupart d'entre eux refuseront purement et simplement.

— Bref que voulez-vous que nous fassions? demanda Mrs Forster sincèrement perplexe. Il y a tout de même ce malheureux enfant et ce maudit procès. Nous ne pouvons les ignorer ni l'un ni l'autre. Mon mari m'a dit : « Il n'y a qu'un seul moyen de résoudre ce problème : des têtes doivent tomber. C'est ce que nous faisons tous les jours dans le domaine des affaires. »

— Ah! voilà ce que dit votre mari, remarqua Sobol sur un ton ironique. Puis-je prendre la liberté de vous faire observer qu'il sait sans doute diriger une agence de publicité mais qu'il n'a pas la moindre idée de la façon dont se gère un hôpital.

— Mike je vous en prie... intervint Brady.

Mais Sobol dédaigna l'interruption.

— Il y a une énorme différence entre un homme d'affaires et un médecin. Un homme d'affaires qui fait faillite peut retrouver un emploi encore meilleur. Pour un médecin ce n'est pas facile. Il est marqué pour toute sa vie. Et malheureusement nous n'avons pas tellement de jeunes de valeur pour nous offrir le spectacle de voir « tomber des têtes ». Nous devons envisager une action, même si la lutte doit être longue et dure.

— En somme que proposez-vous? demanda Waller.

— D'abord, ne cherchez pas d'accommodement. Cette solution équivaudrait à reconnaître que Grant est coupable de faute professionnelle; ensuite assurons-lui la meilleure défense que nous pourrons trouver.

— Vous rendez-vous compte que, si nous perdons, il sera encore plus sûrement ruiné en raison de la publicité qu'entraînera fatalement un tel procès?

— Je ne peux pas garantir que nous gagnerons. Je dis simplement qu'il faut lutter, dit Sobol avec une expression obstinée.

— Et puis, il y a les frais, objecta Cy Rosenstiel. En admettant que nous luttions, si nous sommes vaincus, l'hôpital peut avoir à assumer des dépens qui dépassent le montant de la somme prévue dans la police.

— Malheureusement, la lutte comporte toujours la possibilité de la défaite.

— Ce n'est pas une réponse, Mike, déclara Rosenstiel avec colère comme si les deux hommes n'avaient jamais partagé un *seden* le jour de la Pâque.

— Quelle réponse voulez-vous que je fasse, Cy? Désirez-vous que j'aille à la banque et que j'écrive avec mon sang une note spécifiant que je suis prêt à payer les frais d'un jugement? c'est bon, je la signerai.

— Personne ne vous le demande, dit Brady, espérant mettre un terme à la discussion.

Sobol s'obstina.

— Je veux que ce jeune homme soit défendu.

Brady jugea qu'il était temps de clore les débats.

— Nous comprenons très bien votre position, Mike, dit-il, mais, en notre qualité d'administrateurs, nous sommes responsables de cette institution. Nous avons décidé d'adopter une formule que nous jugeons modérée, sage et pratique dans des circonstances extrêmement délicates. En tant que membre de la faculté, vous allez être obligé de vous soumettre à notre décision.

Sobol inclina légèrement la tête non en signe d'assentiment mais pour indiquer qu'il n'était effectivement qu'un employé salarié malgré la réputation qu'il s'était acquise dans son domaine. Ce que le conseil d'administration décidait, il devait l'accepter. Cependant, il avait un atout en réserve

— Messieurs, vous semblez négliger un détail. En cas de poursuites pour faute professionnelle, une compagnie ne peut transiger sans le consentement de l'assuré. Je peux vous affirmer dès à présent que Grant ne donnera jamais son consentement, et moi non plus.

Waller attendit que les administrateurs aient digéré cette déclaration puis il objecta :

— Vous avez raison jusqu'à un certain point.

— C'est-à-dire?

— S'il s'agissait de la police de Grant ou de la vôtre vous pourriez vous opposer à un arrangement mais il s'agit de la police de l'hôpital et ni vous ni lui ne pouvez nous empêcher de transiger.

Mike hésita, cherchant dans son esprit un argument capable de modifier la décision du comité. Enfin, il annonça très posément :

— Dans ce cas, je me vois obligé de vous donner ma démission.

— Mike, pas de sottise, dit vivement Cy Rosenstiel.

— Une sottise? Est-ce une sottise de prendre position pour défendre un jeune homme dont les aptitudes et l'honnêteté m'ont toujours inspiré la plus grande confiance?

Il tourna les talons et sortit. Rosenstiel se leva.

— Je vais le rattraper, dit-il, je vaïs lui parler.

— Non, Cy, dit Brady attendez.

Puis il réfléchit un long moment avant de prendre la parole.

— Vingt et un ans! Cet homme démissionne après avoir exercé pendant vingt et un ans dans cet hôpital! Je ne crois pas qu'un tel geste puisse être motivé par un simple sentiment de loyauté vis-à-vis d'un jeune confrère. Non, je crois que Mike Sobol considère cette attaque comme un coup porté à l'hôpital et à l'Ecole de médecine. Je pense qu'il a subi une dure épreuve ici. Il a attendu, plaidé, prié pour que nous essayions de voir plus clair. Il n'est pas homme à céder à un caprice. La question n'est plus de savoir si nous allons laisser ce jeune médecin nous créer des ennuis mais si nous préférons sacrifier Mike Sobol ou combattre. Je pense que nous devrions reconsidérer notre position à partir de ces nouvelles données. Si quelqu'un veut présenter une motion pour rouvrir la séance...

Waller essaya d'intervenir.

— Avant de nous laisser emporter par nos sentiments...

Brady explosa :

— Bon Dieu, Avery, il n'est pas question de sentiments. Sobol a déclaré qu'il aimait mieux démissionner que nous voir ruiner le Metropolitan. Quand un homme met sa carrière en jeu ce n'est pas une affaire de sentiments. Qui présente une motion?

La motion fut présentée par Mrs Forster et appuyée par Cy Rosenstiel.

Après deux heures de discussion, le conseil d'administration du Metropolitan décida de ne pas autoriser la compagnie d'assurances à résoudre l'affaire par un compromis.

8

— Vingt mille dollars? répéta Chris Grant stupéfait.

— C'est exact, Chris, dit Mike Sobol consterné. C'est ce qu'il a dit.

Chris secoua la tête.

— C'est le meilleur avocat de la ville, reprit Mike. Il a calculé le temps que prendront les travaux d'écriture, les frais de procédure avant le procès et, naturellement, le procès lui-même en comptant les honoraires, l'ensemble reviendra à vingt mille dollars ou plus.

— C'est à peu près ce que je gagne en un an, dit Chris. Faut-il absolument que nous prenions un avocat de la ville? Mike hocha la tête.

— Si Colwell a pu vous suggérer de falsifier vos rapports qui sait ce qu'ils vont encore vous proposer?

Sobol n'avait pas informé Chris de sa discussion avec les administrateurs mais il savait qu'il ne les influencerait pas forcément la prochaine fois. C'est pourquoi il s'était mis en quête d'un avocat privé mais les honoraires demandés semblaient exorbitants : un homme qui a consacré sa vie à la médecine académique ne peut disposer de grosses sommes. Vingt mille dollars représentaient une partie importante des économies de Mike.

— Colwell prétend que notre avocat n'aurait même pas un rôle officiel au procès. Il ne serait présent qu'à titre de conseiller.

— L'homme de loi que j'ai consulté me l'a confirmé, répondit Mike mais il juge important que nous sachions jusqu'à quel point nous sommes couverts par la compagnie d'assurances. Nous avons besoin d'une personne de confiance qui ne travaille que pour nous.

— Tout de même, vingt mille dollars c'est une somme!

Mike prit la pipe vide qu'il se contentait de sucer depuis sa crise cardiaque. Il la plaça entre ses dents et en vint au but réel de la conversation.

— Supposez, Chris, que nous trouvions un jeune avocat, pas de la catégorie d'un maître du barreau qui demande vingt mille dollars de provision, mais une personne honnête ayant fait de brillantes études de droit, qui a travaillé dans un cabinet de contentieux réputé pendant plusieurs années et qui accepterait des honoraires raisonnables, soit la somme que nous lui proposerions.

— Pourquoi diable un avocat demanderait-il vingt mille dollars et un autre serait-il disposé à accepter ce que nous pouvons lui donner pour faire le même travail?

— Parce qu'il se trouve qu'elle est mon obligée.

— *Elle.*

— Oui, *elle,* répéta Mike Sobol. Elle attend l'occasion de me payer sa dette.

— Sa dette?

— Elle me doit la vie, dit Mike doucement. C'était une prématurée et elle n'avait guère de chances de s'en sortir. Sa famille m'a été tellement reconnaissante qu'elle nous a demandé à Rose et à moi d'être ses parrain et marraine. Nous la connaissons depuis toujours. Elle nous appelle tante Rose et oncle Mike ou plutôt elle le faisait quand Rose vivait encore, ajouta-t-il tristement.

— Une fille, observa Chris songeur.

— Une fille brillante. Une personne honnête et charmante. Je ne crois pas qu'elle vous demandera jamais de falsifier des rapports ou de commettre un parjure. Elle nous donnera les meilleurs conseils et des conseils que nous pourrons suivre.

— Au moins, le prix est acceptable, dit Chris qui esquissa un sourire pour la première fois depuis le début de cette conversation.

— Je veux lui parler avant que vous n'acceptiez. Il est important que nous n'engagions que quelqu'un en qui nous ayons tous deux confiance.

— Bien entendu.

Mike demanda à sa secrétaire d'appeler miss Laura Wilson au téléphone.

— Laura? oncle Mike, commença Sobol. Je suis ici avec mon associé ou dois-je dire mon codéfendeur? Je pense qu'il serait bon que vous preniez rendez-vous pour discuter de l'affaire... Attends, je vais lui demander. (Il se tourna vers Chris). Quelle est l'heure qui vous conviendrait?

— J'aurai fini mon travail au labo vers huit heures ce soir. Huit heures et demie ça irait?

Mike transmit la proposition et dit à Chris :

— Il y a un excellent restaurant italien qui s'appelle La Scala où vous serez mes invités à dîner. Vous n'aurez qu'à donner mon nom à Guido. Il mettra la note sur mon compte qu'il me laisse rarement payer. (Il reprit le téléphone.) La Scala à huit heures trente. Tu sais, le restaurant où nous t'avons emmenée Rose et moi pour célébrer ta réussite au bac.

Mike raccrocha :

— Huit heures et demie à La Scala. Je vous donnerai les coordonnées.

Chris essaya de se concentrer sur son travail de recherche mais son esprit était absorbé par des problèmes d'ordre juridique. Quand il avait été informé des poursuites intentées contre lui, sa première réaction avait été la révolte. Il était sûr qu'il avait appliqué le traitement approprié et qu'il obtiendrait gain de cause mais, après sa conversation avec Colwell, il commençait à prendre conscience de ce que représentait le processus lassant et décourageant de la justice. Rien de comparable avec ces scènes de tribunal représentées à la télévision. Et pourquoi Mike voulait-il prendre un autre avocat? Pensait-il que l'hôpital ne leur accorderait pas tout le soutien auquel ils pouvaient prétendre?

Et une avocate par-dessus le marché! Une toute jeune fille, pas même une femme d'après ce que Mike en disait. Il quitta son laboratoire avec des idées préconçues et se dirigea vers La Scala.

Guido, propriétaire et maître de La Scala, parut le reconnaître dès qu'il eut ouvert la porte.

— Vous êtes sans doute le médecin, ami de Mike Sobol? demanda-t-il.

— Oui.

— La dame vous attend.

Chris jeta un coup d'œil vers la table que Guido lui désignait. Grands dieux, se dit-il. Elle devait avoir à peine vingt ans et semblait toute menue. Si les honoraires des avocats se chiffraient à leur poids, celle-ci était à la mesure de ses disponibilités. Tout en suivant Guido, il continuait à l'observer. Blonde, avec une coiffure nette et féminine, elle était vêtue d'un costume en soie foncée relevé par un col de couleur. De près, elle semblait plus mûre qu'il ne l'avait cru à première vue et moins petite.

Quand ils se serrèrent la main, il la regarda du haut de son mètre quatre-vingt-deux et la trouva très séduisante, ce qui lui inspira des doutes sur ses compétences d'avocate. Si elle se rendait compte de l'impression qu'elle lui produisait elle n'en laissa rien paraître et se contenta de dire :

— Asseyez-vous, docteur.

Elle maintint leurs relations sur un plan strictement professionnel pendant tout le dîner. Elle parla de Mike et des liens qui les unissaient, d'autant plus étroitement sans doute que les Sobol n'avaient pas d'enfants, ce qui était grand dommage remarqua-t-elle car Mike et Rose auraient été des parents merveilleux.

C'est seulement lorsqu'elle eut mis Chris à l'aise qu'elle aborda la question du procès et d'une façon très indirecte. Elle le questionna sur ses recherches, ses cours, ses malades. Peu à peu, elle l'amena à parler de lui-même, chose qu'il ne faisait pas volontiers. Il lui raconta même l'histoire du bébé Grove et de sa lutte vaine contre la mort pendant qu'il était lui-même engagé dans une discussion avec Colwell dans le bureau de Mike.

— Dans un sens, il valait mieux qu'il meure. Il aurait été

orphelin avant un an. Et personne ne l'aurait adopté à cause de sa toxicomanie prénatale. Un triste départ dans la vie!

Laura ne répondit pas. Elle se contentait d'étudier attentivement son visage. Elle remarqua ses yeux très bleus extrêmement expressifs. Embarrassé, il détourna son regard vers son assiette.

Quand le repas fut achevé il leur restait encore beaucoup à se dire. Elle lui proposa de poursuivre la conversation chez elle. Chris ne doutait pas que l'invitation eût un caractère purement professionnel.

Son appartement était à son image : petit, net, douillet et pourtant pratique. Elle prépara du café et s'installa dans un fauteuil confortable, les genoux repliés. Chris s'assit sur un sofa en face d'elle.

— Avez-vous la moindre idée de la durée d'un procès de ce genre? demanda-t-elle brusquement. Si l'un ou l'autre des adversaires veut gagner du temps, il peut le faire traîner pendant des années.

Elle alluma une cigarette, la onzième remarqua Chris d'un air réprobateur.

— Vous serez constamment interrompu dans votre travail, continua-t-elle. Votre vie deviendra un enfer. La compagnie d'assurances va vous convoquer sans cesse pour que vous répondiez aux questions des spécialistes qu'elle entend engager pour témoigner en votre faveur durant le procès. Ils vont vous exposer des idées brillantes conçues dans leurs services, experts en ruses de toute sorte. Et n'imaginez pas que la suggestion de Colwell soit une exception. Naturellement, si un homme de loi propose directement une solution de ce genre, il risque d'être rayé du barreau. C'est pourquoi ils ont envoyé Colwell. Il n'est qu'enquêteur. Vous pouvez être sûr que cette idée est née dans le cerveau d'un homme de loi.

Elle reprit une cigarette. Cette fois il prit un air nettement réprobateur. Elle surprit son regard et dit sèchement :

— Convenons de deux choses, docteur. D'abord, je n'ai pas l'intention d'écouter des sermons sur les méfaits de la cigarette. Je fume trop, je le sais et tout ce que vous pourrez dire à ce sujet n'y changera rien.

Chris sourit :

— Ensuite?

— Ensuite, notre collaboration ne pourra marcher que si nos relations restent purement professionnelles.

Cette prise de position le confirma dans l'idée qu'ils pourraient se trouver très intéressants en tant qu'homme et femme. Il se contenta d'acquiescer d'un signe de tête.

— Je disais donc que l'important c'est qu'ils se sont crus obligés de vous inciter à falsifier votre rapport, reprit-elle, c'est donc qu'ils se sentent vulnérables. Ils estiment que votre position n'est pas solide; ils ont des doutes en ce qui concerne l'opportunité du traitement que vous avez appliqué au bébé Simpson. Les compagnies d'assurances jetteront n'importe qui en pâture aux loups pour éviter de payer une grosse somme. C'est pourquoi Mike Sobol a dû discuter aussi âprement à la réunion du conseil d'administration.

Voyant la surprise qui se peignit sur le visage de Chris, elle s'interrompit :

— Ah! vous n'étiez pas au courant, remarqua-t-elle sur un ton de regret.

— Je ne veux pas que Mike prenne des risques pour moi, protesta-t-il.

— Il l'a fait et il le fera. Vous connaissez oncle Mike. Au fond, il vaut mieux que vous le sachiez. Je ne suis pas d'avis de cacher quoi que ce soit aux clients. Nous devons être honnêtes l'un envers l'autre. C'est pourquoi nous allons prendre le temps de nous expliquer. Quand nous aurons fini, il se peut que vous ne vouliez pas de moi comme avocat et que je ne veuille pas de vous comme client.

Plus tard ils attaquaient la seconde cafetière, assis tous deux sur le sofa. Il lui avait donné tous les détails concernant le traitement appliqué au petit-fils de Reynolds. Quand elle suggéra que de nombreux experts pourraient témoigner en faveur de la partie plaignante il protesta :

— Personne et certainement aucun médecin honnête ne peut déclarer que j'ai commis la moindre faute professionnelle dans l'application de ce traitement.

— Ecoutez, docteur Grant, une firme comme Parkins, Sears

et Wadleigh n'engage pas des poursuites de ce genre sans avoir l'assurance que des médecins éminents témoigneront dans ce sens.

— Si John Reynolds le leur ordonnait ses avocats seraient capables de poursuivre saint Joseph pour avoir engendré Jésus-Christ.

— Ne vous emballez pas, docteur. Les médecins comprennent certaines choses par expérience, les hommes de loi en font autant. Il est certain que Parkins et Sears essaieront de complaire à Reynolds par tous les moyens mais ce n'est pas pour cette raison qu'ils sont ses conseillers juridiques. Ils le sont parce qu'ils connaissent leur métier et qu'il les estime. S'ils pensaient qu'il n'a aucune chance de gagner son procès, ils le lui auraient dit car, tôt ou tard, il aurait compris qu'ils lui ont donné de mauvais conseils et il changerait de firme juridique. C'est pourquoi je suis sûre que si Parkins, Sears et Wadleigh ont pris en main cette affaire c'est qu'ils ont de bons motifs. Et si la compagnie d'assurances s'inquiète au point de vous demander de falsifier des documents...

Chris prit un air indigné :

— Oui, légalement c'est bien le terme. S'ils vous l'ont proposé c'est qu'ils sont fichtrement embêtés. Et s'ils le sont vous devriez l'être aussi. Et si vous ne l'êtes pas, moi je le suis.

— Vous voulez dire que vous refusez cette affaire?

— Je veux dire qu'un idéaliste comme vous a plus besoin d'un avocat-conseil que la plupart des individus.

Elle réfléchit un moment.

— Une autre chose dont je suis sûre : Parkins, Sears et Wadleigh n'engagent généralement pas un procès pour faute professionnelle, nous allons bientôt voir surgir une autorité du barreau pour représenter la partie demanderesse.

— Que voulez-vous dire?

— Vous avez des spécialistes en médecine. Nous en avons en droit. Des hommes tellement compétents qu'ils sont virtuellement invincibles. John Reynolds a dû dire : « Trouvez-moi l'avocat le plus cher et le meilleur, spécialisé dans les procès pour faute de négligence. » Or je ne vois qu'un homme capable de lui donner satisfaction.

— Qui?

— Harry Franklyn, dit Laura. Si nous entendons ce nom, nous saurons jusqu'où ils veulent aller car un homme comme lui n'accepte pas une affaire lorsqu'il n'est pas absolument sûr de gagner. Et, devant un tribunal, c'est l'avocat le plus désarmant et le plus efficace que j'aie jamais vu.

— Harry Franklyn!

Chris répéta ce nom qu'il n'avait jamais entendu mais qui, subitement, représentait l'ennemi.

Laura Wilson se tut un moment puis elle déclara :

— C'est entendu, je serai votre avocat, ne serait-ce qu'à titre de simple conseiller. Ce sera amusant de voir le petit Harry Franklyn à l'œuvre (elle sourit). Oui, petit. Il n'est pas plus grand que moi. Et jamais il n'élève la voix au-dessus du ton du murmure. Il est vrai qu'un cobra ne fait pas beaucoup de bruit non plus.

Elle prit une autre cigarette. Il la regarda d'un air de reproche puis il jeta un coup d'œil réprobateur sur le cendrier plein de mégots.

Elle eut un geste d'impatience :

— J'ai besoin d'une cigarette. Je sais que c'est un signe de faiblesse et je connais toutes les raisons pour lesquelles je devrais m'abstenir de fumer mais bien des médecins fument, n'est-ce pas?

Elle alluma sa cigarette et aspira quelques bouffées.

— Ecoutez, décidons que nous n'interviendrons jamais dans nos vies privées. D'accord?

— D'accord.

— Et maintenant, bonne nuit docteur, dit-elle mettant fin à l'entretien.

En rentrant chez lui, il dut s'avouer qu'il avait été extrêmement impressionné par son attitude professionnelle et la pertinence de ses questions. Cependant, il ne put s'empêcher de regretter que leur rencontre n'ait pas eu lieu dans d'autres circonstances. Elle était vraiment attrayante, plus jeune que lui mais elle paraissait au moins aussi compétente dans son domaine que lui dans le sien.

9

Il était couché à côté d'Alice Kennan quand il se rendit compte du changement qui s'était opéré en lui. En réalité, c'était elle qui l'avait remarqué la première. Comme tous les amants, chacun avait appris à deviner les petites tactiques provocantes qui plaisaient à l'autre. Et leur désir avait atteint le point d'intensité où il était inévitable qu'ils se fondent l'un dans l'autre. Il se sentait aussi fort, aussi ardent, aussi vigoureux que jamais. Le corps d'Alice répondait au sien. Ses bras et ses longues jambes semblaient l'envelopper avec plus de passion encore que d'habitude. Ils atteignirent ensemble le sommet de la jouissance. Lorsque son corps épuisé se détendit, il perçut les pulsations rapides qui lui disaient qu'elle aussi était pleinement satisfaite.

Ils restèrent allongés côte à côte en silence. A des moments comme ceux-là il avait par deux fois abordé la question de mariage. Elle avait toujours répondu :

— Chris, si jamais j'épouse un médecin, tu peux être sûr que ce sera toi.

Et elle se mettait à rire non qu'elle dédaignât sa proposition mais sa propre réaction la mettait mal à l'aise. Chris soupçonnait que sa crainte du mariage n'était pas véritablement associée aux médecins car, si tel était le cas, pourquoi continuerait-elle à travailler dans un centre médical?

Un jour, il lui avait suggéré d'aller voir un psychiatre.

— Et s'il me conseille de te laisser tomber? demanda-t-elle en riant.

Bien qu'il vît clairement qu'Alice se fourvoyait, il ne put jamais le lui faire comprendre. Aussi acceptait-il leur association pour ce qu'elle était : une aventure entre deux êtres dont les désirs s'harmonisaient merveilleusement et qui exerçaient des carrières qui les passionnaient. La situation convenait à Alice et, dans la mesure où elle comprenait les exigences de son travail, elle convenait également à Chris.

Et pourtant, cette nuit-là, quelque chose clochait. Il y pensait pendant qu'ils reposaient dans l'ombre, son corps épousant les contours du sien et, au moment même où il essayait de définir son impression, elle l'exprima :

— Il y a quelque chose qui ne va pas, murmura-t-elle. Tu es préoccupé par cet interrogatoire préliminaire de demain.

— Je n'ai aucune raison d'être préoccupé. Un médecin qui a dû affronter une assemblée de confrères ne peut avoir peur de quelques hommes de loi qui lui posent des questions.

— Enfin, préoccupé ou non, ce n'était pas pareil, dit Alice d'une voix qu'il ne lui connaissait pas.

— Ne dis donc pas de bêtises.

Il l'attira plus près de lui et elle sentit qu'il était repris par le désir.

— Alice? mon chéri? souffla-t-il.

Elle secoua la tête. Il essaya de la tourner vers lui pour l'embrasser sur les lèvres mais elle ne réagit pas. Jamais il ne l'avait sentie aussi détachée.

— Allie? dit-il en emprisonnant ses seins dans ses mains.

— S'il y a quelque chose de changé entre nous, je veux que tu me le dises. Je ne veux pas de mensonges. Je veux savoir.

— Ne sois pas stupide.

— Je veux savoir, répéta-t-elle avant de se retourner pour lui rendre son baiser.

Leurs corps vibraient de nouveau à l'unisson mais peut-être à cause de ce qu'elle avait dit ou de ce qu'il venait de penser, cette fois ce fut différent! Il réfléchissait alors qu'il aurait dû uniquement sentir. Il réservait un coin de son être alors qu'il aurait dû se donner tout entier. S'inquiétait-il réellement de la séance du lendemain?

Ou bien pensait-il à cet enfant qui venait d'être amené dans la salle des soins intensifs juste avant son départ de l'hôpital. Un nouveau-né dont le cœur était trop faible pour envoyer au petit corps frêle sa ration de sang vital. Dans la matinée, il verrait avec Frank Walk, le chirurgien, si une opération s'imposait. Le choix était difficile. Abandonné à son sort, le bébé serait infirme pour le peu de temps qu'il aurait à vivre. Opéré, il pourrait mourir sous le scalpel.

S'étant convaincu que c'était cette alternative qui l'avait troublé, il s'endormit contre le corps parfumé d'Alice. Mais elle était moins facile à convaincre. Elle demeura éveillée en serrant la main puissante de Chris dans la sienne.

Le bébé avait une respiration spasmodique. Sa cage thoracique toute tordue semblait aussi fragile qu'une coquille d'œuf. Chris Grant l'examina rapidement pendant que Frank Walp, le chirurgien pédiatre, se tenait à côté de lui, prêt à procéder à son propre examen. Il ne lui fallut pas longtemps pour confirmer le diagnostic de Chris. Le stéthoscope révélait nettement l'existence d'une valve défectueuse qui empêchait le cœur d'expulser une quantité de sang suffisante à travers l'appareil circulatoire pour apporter l'oxygène nécessaire à toutes les parties du corps.

— Maintenez la respiration artificielle, pendant que je me prépare dit le chirurgien. Nous nous retrouverons dans la salle d'opération dans une demi-heure.

Il sortit. Chris souleva le petit malade dont le cœur faisait des efforts tellement désespérés pour compenser sa déficience que le médecin le sentait cogner contre les côtes flexibles. L'instinct de conservation était aussi puissant chez un enfant d'un jour que chez les malades plus forts et plus âgés que Chris avait vus dans les salles d'hôpital pendant son stage d'internat.

Chris se frictionna les mains, mit des gants et un masque stérile puis il entra dans la salle d'opération. Le malade qui paraissait tout petit dans son isolette, avait l'air infime au milieu du matériel imposant. L'anesthésie était achevée et Walp procéda à la première incision.

Chris suivait avec un attention soutenue chacun des gestes de Walp. L'idée de devenir chirurgien lui était venue au début de sa carrière. La chirurgie à cœur ouvert commençait à s'imposer à l'époque où il était étudiant en médecine et elle fascinait de nombreux médecins qui optaient pour une spécialité.

Consciemment Chris avait fini par choisir la pédiatrie à cause de l'intérêt que lui inspiraient ces enfants menacés par un danger aux premières heures de leur existence; mais — subconsciemment à cause d'événements qui s'étaient produits lorsqu'il n'avait encore que quatre ans.

Sa mère, une femme courageuse, avait dû travailler dur car Phil Grant, son mari, était l'un de ces hommes destinés à rester toute leur vie des travailleurs marginaux. Pendant la Deuxième Guerre mondiale, il fut exempt de service parce qu'il était marié et père de famille. Il travailla alors dans un chantier de construction navale et jamais il n'avait eu un meilleur salaire. Après la guerre, la construction des *liberty ships* fut arrêtée et Phil Grant fut l'un des premiers ouvriers licenciés.

Il fut engagé comme conducteur d'autobus. Cet emploi n'exigeait pas d'aptitudes spéciales et il le conserva un certain temps. Il ne gagnait pas beaucoup d'argent mais son salaire était suffisant pour entretenir une famille de trois personnes. Quand la mère de Chris fut de nouveau enceinte, ils pensèrent qu'ils auraient de quoi vivre à quatre. Elle était blanchisseuse et continua à travailler jusqu'aux dernières semaines de sa grossesse. Chris jouait sous la planche à repasser et écoutait les réflexions joyeuses qu'elle lui faisait à propos du bébé à venir.

Les difficultés commencèrent quelque temps avant la date prévue pour la naissance. La sonnerie du téléphone retentit et, aux premiers mots qu'elle prononça, Chris comprit qu'un événement terrible venait de se produire. Il se rappelait qu'elle avait brusquement raccroché, enfilé son manteau et dit :

— Tu vas rester avec Mrs Molloy. Je vais revenir aussitôt que je pourrai...

Sa phrase s'était achevée dans un cri de douleur. Elle s'était traînée jusqu'à la porte et avait crié :

— Edna! Mrs Molloy.

Heureusement, leur voisine Edna Molloy se trouvait chez elle et elle arriva aussitôt. A peine eut-elle atteint la porte de la maison des Grant que sa mère s'était exclamée :

— Oh mon Dieu!

Il remarqua que le visage de sa mère devenait terreux et que sa jupe était toute mouillée. Quand Mrs Molloy entra, sa mère s'était écriée :

— Je perds les eaux.

Mrs Molloy, une femme d'expérience, appela une ambulance. Elle força sa mère à se coucher malgré ses protestations. Il se rappelait qu'elle gémissait :

— Il a besoin de moi... il a besoin de moi.

Plus tard, il comprit qu'elle ne parlait pas du bébé qui n'était pas encore né mais de son père.

Mrs Molloy essaya de la réconforter jusqu'au moment où la sirène de l'ambulance retentit. Alors seulement Mrs Molloy donna libre cours à ses craintes. Elle appela le médecin sur un ton affolé.

— Ici! cria-t-elle, elle est ici.

Elle poussa un soupir de soulagement lorsque l'interne prit la patiente en charge.

La mère de Chris fut enveloppée dans une couverture et placée sur une civière malgré sa résistance.

— Il a besoin de moi, il a besoin de moi, répétait-elle désespérément.

Enfin, elle fut transportée dans l'ambulance; les portières claquèrent et la sirène se remit à mugir.

Mrs Molloy, le petit Chris et le jeune Bernard la suivirent des yeux. Chris s'était mis à pleurer et Bernard l'avait imité.

— Tais-toi, avait dit Mrs Molloy à son fils ou tu vas recevoir une raclée.

Puis elle s'était tournée vers Chris :

— Viens je vais te donner du lait et des biscuits. Ne t'inquiète pas pour ta maman. Elle va se remettre.

— Elle ne va pas mourir? avait demandé Chris angoissé.

— Qu'est-ce que tu sais de la mort? Tu es bien trop jeune.

Il ne savait pas. Il se demandait pourquoi il avait parlé de la mort. Il avait appris que c'était ce qui pouvait arriver de pire et certainement c'était ce qui pouvait arriver de pire à la mère d'un petit garçon.

Son père rentra dans l'après-midi avec une main bandée. A la façon dont il tenait son bras, Chris comprit qu'il souffrait beaucoup mais, aussitôt que Phil eut appris ce qui s'était passé, il s'était précipité à l'hôpital. Cette nuit-là Chris avait couché avec Bernard Molloy.

Sa mère revint de l'hôpital sans le bébé attendu. Au cours des jours suivants, Chris apprit, d'après les quelques propos échangés, que son père avait eu un accident d'autobus. Quelqu'un avait été tué. Bien qu'il n'eût pas été légalement en faute, Phil ne retrouva pas son emploi.

Dès lors, ce fut sa mère qui gagna leur vie. Elle allait laver et repasser chez les autres. Elle rentrait pour dîner. Le reste de la journée, Phil s'occupait de Chris, lui préparait son repas de midi et l'emmenait au jardin d'enfants. De temps en temps il trouvait des emplois occasionnels, mais rien de stable. Il ne parlait plus beaucoup et restait seul la plupart du temps. Il ne fumait pas, ne buvait pas non plus et se contentait de lire le journal avec tant d'attention qu'il semblait vouloir faire durer sa lecture toute la journée.

Chris n'osait pas poser de questions. Son père ne répondait pas et sa mère avait trop de chagrin.

Mais une chose le tourmentait : qu'était-il arrivé à ce petit frère ou à cette petite sœur? Maman était partie toute ronde et elle était revenue toute plate, comme vidée. La nuit, alors que ses parents le croyaient endormi il entendait sa mère pleurer. Son père dormait ou faisait semblant. Elle sortait furtivement de la chambre pour aller s'asseoir dans la cuisine même quand ils n'avaient pas de feu.

Parfois, Chris se glissait hors de son petit lit pour écouter. Un jour, il osa ouvrir la porte de la cuisine. Il resta debout immobile à la regarder. Elle ne parut pas remarquer sa présence. Pourtant, elle dit doucement :

— Viens ici, mon chéri, viens.

Il s'approcha d'elle et elle l'attira contre sa poitrine. Bien qu'il fût transi de froid, elle lui parut encore plus glacée que lui. Son visage était tout humide. Ses yeux rouges brillaient dans l'ombre. Il se serra contre elle.

— Maman, c'est pour le bébé que tu pleures? demanda-t-il.

Elle ne répondit pas.

— Est-ce qu'il est mort?

Elle continua à garder le silence mais elle le serra plus étroitement contre elle.

— Pourquoi est-il mort, maman? Est-ce que je vais mourir moi aussi?

— Oh non, non! s'écria-t-elle en le prenant sur ses genoux. Il est mort parce qu'il ne pouvait pas respirer. Les bébés nés avant terme ont les poumons trop petits pour respirer ou le cœur trop faible.

— Où vont-ils quand ils meurent?

— Les bébés sont purs et innocents. Ils vont toujours au ciel.

— Et moi, est-ce que j'irai au ciel quand je mourrai?

Elle le serra plus fort.

— Tu ne vas pas mourir, protesta-t-elle.

Et elle le berça pour l'endormir mais il sentait ses larmes tremper son propre visage. Le lendemain matin il s'était réveillé dans son lit.

Il ne posa plus de questions sur le bébé mais elle ne cessa jamais de le pleurer et elle se réfugiait toujours dans la cuisine pour donner libre cours à ses larmes. Elle ne dit jamais que c'était l'accident de son mari qui avait provoqué l'accouchement prématuré. Phil s'en accusa et se le reprocha tout le reste de leur misérable vie. Ni l'un ni l'autre ne se remit de cette perte.

Chris s'en remit mais elle laissa une marque dans son esprit. Les événements qui se succédèrent à partir de ce terrible jour le déterminèrent à choisir la carrière de pédiatre. Il décida de se consacrer plus spécialement aux nouveau-nés pour essayer de donner une chance de survie aux enfants prématurés ou déficients et éviter que les mères pleurent pour ce qui ne pouvait être réparé.

A présent, en regardant le petit champ d'opération sous la main du chirurgien, Chris se demanda, comme il le faisait souvent en pareille circonstance, quel était le défaut qui l'avait privé de son petit frère.

L'opération se déroulait bien. Les mains de Walp se glissèrent entre les côtes flexibles pour pénétrer dans la cavité thoracique. Avec ses doigts habiles, il décela et corrigea la valve défectueuse. Sans perdre un instant, il entreprit la suture finale qu'il tint à pratiquer lui-même.

Il s'éloigna de la table, confiant l'enfant à une infirmière et se tourna vers Chris.

— J'irai le voir vers trois heures, juste avant ma tournée. Je vous verrai dans la salle.

— Je ne serai pas là. J'ai rendez-vous avec les avocats. Il y a une instruction aujourd'hui.

— Oh!

Walp n'ajouta pas un mot. Chris ne sut si cette exclamation exprimait la sollicitude ou la réprobation. Walp n'aborda plus jamais le sujet.

Dix minutes plus tard, il quitta l'hôpital pour le bureau de Laura. Elle avait tenu à le voir pour examiner la tactique à suivre avant sa première confrontation avec Parkins, Sears, et Wadleigh. Aussi était-il parti en avance sur l'heure prévue.

Laura travaillait dans une société de contentieux qui, sans avoir le prestige de la firme Parkins, était très bien cotée. Ses bureaux dominaient Courthouse Square. Quand Chris la vit dans l'exercice de ses fonctions, donnant des instructions à une secrétaire, il fut impressionné. Petite mais remarquablement bien proportionnée, cette jeune femme avait une assurance de chirurgien dans sa profession. En outre, elle était jolie ce qui lui semblait quelque peu paradoxal. Les jolies femmes n'ont pas le droit d'être aussi efficaces et compétentes en affaires.

Elle congédia la secrétaire, se tourna vers Chris et dit sèchement :

— Oh oui, c'est vrai! comme s'il s'agissait d'un simple rendez-vous d'affaires parmi tant d'autres dans son emploi du temps surchargé.

Puis elle se détendit un peu et ajouta :

— Excusez-moi, Chris, mais j'ai eu une de ces journées! Asseyez-vous donc.

Quand il se fut installé dans le fauteuil de cuir, elle se leva et se plaça devant la fenêtre, lui tournant le dos. Elle garda le silence un long moment, les yeux fixés sur la place.

— Il est très difficile d'expliquer cette situation à un profane, commença-t-elle.

Chris n'était pas habitué à être traité de profane mais, après réflexion, il se dit qu'en matière de loi, il l'était effectivement. Laura reprit gravement :

— Lorsqu'un médecin est poursuivi pour négligence, il est interrogé sur un domaine de sa vie qui lui est extrêmement précieux — sa profession. (Elle se retourna et ses yeux bleus se fixèrent sur lui.) Si le jury décide que vous êtes coupable, votre conception de la vie et de votre profession peut être bouleversée. En face d'une telle accusation, un homme peut avoir des réactions violentes. C'est pourquoi j'ai tenu à vous mettre en garde avant que nous ne traversions cette place pour nous rendre chez Parkins. Vous ne pouvez pas, vous ne devez pas vous laisser aller à la colère pendant cette enquête préliminaire, même sous l'effet de la provocation. Quelles que soient les accusations portées, les conclusions insidieuses tirées, vous devez vous cuirasser pour répondre aux questions aussi directement que possible. N'en dites pas plus qu'on ne vous en demande. Ne discutez pas. Vous n'êtes qu'un témoin. M'avez-vous bien comprise?

Chris eut l'impression d'entendre une mère recommandant à son petit garçon de bien se conduire. Il ne put réprimer un sourire espiègle et répondit :

— Oui maman, c'est parfaitement clair.

Laura se fâcha :

— Cette affaire ne peut être traitée comme un objet de plaisanterie même lorsque nous sommes seuls. C'est dangereux pour vous, humiliant pour moi. Je ne le tolérerai pas.

Chris se dit que, pendant un bref instant, elle s'était laissée aller elle-même à la colère. Elle en eut conscience car elle se ressaisit et dit sur un ton radouci :

— Nous sommes prêts maintenant. Nous allons traverser la place. Rappelez-vous mes conseils.

Elle décrocha sa veste grise de la patère. Chris l'aida à la passer. L'odeur de parfum qui s'en dégageait le troubla. Si le parfum ne lui avait pas rappelé qu'elle était éminemment femme, le contour délicat des seins qui disparurent sous la veste stricte était assez explicite.

Mais, pour le moment, il allait devoir faire face à une situation grave, peut-être dangereuse.

10

Les bureaux de Parkins, Sears et Wadleigh étaient impressionnants. Sur les doubles portes du salon d'attente les noms des quatorze administrateurs étaient inscrits en lettres d'or. Au-dessous, en caractères plus petits se trouvait une autre liste de noms trop nombreux pour être comptés.

Paul Crabtree représentant la compagnie d'assurances et James Spalding, délégué de la société de contentieux de Waller, représentant l'hôpital, attendaient Chris et Laura. Grand et sec, Crabtree avait la voix vibrante et le sourire facile. Il leur assura qu'il était ravi de les voir. En réalité il était aussi préoccupé que Laura par l'impression qu'allait produire leur témoin clé. Sa longue expérience lui avait appris que le résultat d'un procès dépendait parfois d'une enquête préliminaire bien menée. Dans l'atmosphère plus intime d'un bureau les témoins étaient enclins à être plus insouciants que dans une salle de tribunal. Au cours de ces interrogatoires il avait vu des médecins faire des déclarations qui détruisaient d'avance toutes leurs dépositions.

Aussi, bien qu'il accueillît Chris avec cordialité, il essayait d'évaluer le poids qu'il représentait pour la défense. Plus tard, il allait donner son opinion à la compagnie sur le pourcentage de chances de chacun des deux camps.

James Spalding qui était présent pour sauvegarder les intérêts de la société paraissait décidé à garder une réserve prudente. Il appartenait à cette catégorie d'hommes qui, au moment de donner une poignée de main, sont toujours occupés à bourrer leur pipe. C'est ce qu'il faisait quand il salua Chris. Son attitude se refléta dans ce seul mot :

— Docteur.

Le ton était poli, neutre, détaché. Chris éprouva une étrange impression. Cet avocat-conseil dont les intérêts auraient pu être identiques aux siens lui semblait trop indifférent. Puis il se rappela que, de même que Laura, Spalding ne jouait qu'un rôle d'observateur. Seul Crabtree était légalement habilité à agir au nom des défendeurs.

Tous quatre furent introduits dans une salle de réunion. Chris fut surpris par les dimensions de la table autour de laquelle pouvaient s'asseoir aisément une quarantaine de personnes. C'était la salle de conférence B. Dans ce cas, se dit Chris, la salle A devait être aussi vaste que le centre d'art dramatique Reynolds.

Un instant plus tard, deux avocats de la société Parkins entrèrent à leur tour — Arthur Cross, un homme grand aux cheveux gris, au sourire mesuré et énigmatique. Il serra des mains à la ronde. Il s'arrêta un instant devant Chris.

— Docteur Grant, ah oui, fit-il.

Cross présenta ensuite William Heinfelden qui allait sans doute mener l'interrogatoire puisqu'il portait le dossier et un bloc-notes jaune dont les feuilles étaient remplies de questions. De taille moyenne, Heinfelden avait des épaules carrées d'ancien champion de football universitaire.

La sténotypiste arriva et, pendant qu'elle installait sa machine, Cross lança une plaisanterie :

— Par les temps qui courent, il est encore plus difficile d'obtenir d'un médecin un rendez-vous d'affaires qu'une visite à domicile.

Chris ne trouva pas la remarque amusante. Il répondit sèchement :

— J'étais en salle de chirurgie il y a encore trois quarts d'heure.

Laura vit que Heinfelden avait noté la nervosité du jeune médecin et Chris comprit qu'il avait déjà commis une gaffe. Il se promit d'être absolument maître de lui dès que l'interrogatoire commencerait.

Ils s'assirent devant la table comme deux équipes adverses. Cross fit signe à la sténotypiste qui prêta serment. Cette formalité accomplie, Heinfelden ouvrit la séance. Cross comme Crabtree, n'était venu que pour évaluer les forces et les faiblesses des parties. Laura s'assit à côté de Chris en priant le ciel qu'il garde son sang-froid.

Heinfelden commença par poser les questions d'usage — nom, prénoms, domicile, études et formation médicale. Il nota que Chris avait suivi les cours du Lycée et de la Faculté en faisant toutes sortes de petits travaux pour gagner sa vie, acheter ses livres et payer ses droits universitaires. Il avait même pu assurer les frais d'enterrement de son père.

Par la suite, il avait obtenu une bourse pour entrer à l'Ecole de médecine. Il avait eu le choix entre deux facultés et s'était inscrit à celle qui était la plus proche de son domicile car il savait que sa mère ne survivrait pas longtemps à son père. Chris pensait qu'elle ne continuait à vivre que pour s'occuper de son mari et de lui-même. Comme son père était mort et que lui-même pouvait désormais se débrouiller tout seul, Mary Grant n'avait plus d'obligations. Elle mourut, cliniquement d'une coronarite massive, en réalité parce qu'elle n'avait plus envie de lutter.

Pendant la première partie de l'enquête, Heinfelden aurait pu être l'avocat de la défense tant il s'appliquait à relever les détails des antécédents de Chris. Ni Laura ni Spalding ne trouvèrent d'objection à faire mais, après un moment, ses questions parurent moins pertinentes. Laura se sentit de plus en plus mal à l'aise. Heinfelden n'était ni expérimenté ni sot. Il devait avoir des raisons pour tourner ainsi autour du sujet.

Enfin, il aborda la question des travaux de recherche de Chris et de ses articles publiés. Grant s'intéressait-il particulièrement aux enfants atteints de troubles mentaux? A tous les enfants handicapés mentaux, ou simplement à des groupes spéciaux?

— Dites-moi, docteur Grant, qu'est-ce qui vous a amené à vous spécialiser dans la question du sous-développement mental des enfants mal nourris?

— Sincèrement, je ne le sais pas.

— Ne serait-ce pas à cause de vos origines modestes que vous êtes particulièrement attiré par ce genre d'enfants?

— Je ne sais pas. C'est possible.

A ce stade, Laura se pencha en avant et lança un coup d'œil à Paul Crabtree. Celui-ci s'éclaircit la voix et dit sur un ton ferme :

— Sans objet...

Heinfelden l'interrogea d'un regard innocent :

— Qu'est-ce qui ne va pas?

— La plupart de ces questions paraissent hors de propos et nous font perdre du temps. Je ne vois pas l'intérêt que les recherches du docteur Grant présentent dans cette affaire. Nous nous opposons à ce qu'il réponde à des questions de ce genre.

— Et à celles qui se révèlent pertinentes?

— Si vous avez des questions pertinentes à poser, posez-les, dit Crabtree avec impatience.

Heinfelden sourit et se tourna vers Chris.

— Docteur, considérez-vous que le traitement qui fait l'objet de ce procès est une affaire de jugement personnel du médecin?

— Tout traitement est une affaire de jugement personnel du médecin. Le devoir du praticien consiste à apprécier l'état du malade et à appliquer la thérapie qu'il juge la meilleure.

Au mouvement de Laura il comprit qu'il avait donné plus de détails qu'il ne l'aurait fallu. Il le regretta aussitôt car Heinfelden ajouta :

— Le jugement d'un médecin est extrêmement subjectif n'est-ce pas docteur? Je veux dire que deux médecins qui se trouvent devant la même série de symptômes peuvent être en désaccord sur le traitement à pratiquer?

— Oui, répondit Chris, décidé à ne pas employer de mots superflus.

— Pourquoi, docteur?

— Pourquoi?

— Oui, pourquoi, dans des circonstances identiques, deux médecins prescriraient-ils des formes de traitements différentes?

— Pour de multiples raisons...

— Par exemple? insista Heinfelden.

— Des expériences différentes. Un médecin a du succès avec une certaine forme de thérapie ou un certain remède et il s'y fie. Un autre peut avoir une expérience légèrement différente et il prescrira un autre remède ou un autre traitement.

— Donc tout dépend de l'expérience personnelle du médecin.

— Oui, c'est ce que vous pourriez dire.

— Il ne s'agit pas de ce que je pourrais dire. Est-ce que *vous* pourriez le dire?

— Oui.

— Quand vous parlez de l'expérience du médecin vous limitez-vous à son expérience médicale?

— Naturellement. Quelles autres expériences pourraient influencer un médecin?

— Question intéressante, dit Heinfelden en se penchant en avant. Quelles autres expériences en effet pourraient influencer le jugement d'un médecin?

Laura lança un coup d'œil à Crabtree qui se hâta d'intervenir.

— Est-ce là un interrogatoire préliminaire ou une discussion sur les motivations médicales? A quoi voulez-vous en venir? Si vous avez une idée précise, exposez-là sinon finissons-en pour aujourd'hui. Laissez-moi vous avertir, cependant, que nous n'allons pas produire le témoin chaque fois que vous claquerez des doigts. En fait, considérant toutes les questions posées, je pense que n'importe quel juge répugnerait à vous laisser pousser plus avant l'enquête.

— Nous n'en avons pas fini pour aujourd'hui, répondit Heinfelden. Docteur Grant, auriez-vous pu utiliser une autre forme de traitement quand vous avez décidé d'appliquer la photothérapie pour le bébé Simpson.

— Oui.

— Laquelle? demanda Heinfelden comme s'il n'était pas déjà au courant.

— Une exsanguino-transfusion aurait été possible.

— Mais vous n'avez pas opté pour cette solution?

— Non.

— Pourquoi?

— A mon avis, l'état du malade ne nécessitait pas un traitement qui comportait des risques.

— Quels risques?

— D'abord les risques d'infection.

— Ensuite?

— C'est un procédé extrêmement long. A mon avis, l'exposition à la lumière était plus favorable au bébé. En tout cas, il fallait attendre les résultats des analyses du laboratoire.

— Ah! le laboratoire faisait des analyses en même temps? fit Heinfelden avec un excellent prétexte pour prendre l'air surpris.

— Quand un bébé est admis dans l'unité de soins intensifs avec une jaunisse nettement marquée, la première chose à faire c'est d'en déterminer la cause. J'envoie un échantillon de sang au laboratoire pour connaître la cause de la jaunisse. Elle pourrait être provoquée par une infection. Dans le cas présent, il s'agissait d'une incompatibilité de rhésus.

— Et entre-temps, vous vous êtes contenté de placer l'enfant dans une caisse en plastique en l'exposant à la lumière? demanda Heinfelden en essayant visiblement de dénigrer le traitement et ses effets.

Laura vit immédiatement l'effet que la question ainsi posée pouvait produire sur un jury de profanes.

— Non, dit Chris qui sentait la moutarde lui monter au nez. Je l'ai placé sous perfusion, d'abord pour l'alimenter, ensuite pour lui administrer un antibiotique en cas d'infection.

— Je vois — Heinfelden parut impressionné —, et en même temps, vous l'avez placé sous ces lampes fluorescentes?

— Oui.

— Mais vous n'avez pas pratiqué d'exsanguino-transfusion?

— Non.

— Pourquoi?

— Je viens de vous l'expliquer, répliqua Chris avec impatience. La photothérapie me paraissait la forme de thérapie la meilleure et la plus sûre.

— Compte tenu du résultat final, le pensez-vous encore?

— Oui.

— Bien que d'autres médecins aient pu traiter le cas différemment?

— C'est moi qui traitais le cas. L'enfant était mon malade. J'ai considéré que la photothérapie était le traitement le plus approprié. Et j'avais raison.

— Ah?

— Le taux de bilirubine commençait à baisser. Pas d'une façon spectaculaire mais il baissait. La photothérapie agissait.

— Et votre décision s'en trouvait justifiée?

— Le problème c'est l'élévation du taux de bilirubine. S'il baisse à un niveau inférieur à la zone de danger, c'est que le traitement a réussi.

— Mais s'il n'a pas baissé assez tôt pour éviter des complications... par exemple des troubles mentaux... diriez-vous encore que le traitement a réussi?

— Objection! dit vivement Crabtree.

Heinfelden s'inclina. Il parut accepter provisoirement la protestation de Crabtree. Il reculait en fait pour pouvoir mieux sauter.

— Vous disiez donc, reprit-il, que la décision d'un médecin en ce qui concerne la forme la plus souhaitable de thérapie est une affaire personnelle.

— Je n'ai pas dit personnelle. C'est vous qui avez employé le terme.

— En tout cas c'est une décision professionnelle qui s'appuie sur une base d'expérience personnelle.

— D'expérience professionnelle, corrigea Chris.

— Enfin, personnel ou professionnel peu importe, c'est tout de même la décision d'un médecin qui intervient. Et qu'est-ce qui motive cette décision?

— Objection! s'écria Crabtree.

— Nous considérons que cette question entre parfaitement dans le cadre de cette enquête. Et nous avons l'intention d'en référer au juge avant de poursuivre.

Crabtree se leva.

— Les sentiments personnels n'entrent pas en ligne de compte. La seule question qui se pose c'est de savoir si le défendeur a utilisé avec compétence une forme de thérapie admise. Tout le reste est sans objet.

— Nous laisserons cette question de côté pour le moment, concéda Heinfelden. Pouvons-nous passer à une autre?

— Plus pertinente j'espère? répliqua Crabtree.

— Je le crois, dit Heinfelden sur un ton insouciant mais avec une nuance de menace dans la voix. Docteur, cette photothérapie n'est pas exempte de risques, n'est-ce pas?

Chris chercha le regard de Laura qui lui indiqua qu'il pouvait répondre.

— Je ne dirais pas que la photothérapie est absolument dépourvue de risques mais le risque est si minime qu'il est pratiquement inexistant.

— Docteur, est-il possible que la photothérapie puisse empêcher le développement normal d'un crâne de nouveau-né?

— C'est ce que certains ont prétendu autrefois mais la preuve du contraire a été établie.

— Pourtant, il y a eu des cas qui ont été constatés, insista Heinfelden.

— Il y a eu des déclarations à ce sujet mais elles ont été réfutées.

— Est-ce pourquoi vous n'en avez rien dit à John Reynolds?

— Je lui ai dit tout ce qui était valable et pertinent à cet égard.

— Vous en êtes sûr?

— Oui, j'en suis sûr. Nous sommes allés dans mon bureau et je lui ai donné toutes les explications nécessaires concernant la photothérapie.

— Et concernant les risques de cette méthode?

— Je n'ai pas parlé de cette théorie relative à la réduction des dimensions de la tête puisqu'elle s'est révélée fausse.

— Mais vous lui avez dit tout le reste.

— Tout ce qui était pertinent. Je tenais à le rassurer. Il était très préoccupé et c'est bien compréhensible : cet enfant est son seul héritier mâle.

— Il s'y intéressait beaucoup.

— Il ne s'intéressait pratiquement à rien d'autre.
— Alors vous lui avez exposé le cas en détail?
— Dans la mesure où je connaissais les faits à ce moment-là.
— Qu'entendez-vous par ces termes : « Dans la mesure où je connaissais les faits à ce moment-là » ?
— J'ai envoyé l'échantillon de sang au laboratoire pour l'analyse. A ce stade, je ne savais pas si la maladie était causée par une infection. Je ne connaissais pas le taux exact de bilirubine. Je ne me fiais pas au rapport de la polyclinique. Je voulais que notre laboratoire vérifie le tout.
— Alors, c'est pendant que vous attendiez les résultats de l'analyse que vous vous êtes entretenu avec John Reynolds?
— Oui. Une fois que j'ai pris les mesures nécessaires — antibiotiques, solution intraveineuse, photothérapie — j'ai eu le temps de m'entretenir longuement avec Mr Reynolds.
— Ah nous y voilà, s'exclama Heinfelden.
Chris, Laura, Crabtree et Spalding se penchèrent en avant, l'air tendu.
— Dites-moi, docteur, avez-vous expliqué les détails de cette thérapie *avant* de l'appliquer?
— Je n'en ai pas eu le temps.
— Pas le temps?
— L'enfant était incontestablement atteint de jaunisse. Le traitement devait être pratiqué immédiatement.
Chris commençait à perdre patience. Laura lui toucha le bras pour le calmer. Son geste n'échappa pas à l'attention de Heinfelden.
— Docteur Grant, reprit-il, au début de cet interrogatoire, vous nous avez dit que deux médecins pouvaient avoir un avis différent sur le mode de traitement à employer dans un cas donné.
— Oui, répondit Chris avec prudence.
— Dans ce cas, il s'agissait de choisir entre la photothérapie et l'exsanguino-transfusion. C'est juste?
— Oui.
— Devant cette alternative l'idée ne vous est-elle pas venue de consulter un de vos confrères?

Chris hésita :

— Non, dit-il enfin, cette idée ne m'est pas venue.

— Docteur, est-il possible qu'un autre médecin aussi bien ou peut-être mieux qualifié que vous ait pu décider qu'une transfusion serait préférable à la photothérapie?

— Comme je l'ai déjà dit, il est toujours possible que deux médecins soient en désaccord dans un cas donné.

— Serait-il possible que le docteur Sobol, par exemple, ait prescrit une exsanguino-transfusion dans ce cas?

— J'en doute, rétorqua Chris qui commençait à perdre son sang-froid.

— Vous doutez qu'il ait prescrit une exsanguino-transfusion ou vous doutez qu'il soit possible qu'il l'ait prescrite.

— Je doute qu'il ait prescrit une exsanguino-transfusion dans ce cas.

— Docteur, avez-vous jamais vu le docteur Sobol prescrire une exsanguino-transfusion?

— Bien sûr que oui. Tous les pédiatres prescrivent des exsanguino-transfusions quand l'état du patient le nécessite.

— Alors quand vous dites que le docteur Sobol n'aurait sans doute pas prescrit une transfusion vous le supposiez seulement puisqu'il a eu recours à ce procédé en d'autres circonstances.

— Ecoutez, j'essaie de répondre à vos questions mais vous vous amusez à me poser des devinettes, explosa Chris.

— Je veux simplement être aussi précis que vous l'êtes. Vous avez vu le docteur Sobol prescrire des transfusions dans un certain nombre de cas. Or, vous prétendez qu'il ne l'aurait pas fait dans ce cas particulier. Est-ce exact?

Chris hésita, essayant de voir si Heinfelden lui tendait un piège. Enfin, il répondit :

— Oui, c'est juste.

— Qu'est-ce qui vous a permis d'arriver à cette conclusion?

— L'état de l'enfant, le résultat des analyses, les conditions d'ensemble, dit Chris visiblement irrité.

Laura aurait voulu intervenir mais Crabtree ne réagit pas. Heinfelden poursuivit :

— Autrement dit, vous avez supposé que le docteur Sobol

conviendrait que la photothérapie était le seul et unique traitement approprié dans ce cas précis.

— Il n'appartenait pas au docteur Sobol de décider. Le malade m'avait été confié. Il était sous ma responsabilité. J'ai jugé la situation et j'ai agi en conséquence.

— Ah, je vois. Vous étiez décidé à établir votre propre diagnostic, à appliquer votre propre traitement sans tenir compte de l'opinion d'un confrère.

— Je n'ai jamais dit cela, riposta Chris avec colère.

— Ah, je regrette si j'ai mal compris. Pouvez-vous m'expliquer en quoi j'ai mal interprété vos paroles.

— Vous insinuez que je me suis entêté à appliquer ce traitement mais ce n'est pas le cas. J'ai fait ce qui m'a paru le plus approprié aux circonstances et je n'ai pas cru utile de demander un autre avis.

— Oh! je comprends.

Heinfelden fit semblant d'être subitement éclairé.

— Alors vous n'avez pas jugé utile de demander un autre avis! répéta-t-il.

— Pas dans ces circonstances.

— Vous ne vouliez pas être supervisé. C'est bien cela?

— Je n'avais aucune raison de supposer que je serais supervisé! s'écria Chris.

— Si c'est exact, n'aurait-il pas mieux valu, sur le plan professionnel, que vous consultiez le docteur Sobol avant de prendre une décision aussi importante? Ou bien eût-ce été trop demander à un jeune homme vaniteux et si sûr de lui qu'il ne daigne pas demander conseil à un confrère plus expérimenté?

— Objection, intervint Crabtree.

— Au diable votre objection, rugit Chris en se levant. Je tiens à répondre à cette question.

Avant que quelqu'un ait eu le temps de l'interrompre, il poursuivit :

— La vanité n'a rien à voir ici. Si vous avez de l'expérience et que vous connaissez votre affaire, vous n'allez pas vérifier la valeur de votre opinion chaque fois que vous avez une décision à prendre. Si vous le faites, vous n'êtes qu'un piètre médecin.

Laura pâlit. Crabtree poussa un soupir de découragement. Heinfelden conclut avec calme.

— Vous devriez savoir, docteur que, dans certaines circonstances, l'absence de consultation avec d'autres médecins peut être considérée comme une faute professionnelle.

Heinfelden et Cross échangèrent un regard. Cross déclara :

— L'interrogatoire est terminé pour aujourd'hui. Nous pouvons décider de rappeler le docteur Grant plus tard.

Quand ils se retrouvèrent dans la rue, Crabtree et Spalding parurent pressés de partir de leur côté. Laura les retint :

— Messieurs, dit-elle, je crois que nous devrions avoir une conversation *tous les quatre*.

Elle leur avait laissé entendre qu'elle soupçonnait leurs intentions et qu'elle n'était pas décidée à les laisser faire. Crabtree allait invoquer l'excuse d'un autre rendez-vous mais Spalding se rangea à l'avis de Laura.

— Oui, dit-il, il serait bon que nous discutions de cette affaire. Venez dans mon bureau.

La firme Waller tenait ses bureaux dans l'un de ces immeubles de verre et d'acier qui sont devenus des modèles courants dans le monde des affaires. Chris eut l'impression que les hommes de loi étaient encapsulés dans des isolettes transparentes comme les nouveau-nés de la salle des soins intensifs. Chez Spalding, il s'accusa avant que les autres aient pu ouvrir la bouche :

— J'ai gaffé, avoua-t-il. Malgré tous les conseils, je me suis emporté, j'en ai trop dit.

Il s'affala sur un fauteuil de cuir et poussa un soupir de lassitude.

Après une longue minute de silence, Crabtree commenta :

— Disons que vous n'avez guère servi votre cause, ni la nôtre d'ailleurs.

— Désolé.

Spalding essaya de se montrer optimiste.

— Heureusement, ils n'ont pas sondé trop en profondeur. Dorénavant, nous pouvons couvrir le docteur Grant. Nous expliquerons qu'il est occupé, qu'il a déjà subi un interrogatoire préliminaire. S'ils n'ont pas profité au maximum de l'occasion c'est leur faute pas la nôtre. Nous ne pouvons arracher le docteur Grant à ses tâches médicales aussi cavalièrement pour satisfaire leurs caprices. Au moins qu'il ne soit pas dans leurs griffes jusqu'au procès.

Laura réfléchissait sans mot dire. Ses deux confrères semblaient sur le point de clore l'entretien lorsqu'elle prit la parole.

— Ecoutez messieurs, je crois que la situation est beaucoup plus complexe que vous ne le croyez.

— Comment cela? demanda Crabtree.

— Vous venez de le remarquer vous-mêmes : ils n'ont pas profité de l'occasion au maximum. Pourquoi? Sont-ils inexpérimentés? Négligents, incapables? J'en doute. Pas eux. Je crois que, de leur point de vue, l'enquête a été extrêmement fructueuse. Ils ont découvert quel genre de témoin est le docteur Grant.

Chris sentit la colère l'envahir tandis que Laura poursuivait :

— Grant est irritable. Quand il est attaqué sur la valeur de son jugement professionnel, il a tendance à sortir de ses gonds. C'est un témoin dangereux en ce sens qu'il donne spontanément des explications.

— Je n'ai jamais été sur la sellette auparavant, grommela Chris. Je peux apprendre.

Laura rétorqua sèchement :

— Certaines personnes n'apprendront jamais à contrôler leurs émotions, docteur. Elles le peuvent ou elles ne le peuvent pas.

Puis elle se tourna vers Crabtree.

— Et j'ai l'impression qu'ils ont découvert un nouvel élément qu'ils cherchaient.

— Vraiment? questionna Crabtree qui sentait que sa propre expérience professionnelle était attaquée.

Laura sourit :

— On dirait que les médecins ne sont pas seuls à être susceptibles sur le plan professionnel.

Crabtree rougit. Laura enchaîna :

— Je pense que, d'ici peu, l'adversaire va invoquer un grief supplémentaire.

— A savoir? demanda Spalding.

— Absence d'autorisation donnée en connaissance de cause.

— Pour l'emploi de la photothérapie? c'est ridicule, railla Crabtree.

Chris admit d'un air morose :

— Evidemment, il y a des hôpitaux où la demande d'autorisation est pratique courante.

— Pourquoi diable ne nous l'avez-vous pas dit? demanda Crabtree.

— C'est tellement inhabituel... expliqua Chris.

Crabtree s'attaqua à Laura :

— De quoi avez-vous donc parlé avec votre client? Comment un tel détail a-t-il pu vous échapper?

Laura ne se laissa pas intimider.

— Et comment leur tactique d'aujourd'hui a-t-elle pu vous échapper? riposta-t-elle.

— Que voulez-vous dire?

— Peut-être n'ont-ils pas sondé trop en profondeur parce qu'ils ne voulaient pas dévoiler leur plan d'attaque. Celui qui agit dans les coulisses voulait sans doute que l'enquête d'aujourd'hui soit menée exactement ainsi.

— Celui qui agit dans les coulisses? répéta Spalding.

— Devinez qui, dit Laura.

Crabtree et Spalding répondirent d'une seule voix :

— Harry Franklyn.

— Je parie tout ce que j'ai là-dessus.

Elle se leva et fit signe à Chris de la suivre.

Vers la fin de la semaine, la première prédiction de Laura Winters se réalisa. Parkins, Sears et Wadleigh demandèrent l'autorisation de modifier le texte de leur plainte pour y insérer un nouveau grief : absence d'autorisation donnée en connaissance de cause. Le juge Bannon qui avait été chargé d'instruire l'affaire accepta leur requête. Restait à savoir si la seconde prédiction de Laura se révélerait exacte. Harry Franklyn allait-il apparaître sur la scène à titre de défenseur de la partie plaignante?

11

En longeant le couloir Chris Grant croisa quelques patientes qui faisaient les cent pas, des mères qui avaient accouché deux ou trois jours plus tôt. La femme qu'il allait voir était encore alitée. Elle avait eu son bébé avant terme, avec beaucoup de mal et elle était alimentée par perfusion. Chris tenait à l'interroger car son enfant se débattait pour survivre dans une isolette de l'U.S.I. et il voulait remonter à la source des troubles de l'enfant.

La femme était confinée dans l'une des petites chambres privées réservées aux patients gravement atteints. La porte était entrebâillée pour que les infirmières puissent jeter un coup d'œil sur elle en passant. Chris s'aperçut qu'elle dormait mais elle parut percevoir sa présence. Elle ouvrit les yeux, alarmée par l'apparition de cet inconnu.

— Mrs Melendez? demanda-t-il doucement.

La femme se raidit. Enfin elle fit un signe affirmatif. Chris prit la fiche accrochée au pied du lit. Il constata qu'elle avait une forte fièvre : 39,5 mais, dans l'ensemble, son état ne paraissait pas alarmant.

— Je me sens bien, dit-elle dans l'espoir qu'il la laisserait tranquille.

— Parfait, dit Chris en s'approchant. Mrs Melendez, je suis le médecin de votre bébé.

— Il est malade?

— Très malade mais nous faisons tout ce que nous pouvons pour lui.

Elle eut un regard vague.

— Mrs Melendez, j'ai quelques questions à vous poser. Répondez si vous le pouvez. Sinon ne vous tracassez pas.

Elle se raidit de nouveau. Visiblement elle se tenait sur ses gardes.

— Mrs Melendez, vos autres accouchements ont-ils été difficiles?

Elle ne parut pas comprendre. Il reprit :

— D'après votre dossier, ce bébé est votre cinquième enfant. Avez-vous eu du mal à mettre au monde les quatre premiers?

Elle hésita. Il essaya de capter son attention en ajoutant :

— Votre premier accouchement a-t-il été pénible?

— Non, dit-elle enfin.

— L'enfant est venu à terme au bout de neuf mois?

Elle fit un signe affirmatif.

— Et l'accouchement a été normal, sans complications?

Elle secoua la tête.

— Et le second?

Elle secoua la tête de nouveau, et fit le même geste négatif quand il posa la question pour le troisième et le quatrième.

— Et cette fois-ci vous avez eu des difficultés. Et le bébé est né avant terme, observa Chris avec douceur.

Elle se contenta de hocher la tête avec une expression de souffrance.

— Mrs Melendez, durant votre grossesse, surtout au cours des premiers mois, avez-vous fait quelque chose que vous n'aviez pas fait pendant que vous attendiez vos autres enfants?

— Non. Je travaille tout le temps. Je rentre à la maison. Je fais le ménage. Je m'occupe des gosses. Il faut les tenir propres, les envoyer à l'école.

Quand elle employait des phrases un peu longues, son accent était plus marqué.

— Mrs Melendez, quand une femme a eu plusieurs bébés elle ne devrait pas avoir le genre de problème que vous avez. Et l'enfant ne devrait pas naître avant terme. Pouvez-vous vous rappeler s'il s'est passé autre chose cette fois-ci?

Elle détourna les yeux pour éviter son regard.

— Quoi que ce soit, dites-le moi. Peut-être qu'un détail peut m'aider à sauver votre enfant, insista Chris avec douceur.

Elle secoua la tête.

— Avez-vous pris des pilules?

— Non.

— Même si un médecin vous a ordonné des pilules, dites-moi si vous les avez prises. D'après votre fiche, je vois que vous ne vous droguez pas. Alors, si vous avez pris quelque chose c'est un remède quelconque. Des pilules. Quel genre de pilules?

Elle enfouit son visage dans son oreiller.

— Mrs Melendez, au cours des trois premiers mois, avez-vous essayé de vous débarrasser du bébé?

Elle ne répondit pas. Elle retenait sa respiration.

— Avez-vous essayé?

Les yeux fixes, elle se mit à parler sur un ton monotone, sans expression.

— C'est Cesar. Il a déjà douze ans. Il va à l'école. Je lui dis de faire attention, « *Cuidado* », de ne pas aller avec des mauvais garçons, des mauvaises filles. Un garçon de douze ans est déjà capable d'avoir des histoires avec des mauvaises filles. Je lui dis de ne pas voler, de ne rien faire d'autre que d'aller à l'école et de jouer au ballon.

Elle s'arrêta comme si son histoire était terminée. Chris attendit.

— Cesar, il n'écoute rien. Un jour je vois qu'il n'est plus le même. Il ne fait pas de bruit. Il ne demande plus à manger. Toujours il avait faim et il demandait encore à manger. Plus maintenant. Et il sort beaucoup, surtout la nuit. Je commence à le surveiller. Un soir... juste après le début de ma grossesse je veille, j'attends. Il ne rentre pas. Je descends nus pieds pour ne pas faire de bruit et je vois : la petite allumette qui brûle. Je vois la figure de Cesar. Un des garçons tient une cuiller au-dessus de l'allumette. Puis il y a l'aiguille et je comprends tout. Je comprends...

Chris vit ses yeux se remplir de larmes.

— Je commence à pleurer. Je le supplie. C'est inutile. Il m'insulte. C'est ma faute qu'il dit. Je le fais vivre dans cet endroit affreux, aller dans une école affreuse. Ma faute!

Elle leva les yeux et osa enfin regarder Chris en face.

— Est-ce que c'est ma faute? Je fais ce que je peux. J'en ai trois autres. Qu'est-ce que je peux faire de plus? Travailler et m'occuper de quatre *ninitos.*

— Votre mari, Mrs Melendez? Il ne vous aide pas?

— Il est parti. Quand je lui ai dit que j'attends un autre bébé, il a dit non, que je dois faire quelque chose. Il a dit qu'il ne peut plus supporter cette vie-là. C'est peut-être pour ça que Cesar...

— Mrs Melendez, quand votre mari vous a dit cela, avez-vous *fait* quelque chose?

— Une femme qui travaille avec moi. Elle a des pilules. Elle dit que si je prends les pilules, plus de bébé.

— Et vous les avez prises? Elle vous ont rendue malade?

Elle fit un signe affirmatif.

— Vous avez eu mal au cœur? Vous avez vomi?

— Oui, mais le bébé n'est pas parti. Il était toujours là.

— Avez-vous essayé autre chose?

Elle hésita puis inclina la tête.

— Quoi?

Elle garda le silence.

— Avez-vous essayé de le faire partir avec un instrument?

Elle baissa la tête. Il n'insista pas. A quoi bon arracher à la malheureuse des détails sordides? Il en savait assez pour évaluer la gravité du problème qui se posait à lui.

— Le bébé est malade?

— Très malade, dit-il doucement.

— Très malade... répéta-t-elle tristement.

La voyant si malheureuse, il lui tapota gentiment l'épaule. Evitant son regard, elle lui saisit la main et la serra.

— Docteur, on me dit que c'est un garçon.

— Oui.

— Faites quelque chose pour moi... laissez-le mourir.

Machinalement, Chris s'apprêta à dégager sa main mais elle la retint.

— Je vous supplie, docteur.

— Vous savez bien que je ne peux pas.

— Il est très malade. Vous le dites vous-même. Alors laissez-le... c'est tout. Je ne veux pas encore un garçon comme Cesar... Je ne peux pas... Je ne peux pas.

— Ne vous tracassez pas pour le moment, dit Chris sans grande conviction. Nous verrons plus tard ce que nous pouvons faire.

Il quitta la pièce, fuyant le bruit des sanglots étouffés de Mrs Melendez et reprit le chemin de la salle des nouveau-nés. Bébé Melendez cherchait sa respiration malgré le tube d'oxygène fixé dans la minuscule narine et l'appareil qui s'efforçait de maintenir le processus de vie. L'infirmière s'approcha de Chris et lui tendit les derniers résultats du laboratoire.

Il continuerait le traitement; peut-être pourrait-il tenter une opération. L'enfant n'était guère en état de la supporter mais, dans une situation désespérée, un médecin ne peut éliminer aucune possibilité de solution.

Chris envisageait toutes les éventualités quand il sentit une présence derrière lui. C'était Sobol.

Mike qui était au courant du cas prit la fiche du petit malade. Il examina les chiffres inscrits, les notes relatives aux médications et la remit en place.

— Puis-je vous parler quelques minutes, Chris?

— Bien sûr.

Grant s'écarta de l'isolette et donna ses instructions à l'infirmière.

— Je serai dans le bureau du docteur Sobol. Avertissez-moi s'il y a du nouveau. Et si c'est trop rapide pour que je puisse intervenir, alors voudriez-vous aller prévenir Mrs Melendez à la Maternité chambre EE7.

Subitement, il se ravisa.

— Non, vous m'appellerez. J'irai moi-même.

Ils étaient assis dans le bureau de Sobol. Mike prit sa pipe de bruyère dont il mâchonnait le tuyau aux moments de désarroi. Il resta silencieux quelques instants. Chris présuma qu'il hésitait à aborder un sujet qui le préoccupait lui-même depuis plusieurs semaines et il décida de prendre l'initiative.

— Je peux traduire votre pensée, Mike. Je peux l'exprimer mieux que vous ne le feriez vous-même.

— Vraiment? dit Sobol un peu surpris.

— Je m'en suis rendu compte bien avant vous.

— Ah? fit Mike d'un air interrogateur.

— A votre place, j'éprouverais les mêmes sentiments. Depuis quelques semaines je ne suis plus à la hauteur de ma tâche.

Sobol retira sa pipe de sa bouche pour répondre mais Chris poursuivit :

— Mes recherches n'ont pas progressé. Quant à mes cours, s'ils *paraissent* corrects, c'est uniquement parce que je marche sur un terrain que j'ai déjà parcouru avec d'autres étudiants dans le passé.

Chris hésita. Mike n'essaya plus d'intervenir. Appuyé sur le dossier de son fauteuil, il attendait en suçant sa pipe.

— Mais ce qui vous préoccupe Mike, c'est la question des malades. Et vous avez raison. Quand il s'agit d'établir un diagnostic ou de prescrire un traitement je ne suis plus sûr de moi. Chaque fois que j'ai une décision à prendre je me demande non plus si elle sera *bonne* mais si je pourrai la *justifier*.

Chris se leva et se mit à marcher de long en large.

— Ecoutez Mike, si vous croyez vraiment que je dois démissionner, je le ferai mais je ne le veux pas. Je veux lutter à tout prix.

Il s'arrêta et fixa Sobol du regard :

— Je vous en prie, Mike, donnez-moi cette chance.

— Alors voilà donc les idées qui vous trottent par la tête! dit Sobol. Je suis heureux que vous vous soyez enfin libéré de ce poids.

— Je ferai ce que vous voulez, Mike. Si cela doit vous faciliter les choses, j'offrirai ma démission.

Sobol se cala dans son fauteuil.

— Chris, voici ma décision : vous allez rester ici. Ce ne sera pas facile. Vous aurez vos doutes et vos angoisses mais vous les supporterez. Prenez vos décisions, aussi difficiles soient-elles. Pensez à vous c'est bien naturel mais, même avec tous ces soucis qui vous accaparent, je tiens à vous comme à l'un des meilleurs médecins de mon personnel.

Chris le regarda avec surprise. Sobol reprit :

— Bien sûr, vous ne pouvez vous sortir de l'esprit cette histoire de procès mais vous *pouvez* vous dire : malgré tout, je suis médecin, j'ai une tâche à remplir et je vais la remplir. En tout cas, Chris je ne vous laisserai pas démissionner, même si vous le vouliez. Pas pour vous, pour l'hôpital, pour tous ceux qui, comme vous, auront à lutter contre des pressions semblables dans l'avenir. Je ne vous laisserai pas faire ce que Reynolds a essayé d'imposer au conseil d'administration. S'il veut vous obliger à partir, il faudra qu'il se batte contre moi et, si nous sommes deux à lutter, la tâche me sera plus facile. Alors, ne cédez pas.

— Est-ce honnête vis-à-vis de mes malades?

— C'est à moi d'en juger. Je vous assure que je n'en doute pas et si jamais, il m'arrivait d'en douter, je vous le dirais.

Chris parut soulagé car il savait que si Sobol était bon, il était aussi réaliste. Il ne laisserait jamais ses sentiments personnels influer sur son jugement professionnel.

— Je ferai ce que vous voulez, dit-il, mais si ce n'est pas de ma démission que vous vouliez m'entretenir, qu'avez-vous à me dire?

Sobol réfléchit, essayant de se souvenir.

— Ah oui, fit-il au bout d'un moment. L'avocat de la compagnie d'assurances m'a appelé aujourd'hui.

— Crabtree?

— Oui. Ils me convoquent pour l'interrogatoire préliminaire demain.

— Oh, je suis désolé.

— Voilà encore que vous vous emballez. Je ne vous reproche rien. C'est vous qui vous faites des reproches. J'ai deux choses à dire à ce propos. D'abord voudriez-vous me remplacer pour mon cours de l'après-midi?

— Bien sûr.

— Ensuite, je veux d'ores et déjà vous demander de m'excuser si je fais des gaffes. Ils ont bien essayé de me chapitrer mais vous me connaissez. Je ne suis pas un acteur. Je répondrai de mon mieux.

Le téléphone sonna. Sobol décrocha puis il tendit l'appareil à Chris.

— Docteur Grant?

Chris reconnut la voix de l'infirmière.

— Le bébé Melendez vient de passer.

— Je descends.

Il raccrocha et expliqua à Sobol :

— Le bébé Melendez est mort.

— Et vous allez vous le reprocher? demanda Mike.

— Non, mais je vais constater et ensuite j'irai prévenir la mère.

— C'est le plus dur, remarqua Sobol avec compassion.

— Pas dans ce cas, dit Chris en sortant.

Mike Sobol se présenta chez Parkins, Sears et Wadleigh à deux heures précises. Laura Winters l'accompagnait. Ils retrouvèrent Paul Crabtree et Jim Spalding et furent aussitôt introduits dans la salle de conférence. Heinfelden était seul avec la sténotypiste.

La première partie de l'interrogatoire se déroula rapidement. Heinfelden passa en revue les antécédents de Mike et le questionna sur la photothérapie, sur les travaux de Chris et sur les raisons pour lesquelles il avait confié le bébé Simpson au docteur Grant. Mike expliqua qu'il approuvait la photothérapie, qu'il avait fait venir Chris au Metropolitan General à cause de son expérience de ce traitement et qu'il lui avait confié le bébé Simpson parce qu'il lui inspirait une immense confiance.

Mike avait-il remarqué des symptômes anormalement alarmants à son premier examen du bébé Simpson? Non, il n'avait rien constaté. Présentait-il des symptômes de troubles psychiques? Non mais ils ne pouvaient se manifester à un âge aussi tendre à moins qu'il ne se fût agi d'anomalies absolument évidentes.

Heinfelden parut insister sur le fait que Chris se trouvait au laboratoire de recherches lorsque Mike l'avait convoqué. Le conseiller juridique pressa Mike de reconstituer la conversation. Il ne se souvenait pas des termes exacts. Il lui avait simplement dit qu'il regrettait de l'arracher à ses recherches.

Heinfelden paraissait tellement détaché que ni Mike ni Laura ne pouvait deviner le but de ses questions. Il ne semblait pas avoir découvert d'éléments particulièrement intéressants. Il se contentait de suivre la liste des questions préparées d'avance.

Au bout d'un moment, Sobol se détendit. Peut-être le conseil qu'on lui avait donné était-il pertinent : s'il répondait directement à toutes les questions en se limitant aux informations spécifiques requises, il n'était pas difficile d'être un bon témoin.

Cependant, tout à la fin de l'entrevue, Heinfelden lui demanda ce qu'il pensait de la tendance des jeunes médecins à s'intéresser aux causes sociales. Mike admit que ses jeunes confrères paraissaient plus engagés aujourd'hui mais il n'y voyait aucun mal. En fait, ajouta-t-il, ces jeunes gens pourraient être plus constructifs que ne l'étaient ses propres contemporains.

Voyant que Laura se raidissait, Mike eut brusquement le sentiment qu'il venait de donner une indication qui pourrait se retourner contre lui par suite.

Cette impression de malaise s'accentua encore lorsque Heinfelden ajouta :

— Diriez-vous aussi que ces jeunes médecins attachent parfois plus d'importance à leurs théories sociales qu'à leurs tâches médicales?

— Absolument pas.

Heinfelden sourit d'un air contrit.

— Excusez-moi, docteur, je n'avais pas l'intention de vous offenser.

Il consulta son bloc-notes ne trouva pas d'autres questions à poser et leva la séance.

Chemin faisant, Mike dit à Laura :

— Je ne me suis pas trop bien débrouillé à la fin. J'aurais dû tenir ma langue au sujet des jeunes gens et de leurs idéaux.

— Franchement, Mike, je ne pensais pas à cela, répondit Laura visiblement troublée.

— A quoi alors?

— C'est trop facile, on dirait le calme proverbial avant la tempête. Ils ne fouillent pas, ils ne posent pas de questions.

— Ils ne font que tâter le terrain pour voir comment réagit

un vieil imbécile. Ainsi, ils sauront comment l'attaquer devant le tribunal, hein?

— Je vous en prie oncle Mike, cessez de vous critiquer. Vous vous en êtes bien mieux tiré que je ne l'espérais.

— Et c'est pourquoi tu as l'air aussi soucieux?

Elle hésita :

— Non, répondit-elle. Je pensais à ses questions sur les jeunes médecins. C'est comme une banquise dont seul le sommet apparaît à la surface. Je crains que nous ne sachions pas à quoi nous en tenir avant l'entrée en scène de Harry Franklyn.

— Qui est ce Franklyn? Un monstre pour que les avocats tremblent au seul bruit de son nom?

— Ce n'est pas pour rien qu'il est appelé le Napoléon du Palais de justice.

Mike sentit que Harry Franklyn n'était pas l'unique objet de ses préoccupations.

— Laurie, ma chérie, j'ai une question à te poser et si tu ne veux pas répondre je comprendrai.

— De quoi s'agit-il, Mike?

— Y a-t-il quelque chose entre toi et Chris?

— Bien sûr que non, dit-elle un peu trop vivement. Pourquoi me demandez-vous cela?

Mike sourit.

— Rose disait toujours que si je n'avais pas été médecin j'aurais fait un très bon *schadchen*.

Elle l'interrogea du regard.

— C'est-à-dire marieur en hébreu. Quand je vois deux jeunes à la fois intelligents, beaux et passionnés, j'éprouve le désir irrésistible de les réunir. En fait, en vous voyant ces dernières semaines, je me suis souvent demandé si je n'avais pas eu quelque autre idée en tête en te confiant la défense de cette cause.

— Il n'y a rien entre nous, protesta Laura, absolument rien. Nous ne sommes jamais sortis ensemble et je ne l'encouragerais pas à m'inviter s'il en manifestait l'intention. Un avocat qui assure sa propre défense est cinglé, un avocat qui représente un client auquel il est sentimentalement attaché l'est encore plus.

Ils firent quelques pas en silence. Mike l'observait à la dérobée. Elle était ravissante même lorsque son visage était soucieux.

— Te tracasses-tu toujours autant pour tous tes clients?

Elle lui lança un coup d'œil irrité.

— Quand la fortune d'un client est en cause, c'est une chose, quand il s'agit de sa vie c'en est une autre.

— Sa vie?

— J'ai un pressentiment. Reynolds et Heinfelden ont déjà mis au point une stratégie qui ne tend pas seulement à prouver que Chris a commis une faute professionnelle et à le déshonorer devant le corps médical. C'est plus subtil, plus pernicieux. C'est pire encore.

— Qu'est-ce qui pourrait être pire?

— Nous verrons, nous verrons bien.

Laura ne voulut pas en dire davantage.

12

Le congrès annuel des pédiatres avait été fixé au Metropolitan bien avant que la plainte pour faute professionnelle n'ait été déposée contre l'hôpital et les médecins Grant et Sobol. Le transfert de la réunion dans un autre hôpital de faculté aurait entraîné d'énormes complications en ce qui concernait les locations de places dans les moyens de transport et dans les hôtels. En outre, un tel changement aurait pu être interprété comme un aveu de pessimisme.

Le congrès se déroula donc comme prévu avec ses débats, discussions et conférences sur les nouvelles découvertes et techniques. Cependant, il représentait une épreuve supplémentaire pour Mike et Chris qui étaient obligés d'entendre les innombrables allusions à l'affaire.

A la grande surprise de Chris, Laura exprima le désir d'assister au congrès. Cependant, elle précisa qu'elle ne voulait suivre que les séances au cours desquelles Chris serait amené à parler de la photothérapie. Elle tenait d'une part à sentir l'atmosphère professionnelle que créerait le sujet, d'autre part à repérer des témoins à décharge éventuels..

Elle fut très impressionnée par la pertinence des exposés de Chris et par la dignité de ses prises de position sociale. Quelques médecins de la vieille école exprimèrent leur réprobation en s'agitant visiblement. L'un d'eux se leva et sortit mais la plupart des jeunes l'écoutaient avec un intérêt passionné.

Laura pensa que Chris pourrait être un témoin convaincant s'il se sentait à l'aise devant le tribunal. Elle écrivit une note dans laquelle elle suggérait à Crabtree d'essayer de retenir autant de femmes que possible pour constituer le jury. Les femmes seraient sensibles non seulement aux idées de Chris sur les soins prénatals mais à son charme personnel. Consciemment, elle faisait abstraction de l'impression qu'il produisait sur elle. Après sa conversation avec Mike elle avait délibérément banni de telles pensées pour la durée du procès.

Comme Laura avait suivi quelques-unes des conférences, Chris se crut obligé de l'inviter au banquet de clôture. En voyant la plupart des femmes qui rivalisaient d'élégance pour mettre en évidence la réussite de leur mari, Laura se félicita de n'être pas mariée à un médecin.

Ils venaient de quitter la salle de bal lorsque Chris fut abordé par Harvey Bellamy, un ancien condisciple.

Harvey était un pédiatre réputé et Laura se disait que les mères devaient se sentir rassurées quand elles avaient remis leurs bébés entre les mains de ce grand jeune homme blond, au teint hâlé, au sourire rassurant. Sa femme, Claire, était non seulement très belle mais très élégante.

— Chris, il y a si longtemps! dit Bellamy. Et nous n'avons pas eu un instant pour nous voir seuls pendant toute cette semaine. Allons prendre un verre.

— Ce serait avec plaisir, Harv, mais il se fait tard, dit Chris. Et Laura doit être à son bureau de bonne heure...

Bellamy l'interrompit :

— Ecoute, j'ai à te parler à ce sujet justement.

— Comment cela, demanda Chris intrigué.

— Nous serons mieux assis que debout pour parler. Allons tous au bar.

Dans le salon du bar, Bellamy entama le chapitre de la médecine en Californie du Sud, insistant sur la facilité des conditions de vie des familles avec enfants en bas âge. Mais dès que le barman eut servi les boissons, il attaqua directement :

— Te souviens-tu de notre dernière semaine d'internat? Je t'ai supplié de t'associer avec moi. Aujourd'hui, je te renouvelle ma proposition. Sors-toi de ce guêpier. Même si tu perds ton procès, aucun jury ne te condamnera à des dépens de cinq millions de dollars. Financièrement, tu ne seras pas touché. La compagnie d'assurances paiera les frais.

— Financièrement!

Le mot fut prononcé sur un ton qui excluait tout commentaire.

— La compagnie d'assurances est disposée à offrir un compromis, intervint Laura.

— Alors, *accepte* donc, insista Bellamy. Dans ton propre intérêt, Chris, laisse tomber.

— Ce n'est pas aussi simple.

— Pourquoi? Simplement parce que tu te compliques la situation.

— Si un homme ne défend pas sa propre réputation, qui le fera? dit Laura.

— Si par réputation vous voulez dire que Chris n'obtiendra pas un autre poste d'université à un traitement qui n'atteint pas le dixième de ce qu'il vaut, je suis d'accord avec vous. S'il perd sa réputation, il sera obligé de faire ce qu'il aurait dû faire dès le début de sa carrière : vivre dans le monde réel et exercer la médecine.

Chris ne répondit pas. Il se contentait de caresser son verre.

— Chris, tu m'entends?

— Tu ne comprends pas, Harvey.

— Tu crois? N'oublie pas qu'à l'Ecole de médecine nous étions toujours premier ou deuxième. J'aurais pu suivre ta route mais je ne l'ai pas fait. Ai-je eu tort? Juges-en : j'ai une maison de douze pièces. Du salon, nous voyons le désert de Californie. Il est magnifique par toutes les saisons. Et un climat fantastique! Mes enfants fréquentent la meilleure école privée. Ma femme a deux domestiques et sa propre Mercedes. Mieux encore, je ne dépends ni des subventions fédérales ni des bienfaiteurs ni d'un patron ni d'un conseil d'administration. Mon groupe médical comprend huit médecins. Nous avons le meilleur matériel ultra-moderne. Et, n'oublie pas les avantages de la médecine de groupe avec la nouvelle réglementation des impôts. D'ici cinq ans, tu seras tranquille pour la vie.

Il chercha le regard de Laura comme pour lui demander

son appui. Elle se rendit compte que Bellamy se faisait des idées fausses sur les relations qui existaient entre elle et Chris. Voyant qu'elle se taisait, Bellamy continua :

— Nous vivons dans un monde où l'économie a remplacé la religion. Le zèle n'a plus de place ici. Chris, nous avons besoin d'un excellent pédiatre. Tu ne peux laisser ces gens-là te démolir. Viens avec nous et tes dons ne seront pas gâchés.

— Non, Harvey, ne compte pas sur moi.

— Attends avant de refuser. Je ne te propose pas un simple emploi mais une association. Dès la première année, tu te feras plus de cent mille dollars. Nous ferons une équipe du tonnerre...

— Harv, ne me crois pas ingrat...

— Et que veux-tu que je croie alors que tu ne veux même pas étudier ma proposition?

— Il faut d'abord que cette affaire soit réglée.

— Je te dis que dans l'Etat où j'exerce, personne n'attache d'importance à des poursuites judiciaires.

— Oui, mais par ici, les gens y attachent de l'importance. Moi, j'y attache de l'importance, dit Chris vivement.

— Chris, tu t'engages dans une lutte qui ne vaut pas la peine d'être gagnée. Même si tu refuses mon offre ne te laisse pas embarquer dans cette affaire de procès.

— Harv, je ne peux plus reculer. Et même si je n'avais pas d'autre raison, je ne pourrais pas laisser Mike Sobol dans le pétrin.

— Mike Sobol... Fais-moi plaisir Chris va le voir, discutez ensemble de cette histoire. Il sera le premier à te conseiller de transiger.

— Je ne crois pas.

— Réfléchis donc. Pense à toutes ces années qu'il a consacrées à la médecine et maintenant il faut qu'il se batte pour conserver son poste parce qu'un fou veut se venger. C'est ça que tu veux Chris pour le reste de tes jours?

— Désolé, Harv, dit Chris qui ne tenait pas à prolonger la discussion.

— Tu sais ce qui te tourmente. Tu essaies encore de payer une dette imaginaire à ton passé. Ce n'est pas parce que tu as grandi dans un quartier misérable que tu dois te consacrer aux pauvres.

Chris posa son verre. Bellamy comprit que la conversation était terminée, mais il ne s'avoua pas vaincu. Il reprit avec une évidente sincérité :

— Je te garde le poste aussi longtemps que je le pourrai. Rappelle-toi que je tiens à t'avoir parce que tu es le meilleur pédiatre que je connaisse. (Il se tourna vers Laura.) Essayez de le convaincre. Qu'il le fasse pour vous au moins sinon pour lui. C'est ce que vous désirez tous les deux, n'est-ce pas? Une vie agréable ensemble, des gosses et tout...

Laura sourit et répondit simplement :

— Si nous avions des gosses ensemble nous serions plutôt embarrassés, c'est le moins qu'on puisse dire. Chris est mon client, pas mon fiancé.

— Diable! A vous voir, j'aurais pourtant parié... Chris, promets-moi de réfléchir à ma proposition.

— Entendu, Harvey, je te le promets.

Sur le chemin du retour, Chris conduisit la voiture de Laura. Ils parlaient peu. Après un moment de silence, il éprouva le besoin de se lancer dans des explications :

— Harvey est un médecin de premier ordre. Tout le reste — l'argent, son mode de vie, son installation — ne doit pas vous jeter de la poudre aux yeux. Il n'aurait pas aussi bien réussi s'il n'était pas consciencieux. Nous avons simplement une conception différente de la médecine. Je ne le désapprouve pas mais je ne suis pas obligé de choisir la même voie. Qu'en pensez-vous?

Elle ne répondit pas.

— Vous n'avez donc pas d'opinion à ce sujet? demanda-t-il froissé.

— Vous voulez le point de vue de la femme ou celui de l'avocate?

— Les deux.

— En tant que femme, je me dis « ils ont l'air de mener une vie merveilleuse ». Avez-vous vu son manteau de zibeline?... Et cette robe! Elle était présentée dans le *Harper's Bazaar* il y a deux mois.

— Vous lisez le *Harper's Bazaar?* dit Chris surpris.

— Vous savez, je ne suis pas née avec un costume de flanelle grise sur le dos, dit-elle un peu vexée.

Bien qu'elle eût adopté le ton de la plaisanterie, il sentit qu'elle lui en voulait de faire abstraction de sa féminité.

— Ecoutez, c'est vous qui avez tenu à préciser la nature de nos relations, dit-il. L'auriez-vous oublié?

Ils n'échangèrent plus une parole pendant le reste du trajet. Il arrêta la voiture devant l'immeuble de Laura et l'accompagna jusqu'à sa porte.

Dans l'espoir de terminer la soirée sur une note légère, il dit d'un air amusé :

— Maintenant, j'y pense, je trouve que Harvey n'a pas un diagnostic tellement sûr après tout.

— Parce qu'il s'est trompé sur la nature de nos relations? demanda-t-elle sur la défensive. Au fait, il n'est pas le seul.

Chris fixa du regard les yeux bleus pétillants de malice.

— Que voulez-vous dire?

— L'autre jour, Mike m'a fait la même réflexion.

— Mike, répéta Chris. Est-ce que par hasard tout le monde se rendrait compte de quelque chose que nous ignorons nous-mêmes?

Il la prit dans ses bras et chercha ses lèvres mais elle protesta sans conviction :

— Non, ce ne serait pas bien.

Il n'en tint aucun compte et sentit son corps menu se serrer contre le sien.

Les sentiments qu'ils avaient tous deux si scrupuleusement contenus se libérèrent. Elle ne le renvoya pas. Ils s'aimèrent avec cette fougue que seul un désir mutuel peut faire naître. Il étreignait un corps plus voluptueux qu'il ne l'avait imaginé. Peut-être n'adoptait-elle une attitude aussi réservée dans l'exercice de ses fonctions que parce qu'elle était en réalité une femme étrangement passionnée. Elle se donnait avec une intensité qui devait atteindre le seuil de la souffrance. Quand il la libéra, elle gémissait comme un enfant.

Il posa sa joue contre son sein gauche et il perçut les battements de son cœur. Il caressa son ventre à la fois souple et ferme. Elle tressaillit, prit sa main dans la sienne et la porta à ses lèvres. Ses doigts suivirent le contour de son profil dans l'ombre quand, soudain, il sentit que ses joues se mouillaient.

— Il n'y a pas de quoi pleurer, murmura-t-il.

Elle secoua la tête. Il la reprit dans ses bras et l'étreignit avec ardeur. Elle ne résista pas. Avec une violence inattendue elle se donnait de tout son être et elle attendait de lui le même don total.

Le silence régnait dans la chambre. Chris pensait aux dernières paroles que lui avait dites Alice Kennan. Maintenant, il se rendait compte que ses sentiments à son égard avaient changé à cause du désir inavoué que lui inspirait Laura. Il se sentit coupable envers elle mais c'était fini à présent.

Il fixa le plafond du regard et demanda doucement :

— Dis-moi, y a-t-il de quoi pleurer?

— Oui, il y a de quoi, répondit-elle avec une gravité qui le surprit.

Il s'appuya sur un coude et la contempla. Elle avait les yeux fermés mais ne pouvait retenir ses larmes.

— Qu'y a-t-il, chérie?

Elle secoua la tête sans répondre.

— Qu'est-ce qui te tourmente? C'est cette stupide idée que clients et avocats doivent rester à distance respectueuse?

— C'est plus grave encore.

— Alors, dis-moi ce que c'est, insista-t-il craignant qu'elle ne décide de mettre fin à leurs relations.

— Je te l'ai déjà dit. Le tribut qu'exigent les procès pour faute professionnelle est énorme. Il arrive souvent que le patient succombe au traitement pas à la maladie.

— Je sais, tu m'as prévenu.

Il essaya de l'attirer contre lui. Ses caresses et ses baisers ne réussirent pas à la calmer.

— Non, protesta-t-elle. Nous savons tous deux ce qui peut arriver. Les individus qui ont fait l'objet de poursuites judiciaires mettant en cause leur réputation, les obligeant à justifier leurs actions passées, leur comportement, ont à supporter de graves conséquences.

— Même s'ils gagnent? demanda Chris sceptique.

— Même s'ils gagnent. Dans un certain sens, leur ménage se détériore. Les épouses qui les ont loyalement soutenus pendant toute la lutte, les abandonnent quand tout est fini. Et leur carrière s'en ressent aussi.

— Mais pourquoi?

— Peut-être parce que les gens n'oublient jamais les accusations portées contre eux. Parfois les accusations persistent et les épouses finissent par croire certains mensonges elles aussi. Enfin, quoi qu'il en soit, les relations ne sont plus jamais les mêmes.

— Ce ne sera pas le cas en ce qui nous concerne, protesta-t-il avec véhémence.

Mais elle n'était pas rassurée.

— Il ne s'agit même pas d'un procès ordinaire. Reynolds n'attaque pas pour gagner. Il attaque pour te détruire et tu ne peux t'en tirer qu'en transigeant.

— Autrement dit en me reconnaissant publiquement responsable de la maladie de cet enfant handicapé? conclut Chris d'un air sombre.

— Oui.

— Je ne peux pas accepter une chose pareille.

— Je le sais bien. C'est même l'une des raisons pour lesquelles je t'aime.

Ils se rendirent compte tous deux qu'elle avait prononcé le grand mot. Il avait un son rassurant et harmonieux mais elle voulut rompre le charme.

— C'est parce que je t'aime que le danger est plus menaçant encore. Il voudra notre peau à tous les deux. Il aurait mieux valu que nous ne nous aimions pas.

— Ah! voilà une bonne raison de pleurer, dit Chris tendrement.

Il l'enlaça et attira sa tête contre sa poitrine.

— Du moment que nous connaissons le danger nous le combattrons plus facilement, ajouta-t-il.

Elle ne répondit pas.

— Bien sûr, reprit-il après un silence, il y a bien l'offre de Harvey si nous décidions d'accepter le compromis.

— Oui, murmura Laura. La maison, la vue, le luxe, les domestiques...

— Ecoute, je ne te demande pas un inventaire. Je veux une réponse.

— L'inventaire est une réponse. Le club de golf, le club de tennis. Une femme peut aller prendre trois repas par jour et signer un chèque à chaque fois. As-tu remarqué que les gens riches méprisent le contact de l'argent. Ils ne le touchent jamais. Ils se contentent de signer, de signer.

— Laurie, interrompit Chris avec impatience.

— Je ne faisais qu'additionner les avantages.

— Eh bien, passe donc aux inconvénients, gronda-t-il.

— Et voilà! fit-elle.

— Voilà quoi?

— Tu ne peux même pas en parler sans sortir de tes gonds. Dans ce cas, la réponse est évidente.

— Qu'ai-je donc dit?

— Voyons, mon chéri, ce qui rend ce genre de vie merveilleux pour Claire Bellamy c'est que son mari le trouve merveilleux; donne exactement les mêmes choses à une femme dont le mari les déteste et, bientôt, tout le confort, tout le luxe et même le charme éternel du désert lui deviendront odieux. Tu ne pourrais vivre dans cette ambiance; alors je ne le pourrai pas non plus. Décidément, il ne nous reste plus qu'à attendre la suite des événements.

— Malgré les conséquences que peut entraîner le procès?

— Personne n'a jamais dit que toute question comportait nécessairement une bonne réponse, dit-elle tristement. Pour le moment du moins nous nous appuyons l'un sur l'autre.

Elle l'embrassa. Ce n'était pas pour réveiller son désir mais pour sceller un pacte. Oui, ils s'appuyaient l'un sur l'autre quoi que l'avenir leur réserve.

13

Chris Grant se trouvait dans la salle des prématurés. Il observait à travers le couvercle transparent de l'isolette un bébé au teint bronzé qui cherchait sa respiration. Chris inséra ses mains stérilisées dans les ouvertures pour palper le foie de l'enfant. Il était mécontent de son examen.

— Il faut le placer sous oxygène, dit-il à l'infirmière. Préparez le matériel de transfusion, ordonna-t-il à son résident.

Chris prit la fiche accrochée à l'isolette : BEBE LOPEZ. *Prématuré.* GESTATION : *trente-quatre semaines;* ASPECT GENERAL : *yeux : conjonctivite jaune; peau : jaunisse généralisée.* Notes prises trois heures auparavant.

Chris se rendit compte que ces signes s'étaient encore accentués. Quand l'infirmière rentra avec la tente à oxygène, il déclara :

— Nous allons faire une exsanguino-transfusion.

— Sur celui-ci? demanda-t-elle étonnée.

Irrité de voir que son jugement pouvait être contesté, il ordonna sèchement :

— Allez voir dans son dossier s'il y a une autorisation d'exsanguino-transfusion et dépêchez-vous de me le faire savoir.

— Bien monsieur, dit l'infirmière posément, bien qu'elle fût visiblement offensée.

Pendant que Chris se frictionnait les mains, l'infirmière trouva l'autorisation dans le dossier du petit patient.

Le résident revint avec une provision du sang approprié, des cathéters, des aiguilles et des doses de protamine.

Chris ausculta l'enfant, observa sa respiration et entreprit l'opération. Il inséra lentement un cathéter dans la veine ombilicale. Au moyen d'une sonde hypodermique, il retira vingt centimètres cubes de sang détérioré et injecta une dose identique de sang frais dans l'artère ombilicale. Il s'arrêta un instant pour vérifier les battements du cœur. Tout se passait normalement. Chaque fois qu'il renouvelait la provision de sang, il contrôlait les rythmes cardiaque et respiratoire. Pour ce malheureux gosse, seule une exsanguino-transfusion était indiquée mais il n'avait guère de chances de survivre à la longue opération qui exigeait de nombreuses extractions et injections de sang lentement répétées. Malheureusement, c'étaient toujours les patients qui réclamaient le traitement le plus difficile qui étaient les moins aptes à le supporter.

La lumière du téléphone se mit à clignoter avec une persistance monotone. L'infirmière décrocha. Couvrant le micro avec sa paume, elle annonça :

— C'est le docteur Sobol. Il dit que c'est très important.

Chris acheva d'injecter la dose de sang frais avant de répondre :

— Dites-lui que j'opère une exsanguino-transfusion. Je viendrai aussitôt que je le pourrai.

L'infirmière hésita. Chris lui lança un coup d'œil impérieux et elle transmit le message. Chris poursuivit son travail. Tous savaient que n'importe quel résident compétent était capable d'opérer une exsanguino-transfusion. Pourquoi le docteur Grant n'avait-il pas confié son minuscule patient à Carey? On aurait dit qu'il était attaché à ce cas par un invisible cordon ombilical juridique.

Il acheva la transfusion et confia à Carey le soin d'administrer la protamine.

— Surveillez bien le gosse, recommanda-t-il. Franchement, je crois que le pronostic est mauvais. En cas de changement radical, appelez-moi chez le docteur Sobol. Et si Marcie dit que je suis trop occupé pour répondre, insistez.

— Chris, pour l'amour du ciel, dites-moi la vérité : vous n'avez pas fait cela, n'est-ce pas?

— Fait quoi? demanda Chris sincèrement interloqué.

— Vous n'avez pas communiqué cette information à ce type de la TV?

— Mike! de quoi parlez-vous donc?

— Mais tout le conseil d'administration ne parle que de cela. Il s'agit de cette information concernant l'hôpital communiquée pendant la présentation du journal du soir.

— Quelle information? De quoi s'agit-il?

— Nous le saurons bientôt. A trois heures, cet après-midi nous avons réunion à la salle de conférences. Ils vont passer la bande magnétique et nous demanderont d'expliquer comment la télévision a pu se procurer ces renseignements. La plupart des membres du comité seront présents ainsi que quelques médecins « amis ».

— Oh! s'exclama Chris consterné.

Il savait que ces médecins « amis » étaient les praticiens attachés au Metropolitan; machinalement, il consulta sa montre. Il était trois heures moins cinq.

— Avez-vous convoqué Laura?

— Le comité ne veut pas d'étrangers.

— Mais elle n'est pas une étrangère puisqu'elle est notre avocat-conseil.

— Pour eux, elle est une étrangère.

Chris remarqua que le vieillard avait le visage pâle et amaigri. Ses traits s'étaient creusés. Peut-être valait-il mieux accepter un compromis; ce genre de tension n'était pas recommandé pour un homme qui avait subi une coronarite massive. Cependant, avant que Chris ait pu ouvrir la bouche, Mike se leva pour se diriger vers la salle de réunion.

Sur l'intervention d'un administrateur influent, la station de télévision locale avait consenti à remettre au Metropolitan la bande magnétique qui portait l'enregistrement concernant l'hôpital. Quand Chris et Mike arrivèrent, les membres du Conseil d'administration et l'avocat de la compagnie d'assurances étaient tous présents. Avec eux, se trouvait un comité composé de trois médecins privés : les docteurs Caldwell, Gross et Arthur Spencer, le praticien le plus coté de la ville.

La séquence de télévision qui ne durait que deux minutes et sept secondes était commentée par un jeune journaliste ainsi identifié : Juan Melez, correspondant des Relations de la communauté KTNT. Melez parlait dans un décor sans cesse changeant représentant tour à tour le bâtiment principal du Metropolitan, le nouveau pavillon de pédiatrie, le tribunal où le procès allait se dérouler, l'immense propriété de John Reynolds et, enfin, l'école communale du 146 où Chris avait donné sa causerie.

Melez faisait l'éloge de Chris Grant qu'il nommait « le jeune médecin dévoué dont cette communauté a si grand besoin », il vantait ses causeries aux mères des HLM. Enfin, debout devant la résidence de Reynolds à Walnat Hill, Melez déclara :

« Isolé derrière cette haute grille en fer forgé, vit l'homme qui tente de détruire le Metropolitan General. Les accusations qu'il a portées contre cette institution d'utilité publique sont révoltantes. Si jamais il l'emporte, non seulement un certain nombre de carrières médicales seront ruinées mais le Metropolitan General lui-même sera atteint et perdra la plupart des subventions qui lui permettent de soulager les malades nécessiteux. »

A ce point le visage jeune et ardent de Melez apparut en gros plan.

« Quels qu'aient été les préjudices subis par son petit-fils, John Stewart Reynolds a-t-il le droit d'exiger une destruction de cette ampleur? La ville doit-elle payer un tel tribut pour apaiser sa colère? Nous continuerons à suivre chaque étape de cette affaire. »

Avant que la discussion fût engagée, le président Brady demanda à entendre l'enregistrement une seconde fois. Après quoi, il s'adressa à Chris :

— Docteur Grant, êtes-vous pour quelque chose dans cette histoire?

— Certainement pas, protesta Chris.

— Il n'était même pas au courant avant que je lui en aie parlé il y a une demi-heure à peine.

Le docteur Arthur Spencer demanda la parole. Il avait le

visage hâlé par le soleil de Floride où il venait de prendre des vacances et parlait en homme habitué à exercer de l'influence auprès des grands de ce monde.

— C'est plus que lamentable, c'est scandaleux : j'ai amplement contribué à édifier la réputation du Metropolitan. Et maintenant vient ce procès qui est déjà bien assez pénible. Ajoutez à cela cette espèce de publicité et la belle réputation de notre hôpital risque d'être coulée. Qu'a dû penser la clientèle privée en apprenant cette affaire par le journal télévisé.

Il n'avait pas fini et Brady ne paraissait pas disposé à l'interrompre. Il reprit :

— Il y a une chose que vous devez comprendre : ce sont des médecins privés comme moi qui représentent la source des revenus de cet hôpital. En ce moment même j'ai vingt-sept malades payants dans le pavillon privé. Si Caldwell, Gross et deux ou trois autres de nos confrères se dissocient du Metropolitan, vous perdrez cinq millions de dollars par an. Et, croyez-moi, nous avons tous envisagé de démissionner de nos chaires d'enseignement.

Si ce n'était pas un ultimatum c'était en tout cas une sérieuse menace. Mike Sobol choisit ses mots avant de répondre :

— Docteur Spencer, je conviens que vous représentez vous et vos confrères, des éléments indispensables de cet hôpital mais, sans notre personnel enseignant à plein temps, vous seriez à la rue.

Brady intervint :

— Messieurs, je vous en prie, je suis sûr que nous avons les uns et les autres tout intérêt à défendre cette institution. Et maintenant que le docteur Grant nous a informés qu'il n'était pour rien dans cette malencontreuse publicité, je le crois. J'espère seulement que de tels incidents pourront être évités à l'avenir.

Spencer s'apprêtait à répondre mais Waller le devança :

— Tous les aspects de cette affaire ne sont pas aussi négatifs que nous l'avions craint.

Mike et Chris échangèrent un coup d'œil.

— Je ne sais si cette publicité a agi dans un sens ou dans

l'autre. Quoi qu'il en soit, Crabtree a des nouvelles qui nous semblent rassurantes.

Crabtree se mit à tambouriner avec ses doigts sur la table. Il annonça :

— Ce matin, nous avons été avertis officiellement que Harry Franklyn représenterait la partie plaignante en cas de procès.

Chris se rappela les pressentiments de Laura.

Crabtree sourit :

— Nous sommes de vieux adversaires Harry et moi. Aussi lui ai-je téléphoné pour lui souhaiter la bienvenue à bord. Il n'est pas mauvais d'être en bons termes avec l'ennemi. Il m'a informé qu'il dirigeait l'action depuis le début.

— Et devons-nous nous en féliciter? demanda Chris.

Crabtree se tourna vers lui avec impatience.

— Harry Franklyn est beaucoup trop habile pour donner de tels renseignements sans avoir une idée derrière la tête. Je suis sûr qu'il sous-entendait « si vous faites une offre acceptable, j'ai l'oreille de Reynolds ».

Mike explosa :

— Nous a-t-on convoqués pour remettre en question cette histoire de compromis?

— Je vous en prie, Mike, intervint Cyrus Rosenstiel, le porte-parole de l'assemblée. Tout ce que nous vous demandons c'est d'écouter ce que Mr Crabtree a à nous dire.

— Je suppose, en effet que nous n'avons rien d'autre à faire.

Mike se tut mais ne put se résoudre à regarder du côté de Chris.

Crabtree reprit sur un ton rassurant :

— Comme vous, je veux avant tout protéger le docteur Grant mais nous devons définir le mot« protéger » — Il se tourna vers Chris — En vérité, docteur, vous n'avez pas été un excellent témoin au moment de l'interrogatoire préliminaire. J'imagine vos réactions devant la série de témoins qualifiés que Franklyn appellera pour critiquer votre traitement.

Chris regretta que Laura fût absente. Elle aurait su déceler si Crabtree cherchait à donner une idée fausse de la situation pour des raisons qui lui étaient personnelles. Il observa l'avocat qui poursuivit :

— En voyant Franklyn aussi bien disposé, j'ai fait allusion à une possibilité d'arrangement, il a eu l'air de protester mais assez mollement; aussi ai-je immédiatement appelé la compagnie d'assurances. J'ai été stupéfait en entendant le montant de la somme qu'elle proposait à titre de dommages-intérêts : un demi-million de dollars. J'ai transmis l'offre à Franklyn qui m'a rappelé au début de la matinée.

Crabtree lança un coup d'œil au président Brady.

— Franklyn a répondu que le chiffre était acceptable. Il a déclaré que la compensation financière était d'ordre secondaire pour ses clients. Ils tiennent avant tout à assurer la protection des familles qui doivent recourir aux services du Metropolitan.

Chris sentit son sang lui affluer à la tête mais Crabtree enchaîna :

— Franklyn m'a fait part de leurs conditions : ils veulent que les défendeurs admettent sans restrictions que le traitement a été appliqué par erreur et que ses risques inhérents ont été délibérément dissimulés au moment où la thérapie fut pratiquée.

Avant que Chris ait pu protester, la sonnerie du téléphone retentit. Brady répondit avec impatience.

— Le docteur Grant? Oui, oui, je crois.

Il tendit l'appareil à Chris qui écouta un instant.

— Oh je vois, dit-il enfin. C'est bon, complétez vos notes, j'y ajouterai les miennes quand j'arriverai.

Chris raccrocha et se tourna vers Mike.

— Le bébé Lopez n'a pas survécu.

— Je m'y attendais, dit Sobol. Les exsanguino-transfusions ne réussissent pas toujours, ajouta-t-il pour les autres.

Chris resta debout.

— Messieurs, j'ai été informé que vous pouviez régler cette affaire sans mon consentement mais, lorsqu'il s'agit de ma propre mise en accusation, j'ai des droits. Ce que veut John Reynolds c'est mon arrêt de mort sur le plan professionnel, signé de ma propre main. N'importe quel psychiatre vous dira qu'une telle attitude est extrêmement suspecte mais qui oserait formuler des soupçons au sujet de John Reynolds? Quoi qu'il en soit je ne céderai pas à ses exigences révoltantes. Vous, messieurs, vous pouvez traiter avec l'ennemi. Je ne vous suivrai pas dans cette voie. Mike?

Sobol se leva pour suivre Chris mais Cy Rosenstiel le retint.

— Mike, dans une circonstance pareille, un vétéran peut aider efficacement son jeune collaborateur à voir clair.

— Tu me rappelles la petite histoire des deux prisonniers juifs qui se tiennent devant le peloton d'exécution, les mains liées dans le dos. L'officier qui commande le peloton leur demande s'ils veulent avoir les yeux bandés. Meyer accepte mais Abe répond : « Au diable votre bandeau! Tirez ». Tu es Meyer, Cy, je suis Abe si tu n'y vois pas d'inconvénient. Messieurs, au diable, votre bandeau!

Mike tourna les talons et passa devant Chris pour quitter la salle.

14

Laura Winters était en avance de quelques minutes pour son rendez-vous à la polyclinique de Parkside, un hôpital privé moins imposant que le Metropolitan General. Il comprenait un bâtiment principal et deux ailes dont l'une contenait les deux salles non payantes requises pour que l'établissement soit dégrevé d'impôts. Certains des praticiens les plus réputés de la ville comptaient parmi ses principaux actionnaires et aucun médecin n'était affecté à cet hôpital sans les recommandations d'ordre social et professionnel exigées.

Laura consulta sa montre. C'était l'heure. Depuis plusieurs jours, elle essayait discrètement d'établir des contacts avec quelqu'un qui travaillait au bureau des dossiers de la polyclinique. Enfin, elle apprit que Judson Dahn, un client pour lequel elle avait réglé plusieurs affaires délicates, connaissait un membre du personnel qui acceptait de coopérer.

Grand et distingué, Dahn était vice-président d'une importante agence de publicité qui prospérait autant grâce à son charme qu'à son talent pour distraire les clients. Quand il était en ville, il pourvoyait gratuitement aux distractions de ses visiteurs étrangers à la région. Quand il voyageait il comptait qu'ils lui rendraient la pareille et il était rarement déçu. Au cours de ses premières rencontres avec Laura, il lui avait fait des avances non déguisées. Voyant que ses tentatives étaient vaines, il se résigna à entretenir avec elle des rapports strictement limités au plan des affaires.

Par la suite, ces rapports s'étaient transformés en relations amicales à cause de la voiture de sport du fils de Dahn. Le jeune Dahn avait heurté une autre voiture, la faisant dévier de la route et deux de ses occupants avaient été grièvement blessés. Pour des raisons qu'il n'avait pas voulu dévoiler immédiatement, il avait décidé de régler personnellement toutes les difficultés d'ordre juridique consécutives à l'accident sans passer par la compagnie d'assurances. Laura avait finalement découvert que le jeune Dahn avait absorbé une forte dose de drogue au moment de l'accident.

Il lui fallut plusieurs mois pour liquider la question des poursuites judiciaires intentées par les deux victimes sans que le jeune Dahn fasse l'objet d'une publicité embarrassante. Dès lors, Jud Dahn lui rappelait sans cesse qu'il ne demandait qu'à lui rendre service.

C'était donc grâce à Jud Dahn que Laura avait pu se mettre en rapport avec une employée de la polyclinique de Parkside.

Elle se dirigea vers la réception et demanda la personne que Dahn lui avait recommandée. On lui indiqua un bureau situé à l'étage inférieur où Ethel Grayson l'attendait. Elle accueillit Laura avec un sourire et fixa la porte pour qu'elle se bloque lorsqu'elle la fermerait.

— Je monte au bureau des admissions, dit-elle. Je vais vous laisser seule un quart d'heure. Le dossier est dans le dernier tiroir de ce grand classeur de métal. Prenez toutes les notes que vous voulez en quinze minutes. Je fais cela pour Jud, mais rappelez-vous, je ne vous ai rien montré.

— Comptez sur moi.

Aussitôt la porte refermée, Laura tira le tiroir indiqué. Il contenait un seul dossier peu épais portant la mention BEBE SIMPSON (c/o JOHN STEWART REYNOLDS). Le rapport du docteur Coleman disait que l'accouchement avait été difficile mais relativement normal, que l'enfant pesait un peu plus que les 2500 grammes requis, aussi n'était-il pas classé dans la catégorie des prématurés. D'après toutes les autres indications, il ne présentait aucune anomalie. Les tests Apgar et les examens généraux effectués à la naissance n'avaient mis en évidence aucune déficience alarmante. Bien que Laura ne comprît pas le rapport de laboratoire que Chris aurait à étudier, le dossier lui parut confirmer les accusations portées par Parkins, Sears et Wadleigh. L'enfant qui présentait un taux de bilirubine supérieur à la moyenne mais au-dessous du seuil de danger avait été envoyé au Metropolitan pour traitement.

Laura posa les documents sous la lampe et les photographia avec son Minox de façon à obtenir des photographies nettes et lisibles. Elle venait de replacer le dossier dans son tiroir, lorsqu'elle entendit frapper à la porte. Elle tourna la clé dans la serrure aussi doucement que possible et ouvrit.

Un jeune homme se tenait dans l'encadrement de la porte :

— Miss Grayson n'est pas là? demanda-t-il.

— Elle doit revenir d'un instant à l'autre.

— Alors, je vais l'attendre si vous n'y voyez pas d'inconvénient.

— Bien sûr que non, se hâta de dire Laura qui était pressée de sortir avant qu'il n'eût fixé ses traits dans sa mémoire.

Ethel Grayson revint fort opportunément. Elle avait entendu la porte de son bureau s'ouvrir et elle s'adressa immédiatement à Laura :

— Miss Scott, seul le bureau de comptabilité peut vous remettre les rapports que vous demandez. Si vous avez des difficultés, revenez me voir.

— Merci infiniment, murmura Laura, contente d'avoir un bon prétexte pour s'échapper.

Après son départ, Ethel Grayson se tourna vers son visiteur :

— Vous avez besoin de quelque chose, docteur Coleman?

— Je voudrais jeter un coup d'œil sur le dossier du bébé Simpson.

Sachant que la présence du dossier en question dans son bureau à un moment pareil pourrait éveiller des soupçons, Ethel Grayson répondit vivement :

— Etant donné les circonstances, nous gardons ce dossier en lieu sûr. Si vous me donnez une heure, je m'arrangerai pour vous le communiquer.

— Bien. Je voudrais l'emporter chez moi pour l'examiner à loisir ce soir.

— Ce sera sûrement possible, dit Ethel aussi aimablement qu'elle le put.

Quand Coleman eut quitté la pièce, Ethel s'enferma à clé et décrocha le téléphone. Jud Dahn répondit sur sa ligne privée.

— Elle est venue, dit Ethel, elle a vu le dossier mais tu as failli me mettre dans un drôle de pétrin.

— A-t-elle obtenu ce qu'elle voulait?

— Je lui ai laissé voir tout ce que nous avons.

— Parfait.

— Jud, mon chéri, ne me refais plus jamais un coup pareil. Tu entends?

— Il le fallait. Je lui dois beaucoup.

— Tâche de ne pas lui en devoir trop.

— Que veux-tu dire?

— Tu m'annonces la visite de ton avocate mais tu oublies de me dire qu'elle est fort jolie. Si jamais j'apprends qu'il y a quelque chose entre vous...

Elle laissa sa phrase en suspens comme une menace.

— Voyons, mon chou, je te jure qu'il n'y a rien entre nous.

— C'est bon, fit-elle radoucie.

Elle allait le prévenir que le docteur Coleman venait de lui demander le même dossier mais elle se ravisa, jugeant plus important de terminer l'entretien sur une note personnelle.

Laura donna le film à développer. Les épreuves furent prêtes dans la journée. Elle appela Chris à l'hôpital et l'invita à dîner chez elle. Au son de sa voix, il comprit que la rencontre serait d'ordre strictement professionnel.

Elle avait préparé un repas simple. Avant de desservir, elle lui tendit une enveloppe.

— Examine ceci pendant que je range, dit-elle.

Chris s'installa dans le fauteuil et sortit les photocopies de leur enveloppe.

— Laura! Comment t'es-tu procuré ces documents? demanda-t-il abasourdi.

— Peu importe, répondit-elle en rangeant les assiettes dans la machine à vaisselle. Contente-toi de les lire.

Quand il eut terminé, elle lui demanda avec inquiétude :

— Alors ce dossier contient-il des indications utiles?

— Non, rien de particulièrement intéressant pour un médecin. Les renseignements sont même très vaseux. Le jeu n'en valait pas la chandelle. Et maintenant, raconte, comment t'es-tu débrouillée?

Elle le lui dit. Il la prit dans ses bras.

— Ce que tu as fait là est-il illégal?

— Non, mais Miss Grayson a commis une action illégale en trahissant le secret professionnel. Il se peut tout de même que ces pièces soient plus utiles que tu ne le penses. Si jamais elles étaient modifiées et versées au dossier du procès, le témoin de Franklyn pourrait être embarrassé pour expliquer pourquoi elles ne sont pas identiques aux photocopies que nous possédons. Il faut que nous soyons prêts même si elles ne sont pas modifiées.

Il la serra contre lui.

— Ecoute, je ne veux pas que tu prennes de risques, dit-il. Tu en fais déjà bien assez. Pas de risques. Promis?

— Promis.

— Crois-tu que Coleman pourrait modifier ses notes? demanda-t-il après réflexion.

— Certains médecins l'ont bien fait. Suppose que Harry Franklyn trouve dans le dossier un détail qui ne lui convient pas. Il peut demander à Coleman de le changer.

— J'en doute.

— Moi pas.

— Je ne vois rien dans ces papiers qui puisse embarrasser Coleman. Pourquoi y changerait-il quoi que ce soit?

— Nous verrons bien.

Il l'étreignit passionnément puis, soudain, il se rappela la réunion du conseil d'administration. Elle perçut son changement d'humeur et murmura :

— Chris?

Il la mit au courant de la séquence du journal télévisé, de l'offre de transaction, de la déclaration que Reynolds voulait lui faire signer et de la réaction de Mike.

Elle se dégagea pour aller prendre une cigarette. La lueur de l'allumette éclaira son visage qui paraissait très las.

— Chris, si tout était à recommencer, appliquerais-tu un traitement différent?

Il fut surpris par la franchise brutale de la question.

— Le ferais-tu? insista-t-elle.

— Laisse-moi réfléchir. Je revois chaque phase, le rapport de Parkside, l'aspect du bébé, nos propres rapports de laboratoire...

— Aurais-tu procédé autrement?

— Je me dis parfois que si j'avais fait tout simplement une exsanguino, tout ce gâchis aurait pu être évité.

— Est-ce qu'une exsanguino aurait été préférable?

— On ne sait jamais. La médecine est faite de « si » mais, dans un cas pareil, on n'a qu'une alternative.

— Je veux savoir ce que tu penses honnêtement : une exsanguino aurait-elle changé la situation?

— Je n'en sais rien. Personne ne le saura jamais.

Elle écrasa sa cigarette cherchant à éviter son regard :

— Chris, pendant le contre-interrogatoire tu ne dois pas exprimer tes scrupules.

Il lui lança un coup d'œil surpris.

— Pense un peu à ce que tu viens d'admettre ce soir : Les rapports de Parkside sont corrects. Une exsanguino-transfusion est un traitement plus traditionnel. Tu as des doutes sur l'opportunité de ta décision. Donc ta décision a pu perdre le bébé.

Chris eut un geste d'impuissance.

— Imagine ce que Harry Franklyn peut faire avec des aveux pareils. C'est pourquoi tu ne peux parler de tes scrupules.

— Mais s'ils sont sincères.

— Tes aveux se retourneront contre toi.

— Comment puis-je nier?

— Il le faut, insista Laura.

Puis elle poussa un soupir résigné.

— Non, reprit-elle, Tu as raison. Comment pourrais-tu dire autre chose que ce tu crois être la vérité.

Elle s'approcha de lui et l'embrassa mais il ne réagit pas.

— J'ai eu tort de te traiter comme les autres clients, dit-elle avec douceur.

— Voilà donc le conseil que tu donnes aux autres clients?

Elle allongea le bras pour reprendre une cigarette. Il lui saisit le poignet, lui retira la cigarette et insista.

— Réponds.

— C'est ainsi : tu apprends les lois uniquement pour trouver des moyens de les contourner. Tu découvres la vérité simplement pour empêcher qu'elle ne soit révélée. En général, moins tu es limité par les scrupules plus tu es coté.

Il tourna son visage vers le sien, l'obligeant à le regarder dans les yeux. Elle admit enfin :

— Ce n'est qu'une rationalisation. C'est la morale américaine nouvelle vague. Le nouveau critère des valeurs et de la vertu. Rien de ce que nous faisons n'est malhonnête dans la mesure où nous pouvons le comparer avec d'autres actes malhonnêtes accomplis par d'autres.

Elle se blottit contre lui.

— Serre-moi dans tes bras, murmura-t-elle.

Il l'étreignit; ils restèrent sans mot dire un moment, chacun essayant de puiser une force dans l'autre. Enfin, elle se dégagea :

— Chris, le procès va bientôt commencer. Pendant les quelques jours qui nous restent nous ne pouvons penser à nous. Nous ne devons penser qu'à toi. Je veux que tu examines bien toutes les raisons qui auraient pu motiver l'état du bébé, indépendamment de la photothérapie.

— Qui auraient pu? répéta Chris avec impatience. N'importe quoi aurait pu le motiver.

— Ecoute, dans un cas où nous n'avons aucune idée de ce qui s'est passé, il faut trouver autant de raisons que possible. Quand la brume brouille la vue il faut employer un anti-brouillard.

— Ce n'est qu'une autre façon de déformer la vérité.

— Tu ne te rends pas compte du pétrin dans lequel tu te trouves.

Cette fois, il ne put l'empêcher d'allumer sa cigarette. Après avoir aspiré quelques bouffées, elle parut plus calme.

— La différence entre les médecins et les avocats, reprit-elle, c'est que les premiers essaient de remonter le moral de leurs patientes en faisant ressortir les meilleurs aspects de leur maladie. Les avocats essaient d'obtenir la collaboration de leurs clients en leur faisant ressortir les pires. Et cette fois-ci j'aimerais particulièrement avoir un témoin malhonnête bien préparé.

Il la reprit dans ses bras et la couvrit de baisers sans plus chercher à réfréner sa passion. Elle ne put que murmurer :

— Chris... mon chéri... il ne faut pas... toutes nos discussions ne peuvent se terminer au lit.

Il lui immobilisa la bouche par un long baiser et la conversation en resta là.

Plus tard, beaucoup plus tard, blottie contre lui elle murmura en lui effleurant doucement la poitrine :

— Je m'inquiète pour Mike. Si nous perdons, quelles perspectives reste-t-il à un homme de son âge?

— Je ne sais pas. La retraite je suppose.

— Pour qu'il passe plus de temps dans cet appartement vide où Rose n'est plus. Il en mourra.

— Je sais. C'est pourquoi j'ai parfois envisagé l'idée d'accepter un compromis.

— Ecoute Chris, ne cesse pas de réfléchir à ce qui a pu provoquer des lésions chez cet enfant en dehors de la photothérapie.

— Bon Dieu! pourquoi t'obstines-tu à imaginer que la photothérapie pourrait être responsable?

— Parce que tu ne peux prouver qu'elle ne l'est pas, rétorqua-t-elle froidement. De toute façon, nous devons trouver une réponse si nous voulons mettre quelques chances de notre côté.

Il hocha la tête d'un air de doute. Il n'était pas certain de trouver une réponse.

— Qu'as-tu dit à propos de Reynolds à la réunion du Conseil? demanda-t-elle brusquement.

— Que s'il n'était pas un homme aussi important...

— Répète-moi tes termes exacts.

Il réfléchit :

— Je crois que j'ai dit : « N'importe quel psychiatre vous dira qu'une telle conduite est extrêmement suspecte. C'est ça?

— Exactement, dit-elle en donnant aux paroles de Chris une signification spéciale. Je serais tout de même plus à l'aise si Reynolds était moins vindicatif ou moins puissant.

Elle l'embrassa avec une intensité qui reflétait ses craintes. Elle le serra contre elle non pour éveiller son désir mais pour le protéger et pour se sentir protégée par lui.

15

Christopher Grant s'arrêta au pied du vaste escalier et le mesura du regard. Il avait vu des photographies du vieux Palais de justice qui servait souvent de décor à une manifestation ou à un politicien prononçant un discours. Quant à lui, il n'avait jamais eu l'occasion de gravir les larges marches de pierre usées.

Il contempla les colonnes grecques patinées avec appréhension. Ce procès était pour lui une question de vie ou de mort.

Il s'apprêtait à monter au côté de Laura quand un journaliste muni d'un micro surgit près de lui. Devant lui, se tenait un photographe qui faisait la mise au point.

— Docteur?

Chris se retourna irrité de cette intrusion.

— Vous êtes bien le docteur Grant, n'est-ce pas?

Chris reconnut soudain le jeune homme. Il avait déjà vu ce visage mince et bronzé. C'était le commentateur de télévision dont l'émission avait tellement troublé le conseil d'administration quelques semaines plus tôt.

Melez insista :

— Docteur, quelle impression éprouvez-vous à l'idée de vous mesurer à la puissance de John Stewart Reynolds?

Laura se hâta d'intervenir :

— Le docteur Grant n'est pas autorisé à faire des déclarations à la presse.

— C'est Mr Reynolds qui le lui défend? demanda Melez avec un sourire.

— C'est son avocat, répondit Laura sèchement cherchant à mettre fin à la conversation.

Mais Melez grimpa vivement deux marches et leur barra le passage.

— Ecoutez, je suis de votre côté, dit-il. J'ai déjà fait toute une série d'articles sur vous.

— Oui, nous savons, repliqua Laura mais ce que vous ne comprenez pas c'est que l'absence de publicité nous serait plus utile que la publicité la plus favorable.

— Avant la fin de cette affaire, vous aurez besoin d'un maximum d'aide, insista Melez. Allons, laissez le docteur Grant faire une déclaration et nous la retransmettrons sur les ondes.

— Nous voulons que cette affaire soit jugée devant le tribunal.

— C'est bon, mais vous allez avoir besoin d'amis. Vous avez bien assez d'ennemis.

— Merci, nous le savons, dit Laura en prenant le bras de Chris pour l'inviter à avancer.

Melez ne se tint pas pour battu.

— C'est bon, mais quand vous aurez besoin d'amis, souvenez-vous de moi. Je ferai tout mon possible. J'espère seulement qu'il ne sera pas trop tard.

— Merci, dit Laura.

Ils montèrent les marches. Leurs pieds se posaient tout naturellement dans les empreintes de pas laissés par les milliers d'avocats, plaideurs et témoins qui les avaient foulées pendant un demi-siècle. Ce vieux bâtiment avait imposé la loi et parfois la justice au cours des décennies passées.

Paul Crabtree et Avery Waller les suivaient. Bien que Waller n'eût pas un rôle plus officiel que Laura Winters dans le procès, il était présent en qualité de collaborateur de Crabtree et tous deux défendaient les intérêts de l'hôpital. Ils avaient eu plusieurs entretiens auxquels Laura ne fut pas conviée et ils s'étaient mis d'accord sur la tactique à suivre.

— Voulez-vous faire un pari avant que le tournoi ne commence? demanda Crabtree.

— Non, répondit Waller avec prudence. Au fait, êtes-vous

au courant? Nous avons fait une nouvelle tentative auprès de Sobol. Il ne veut rien entendre.

— Si seulement il pouvait comprendre que les principes n'ont pas cours au tribunal.

— Dieu me préserve des clients qui demandent justice, soupira Waller.

Le couloir du tribunal était imprégné de l'odeur des millions de cigares et cigarettes consumés au cours des années par des témoins nerveux. Et les milliers de cigares offerts aux huissiers ou aux gardes représentaient une quantité appréciable de petites faveurs. Un cigare bon marché pouvait contribuer à faire surgir un dossier longtemps cherché comme par miracle. Un havane coûteux pouvait procurer des bribes d'informations concernant l'humeur d'un juge ou son attitude à l'égard d'un cas donné.

— On se croirait dans une usine de cancers, remarqua Chris en longeant le hall.

— C'en est une à bien des points de vue, répondit Laura.

Cependant, elle ne put s'empêcher de sourire. Il ne manquait jamais une occasion de lui faire sentir ce qu'il pensait de son unique faiblesse.

Ils se dirigèrent vers la salle 405. La porte matelassée de cuir portait une plaque indiquant le nom du président du tribunal : Timothy Bannon. Ils entrèrent. Deux huissiers en uniforme se prélassaient dans le box du jury.

Crabtree qui arrivait derrière eux appela les deux huissiers par leurs noms. Ils connaissaient l'objet du procès et en attendaient avec impatience le déroulement.

La salle était presque vide quand les deux parties adverses prirent place — Chris et Laura au bout de la table de l'avocat de la défense. La chaise prévue pour Mike Sobol restait inoccupée. Il continuait à assumer sa tâche à l'hôpital jusqu'au moment où il serait appelé à déposer.

William Heinfelden et son collaborateur s'assirent à la table de la partie plaignante. Quelques minutes après l'introduction des trente jurés proposés, les portes se rouvrirent et un murmure d'intérêt s'éleva au fond de la salle. Chris et Laura se retournèrent. John Stewart Reynolds faisait son entrée.

— Il est trop tôt, messieurs, pour que je fasse une déclaration, dit-il aux journalistes qui l'interrogeaient. Mais, quand le moment viendra, soyez sûrs que je ne garderai pas le silence.

S'étant débarrassé de la presse, Reynolds s'avança d'un pas rapide, suivi d'un petit homme à l'air insignifiant qui portait un costume classique, une chemise blanche, une cravate bleu foncé et des lunettes. Il serra la main de Heinfelden et, avec la même affabilité, il s'approcha de la table de la défense et salua Waller et Crabtree. Ce dernier fit les présentations :

— Docteur Grant, Miss Winters, Harry Franklyn.

Chris prit la main que lui tendait le petit homme. Elle était molle et moite. Il ne s'attendait guère à une telle poignée de main après tout ce qu'il avait appris sur le caractère de l'avocat.

Tel était exactement l'effet que Harry Franklyn entendait produire. Il cultivait depuis des années son personnage de façon à paraître inoffensif, désarmant, presque neutre. Sa garde-robe de travail contenait neuf costumes tous en laine bleu marine, tous coupés à Londres. Toutes ses chemises étaient blanches en coton d'Egypte, un tissu aussi doux que la soie mais rien ne les distinguait de la chemise blanche ordinaire. Ses cravates avaient toutes la même teinte marron. Il ne voulait pas qu'un juré puisse le croire plus favorisé que lui sur le plan matériel. Il tenait à attirer la sympathie des jurés, voire leur compassion sinon sur lui du moins sur ses clients. Il ne voulait surtout pas laisser paraître que sa réputation d'habileté était telle que, depuis dix-sept ans, le montant de ses honoraires annuels n'avait jamais été inférieur à un million de dollars.

Franklyn alla s'installer à sa table. Déjà calé dans un fauteuil, John Reynolds observait la salle; il effleura Chris d'un regard impassible comme s'il ne l'avait jamais vu. On aurait dit que déjà, le docteur Grant n'existait plus pour lui.

Soudain, l'huissier réclama le silence. A l'annonce « Messieurs, la Cour » la porte du vestiaire des juges s'ouvrit. L'honorable Timothy Bannon entra. C'était un homme grand et mince aux traits accusés qui indiquaient une forte personnalité.

Bannon prit place dans son fauteuil à haut dossier, il sourit aux avocats qu'il connaissait tous personnellement et ordonna à l'huissier de procéder à la sélection des jurés. L'huissier tira quatorze noms au hasard, les disposa sur un tableau et le tendit à Harry Franklyn.

Les jurés désignés par le sort allèrent s'asseoir dans leur box. Franklyn s'approcha d'eux et les questionna l'un après l'autre sur un ton si confidentiel que Chris ne put saisir la plupart de ses paroles. L'avocat renvoya ceux qui, pour une raison ou pour une autre, lui paraissaient suspects ou peu disposés à coopérer. Il semblait particulièrement désireux d'éliminer les personnes qui avaient joué un rôle quelconque dans un procès médical ou qui étaient apparentées ou étroitement liées à des membres du corps médical.

D'autres jurés remplacèrent ceux qui étaient récusés. La procédure traînait et Chris commençait à s'en désintéresser. Quand l'audience fut suspendue pour l'heure du déjeuner, il fut heureux de se dégourdir les jambes.

— Franklyn doit être payé à la journée, dit-il.

— N'as-tu pas remarqué ce qu'il faisait?

— Oui. Il nous a tous fait mourir d'ennui.

— Ne t'endors pas. Il a éliminé progressivement mais sûrement les jurés noirs, murmura Laura. Une chose est certaine : il ne veut pas de personnes de couleur dans le jury.

— Pourquoi? demanda Chris.

— C'est ce que je voudrais bien savoir. Et aucun des médecins cités comme témoins n'est noir.

— Quelle idée a-t-il derrière la tête?

— Certains avocats pensent que les jurés blancs ayant un niveau de vie plus élevé, ils ont tendance à voter des dommages et intérêts plus importants. Mais l'argent n'entre pas en jeu ici? Reynolds se moque bien d'obtenir cinq dollars ou cinq millions.

— Et Franklyn?

— Généralement, il a un pourcentage mais, dans le cas présent, je suis sûre qu'il perçoit des honoraires fabuleux et environ deux mille dollars par journée d'audience. Aussi le montant de la somme accordée à la partie plaignante ne présente pas un intérêt majeur à ses yeux. Enfin, nous verrons bien. En attendant, allons déjeuner.

La séance de l'après-midi fut tout aussi fastidieuse. Franklyn recommença à questionner les jurés à voix basse. Bannon examinait des papiers concernant d'autres affaires, n'intervenant que lorsque Crabtree élevait une objection. Alors, il réglait la question, généralement en faveur de Franklyn et le juré était récusé.

Laura fit observer à Crabtree que Franklyn excluait systématiquement tous les jurés noirs mais il se contenta de hausser les épaules avec une expression d'ennui.

Enfin, vint le tour de Crabtree. En sa qualité d'avocat d'une compagnie d'assurances, il essaya de récuser tous ceux qui avaient eu des affaires de litige et choisit de préférence les travailleurs indépendants en partant du principe qu'ils avaient plus de respect pour l'argent et tendraient en conséquence à demander des dommages-intérêts plus raisonnables. Pour des raisons qui lui étaient personnelles, il semblait faire le jeu de Franklyn puisque la plupart de ses questions tendaient également à éliminer les Noirs.

Le lendemain matin, Bannon commença à donner des signes d'impatience.

— Voyons messieurs, finissons-en, dit-il. Douze citoyens honnêtes, quels qu'ils soient, font un bon jury.

A la fin du jour suivant, Franklyn et Crabtree s'étaient mis d'accord sur le choix des douze jurés et des deux suppléants. La seule personne de couleur, une femme, était l'un des membres suppléants. Ainsi quelles qu'aient été ses raisons, Harry Franklyn avait réussi à constituer un jury entièrement composé de blancs.

Le président Bannon fit prêter serment aux quatorze personnes sélectionnées et ordonna à Franklyn de se tenir prêt à exposer les griefs de la partie plaignante dès que le tribunal se réunirait le lendemain.

A dix heures du matin, Harry Franklyn en costume bleu marine, chemise blanche et cravate marron commença son exposé. Il s'avança vers les jurés, posa son bras sur la rampe et parla sur un ton si discret que même Bannon dut se pencher et mettre sa main en cornet à son oreille pour bien saisir ses paroles.

— Mesdames et messieurs, certains d'entre vous ont déjà été jurés mais je suis sûr qu'aucun n'a jamais assisté à un procès de cette ampleur. Je ne sais ce que vous en pensez, quant à moi, je trouve la mutilation d'un adulte déjà assez horrible mais quels sentiments n'inspire pas l'infirmité d'un enfant qui, dès les premières heures de son existence, est condamné à rester toute sa vie durant handicapé mental à cause de la négligence d'un médecin!

Il s'interrompit comme si l'émotion lui coupait déjà la parole.

— Voici les faits : nous savons que Mrs Lawrence Simpson a donné le jour à un enfant parfaitement sain et normal bien que l'accouchement ait été un peu prématuré et difficile. Après sa naissance, l'état du bébé nécessita un traitement. Deux éminents médecins expliqueront quelle était la nature des soins requis. Pour lui assurer les meilleures conditions de sécurité, le petit patient fut confié au Metropolitan et plus spécialement au docteur Michael Sobol qui, à son tour, confia ce petit être sans défense au docteur Christopher Grant, autre défendeur dans ce procès.

Franklyn se tourna légèrement pour orienter le regard des jurés vers Chris qui eut un mouvement de recul instinctif.

— L'enfant fut alors soumis à un traitement qui provoqua une lésion cérébrale, continua Franklyn. Nous avons invoqué le témoignage d'experts en la matière pour confirmer le fait; de même, nous avons cité des médecins qui vont malheureusement attester de l'état actuel de l'innocente victime.

Bien que nous estimions que rien ne peut compenser le préjudice causé à l'enfant et à sa famille, nous réclamons des dommages-intérêts importants pour que les autres hôpitaux et médecins apprennent à se montrer plus consciencieux à l'avenir.

Franklyn se tut, regarda un moment les jurés comme pour conclure un accord tacite avec eux et regagna sa place.

— Mr Crabtree.

Le président Bannon invita la défense à exposer sa position.

Alors que Franklyn paraissait petit, effacé, presque timide, Crabtree faisait valoir sa corpulence et n'essayait nullement de mettre une sourdine à sa voix retentissante. Les jurés lui prêtèrent une oreille attentive.

Crabtree commença par exprimer ses profonds regrets pour l'état du malheureux enfant mais il affirma que ni l'hôpital ni les médecins n'étaient responsables. Il signala au jury qu'une lésion cérébrale n'était pas nécessairement le résultat d'une faute professionnelle. Parfois, de telles tragédies étaient de malheureux accidents de la nature. Il allait prouver, à l'aide du témoignage de médecins éminents et réputés, que les mesures prises vis-à-vis de l'enfant étaient des procédés couramment admis et qui avaient été consciencieusement appliqués. Ainsi, ni l'hôpital ni les médecins n'étaient légalement ou moralement coupables.

Comme les preuves de la culpabilité devaient être établies par le plaignant, Grabtree se garda de s'engager plus avant. Laura, elle-même, jugea que sa déclaration était parfaitement habile.

Franklyn entreprit alors de démontrer le bien-fondé de la plainte déposée. Il procéda méthodiquement en commençant par citer le docteur Hugh Mitchell, le médecin qui avait suivi Mrs Simpson pendant sa grossesse. Très distingué avec ses cheveux argentés, Mitchell répondit à chaque question avec courtoisie et pertinence.

Franklyn passa en revue la longue carrière de Mitchell : ses études à l'Ecole de médecine, ses excellents rapports universitaires, son internat, son stage de résident, la liste des postes qu'il occupait dans les groupes locaux et nationaux y compris l'Association médicale américaine et la Société d'obstétrique nationale dont il avait été deux fois vice-président et président pendant un trimestre. Franklyn peignit le portrait précis d'un médecin ayant une formation excellente et une réputation hors ligne. Enfin, il en vint à son association de longue date avec la polyclinique de Parkside.

Sûr que le jury était suffisamment édifié sur l'honnêteté et les qualifications de son témoin, Harry Franklyn lui demanda de déposer.

— Si vous le voulez bien, docteur, parlez au jury de votre première prise de contact avec Mrs Simpson.

Mitchell se tourna légèrement vers les jurés :

— Il y a deux ans, le 10 août, le père de Mrs Simpson m'a téléphoné pour me demander d'examiner sa fille. En raison de la longue amitié qui me liait à Mr Reynolds, je me suis immédiatement arrangé pour recevoir Arlene Simpson.

— Le même jour?

— Le lendemain matin.

— Alors, docteur?

— J'ai procédé à un examen complet. Il n'y avait aucun doute : elle était enceinte.

— Ensuite, docteur?

— Je lui ai fait une prise de sang à des fins d'analyse; je les ai félicités elle et son mari et je les ai renvoyés chez eux en attendant les résultats des rapports de laboratoire.

— Parlez-nous de ces analyses, docteur.

— Elles étaient normales à tous égards sauf sur un point; Mrs Simpson a un sang à rhésus négatif.

— Est-ce dangereux, docteur?

— Pas dans ce cas, dit Mitchell. Le fait qu'une future mère ait un sang à rhésus négatif n'est pas important quand il s'agit d'un premier enfant bien qu'il puisse avoir des conséquences terribles pour les enfants qui suivent, ou plutôt il en avait. Actuellement, grâce à la découverte d'une substance nommée Rh-O-Gam, nous pouvons prévenir les dangers qui menacent les enfants à venir en traitant la mère après la naissance du premier.

— Pourriez-vous donner des explications plus détaillées, docteur? Je suis sûr que les membres du jury sont tous très intelligents et capables de vous comprendre.

Après cette flatterie qui préparait en même temps les jurés à un exposé médical compliqué, Franklyn laissa la parole à son témoin.

— Chaque individu a un rhésus soit positif, soit négatif. Le rhésus négatif indique l'absence d'une certaine protéine dans les globules rouges. Il n'est important qu'en cas de grossesse et ne présente de danger que si l'enfant a un rhésus positif.

« A la fin d'une première grossesse, il se peut qu'une partie du sang à rhésus positif de l'enfant croise le courant sanguin maternel. Le corps de la mère traite alors le sang à rhésus positif comme une substance étrangère et fabrique des anticorps pour l'éliminer. Ce phénomène n'affecte pas l'enfant qui est déjà sorti du sein maternel mais si la femme a de nouveaux bébés à rhésus positif, elle est sensibilisée et fabriquera des anticorps qui peuvent être dangereux, même pour un premier enfant.

— Avez-vous interrogé Mrs Simpson à ce sujet? demanda Franklyn.

— Oui. Elle m'a dit qu'elle n'avait jamais subi de transfusion. J'ai également fait procéder à un test de Coombs.

— Un test de Coombs? questionna Franklyn.

L'avocat avait l'art de percevoir les réactions du jury et il les traduisait tout en les influençant dans le sens qui lui convenait.

— Il sert à déterminer le pourcentage des anticorps contenus dans le sang le cas échéant.

Franklyn insista pour mettre le point en évidence.

— Et le test de Coombs a révélé que Mrs Simpson n'avait pas de problèmes d'anticorps susceptibles d'affecter l'état de santé de son premier enfant?

— Exact. Aucun problème d'anticorps ne s'est posé.

— De sorte que Mrs Simpson a eu une grossesse normale à tous égards?

— Elle a accouché légèrement avant terme : trente-sept à trente-huit semaines mais l'on ne peut dire que l'enfant était un prématuré.

— Et à la naissance, y a-t-il des tests pratiqués sur chaque bébé dans la salle d'accouchement?

— Oui. Les tests d'Apgar. Ils évaluent la couleur, la respiration, le rythme cardiaque, les mouvements spontanés et les réflexes. Ils sont pratiqués une minute après la naissance et de nouveau cinq minutes plus tard pour déterminer si le bébé est normal.

— Et le bébé Simpson a-t-il été soumis à ces tests?

— Je n'étais pas présent, répondit Mitchell simplement, conformément aux instructions qu'il avait reçues. Au moment de la naissance du bébé Simpson, j'avais la grippe. Il faut que vous vous adressiez au docteur Coleman pour les détails concernant l'accouchement.

— Je vois. Ainsi, vos derniers contacts avec la famille Simpson sont antérieurs à l'accouchement?

— Pas du tout, corrigea Mitchell. Trente-six heures environ après l'accouchement, le docteur Coleman m'a téléphoné. Le bébé commençait à présenter non seulement une élévation alarmante du taux de bilirubine mais des complications de rhésus. Coleman proposait d'adresser le petit au Metropolitan Général où il pouvait profiter de soins plus intensifs mais il désirait mon approbation.

— Et vous la lui avez donnée?

— Malheureusement oui.

Crabtree se leva aussitôt pour protester contre le mot *malheureusement*. Bannon ordonna qu'il soit biffé du compte rendu du plumitif de l'audience.

— Docteur, quand vous avez accepté que l'enfant soit envoyé au Metropolitan, aviez-vous une idée du traitement qui lui serait administré?

— Je pensais qu'ils opéreraient une exsanguino-transfusion.

Crabtree formula une objection énergique. Bannon arbitra en sa faveur.

Franklyn n'avait pas l'intention de pousser son avantage. Plus tard, des experts viendraient affirmer que l'exsanguino-transfusion était préférable à la photothérapie. Il libéra son témoin pour le contre-interrogatoire.

Crabtree commença par tâter le terrain avec précaution. Il s'efforça de ne poser aucune question qui permettrait à Mitchell d'exprimer une opinion sur la méthode de traitement suivie par Chris Grant.

— Docteur Mitchell, vous avez déclaré que, pour être sûr que le sang de Mrs Simpson ne contenait pas d'anticorps, vous aviez fait faire un test de Coombs. A votre avis, ce test est-il infaillible?

Mitchell sourit :

— Aucun test médical n'est infaillible, Mr Crabtree, mais un médecin ne se fie pas au test seul. Si nous considérons l'ensemble des données : un Coombs négatif, une première grossesse, aucune transfusion antérieure, il semble inutile d'approfondir davantage la question.

— Bien que vous admettiez qu'un Coombs ne soit pas infaillible? Et il semble maintenant que celui-ci ait été inexact. N'aurait-il pas été préférable d'en pratiquer un second?

— Pourquoi faire? Tous les renseignements que nous possédions indiquaient que c'était inutile.

Bannon intervint :

— Docteur Mitchell, les avocats vous interrogent ici devant les jurés...

— Voudriez-vous reformuler votre réponse, docteur? demanda Crabtree.

— Compte tenu de tous les facteurs, je n'ai pas jugé utile d'approfondir davantage la question, répéta Mitchell.

— Bien que vous ayez reconnu qu'un test de Coombs n'était pas infaillible? insista Crabtree qui essayait de tirer un élément positif de son contre-interrogatoire.

— Oui, déclara Mitchell.

Crabtree craignit que de nouvelles questions n'amènent Mitchell à formuler un jugement sur le traitement de Grant, aussi préféra-t-il s'en tenir là.

16

Le docteur Robert Coleman était le témoin suivant.

Franklyn fit valoir l'expérience et l'habileté de ce jeune médecin élégant et sympathique puis il se reporta au jour où le docteur Mitchell l'avait prié de le remplacer auprès de sa clientèle pendant qu'il avait la grippe. Ce n'était pas la première fois que Coleman assurait le remplacement de Mitchell aussi n'hésita-t-il pas à assumer cette responsabilité en dépit de son emploi du temps chargé. Mitchell lui avait donné des instructions détaillées sur tous ses patients et notamment sur Mrs Simpson, la fille de John Stewart Reynolds, son ami de longue date.

Dès qu'elle commença à entrer en travail, il la fit hospitaliser. L'accouchement ne fut pas facile mais n'entraîna aucune complication réelle. Franklyn fit ressortir ce détail avec insistance.

— Docteur, avez-vous employé le forceps? demanda-t-il.

— Pas du tout.

— Ainsi, l'enfant ne portait aucune blessure à la tête comme c'est le cas chez les bébés qui sont accouchés au forceps?

— Absolument pas. L'accouchement n'était pas compliqué; l'enfant n'a pas subi la moindre lésion.

— Docteur, étiez-vous présent au moment où les tests Apgar ont été pratiqués?

— Naturellement, répondit Coleman. En fait, bien que ce soit généralement l'infirmière de la salle d'accouchement qui procède aux deux Apgar, j'ai effectué le premier moi-même.

— Et quel résultat avez-vous trouvé?

— Tout est indiqué sur mon rapport.

Franklyn se tourna vers Heinfelden qui tendit le document de l'hôpital. Coleman attesta qu'il s'agissait bien de son rapport. Franklyn le présenta au juge pour identification. Bannon l'examina et le passa à Crabtree qui ne trouva aucune objection à faire. Il s'apprêtait à le restituer lorsque Laura intervint.

— J'aimerais jeter un coup d'œil dessus.

Elle saisit le papier que Crabtree tenait en main et le passa à Chris qui le parcourut attentivement du regard.

— Il est identique à celui que tu as photographié, soupira-t-il. Il n'a absolument rien modifié.

Laura rendit le rapport qui fut remis à Coleman.

— Docteur, d'après votre rapport, quel fut le résultat du test Apgar que vous avez pratiqué sur le bébé Simpson?

— Pour le test Apgar pratiqué une minute après la naissance, le score était sept, c'est-à-dire tout à fait normal.

— Et celui de cinq minutes?

— Effectué par l'infirmière. Le score était neuf, répondit Coleman en vérifiant.

— Vous en êtes-vous tenu à ces tests, docteur?

— Non, j'ai procédé à un examen complet. Le nouveau-né était en parfaite santé.

— L'avez-vous noté?

— Comme vous pouvez le voir, dit Coleman en brandissant son rapport.

— Docteur Coleman, qu'avez-vous fait après avoir terminé votre examen?

— J'ai dit à l'infirmière de surveiller l'enfant et de me faire part de tous les changements qui pourraient survenir dans son état. J'ai inscrit le régime approprié au bébé dans le registre puis je suis sorti.

— Pour assurer votre service auprès de vos autres malades?

— Oui.

— Et, à votre avis, les mesures que vous aviez prises étaient suffisantes dans cette situation?

— Oui, étant donné qu'il s'agissait d'un accouchement relativement normal et d'une première naissance, sans complication de rhésus.

— Avez-vous constaté des signes de jaunisse à ce moment-là?

— Absolument pas.

— Etes-vous retourné voir l'enfant au cours de vos tournées de l'après-midi?

— Non. J'avais une urgence. Une grossesse extra-utérine qui nécessitait une intervention immédiate. Naturellement, il a fallu que je m'occupe de ce cas-là en priorité mais j'étais en contact constant avec le personnel de la salle des nouveau-nés.

— Et que vous disait-on?

— Que le bébé Reynolds... je veux dire le bébé Simpson... se portait très bien. Il mangeait normalement et gardait la nourriture. Il ne donnait apparemment aucun motif d'inquiétude.

— Et son état est resté satisfaisant?

— Malheureusement non. Le lendemain matin, une infirmière m'a informé que le bébé présentait une légère coloration de jaunisse.

— Alors, qu'avez-vous fait?

— J'ai immédiatement prescrit une bilirubine et un test de Coombs et j'ai laissé des instructions pour qu'on m'apppelle dès que les résultats seraient transmis par le laboratoire, même si j'étais en chirurgie. J'avais deux hystérectomies à pratiquer dans l'après-midi.

— Vos instructions ont-elles été suivies?

— A la lettre mais quand les résultats sont arrivés, j'ai été convoqué en chirurgie.

— Et alors?

— J'ai examiné les rapports du laboratoire dès mon arrivée en pédiatrie.

— Et qu'avez-vous constaté?

— Le taux de bilirubine était de quatorze.

— Etait-ce alarmant à votre avis?

— C'est beaucoup dire. Tant que le taux de bilirubine est inférieur à vingt, le malade n'est pas réellement en danger mais, à partir de quatorze, je tiens à le surveiller d'autant plus qu'en l'occurrence ce test de Coombs révélait que l'enfant souffrait d'une incompatibilité de rhésus.

— Quand vous avez constaté cela, qu'avez-vous fait?

— J'ai ordonné une seconde bilirubine et j'ai attendu sur place le résultat. Je ne voulais pas perdre de temps.

— Et quel fut le résultat de ce second test, docteur Coleman?

— En attendant qu'il me parvienne, j'ai appelé le docteur Mitchell chez lui pour lui faire part de la situation. Il m'a conseillé d'envoyer l'enfant au Metropolitan sur-le-champ.

— Ce conseil vous a-t-il paru insolite, docteur?

— Non. Les transferts se font couramment.

— Docteur, pouvez-vous expliquer aux jurés pourquoi un médecin aussi expérimenté que vous a accepté de transférer un nouveau-né au Metropolitan General?

— Le Metropolitan avec sa faculté annexe possède un personnel médical bien supérieur en nombre à celui de la polyclinique qui est un établissement privé. Le bébé Simpson avait besoin d'être constamment surveillé. Franchement, j'aurais préféré le garder mais, avec la clientèle du docteur Mitchell ajoutée à la mienne, j'ai pensé qu'il valait mieux pour lui que je le confie à d'autres spécialistes.

— Une fois cette décision prise qu'avez-vous fait?

— J'ai appelé Mr Reynolds et il a dit...

Crabtree intervint :

— Mr Reynolds répétera ce qu'il a dit. Autrement, c'est un témoignage indirect et nous faisons objection.

Bannon fit un signe d'assentiment. Franklyn poursuivit :

— Docteur Coleman, avez-vous appelé le Metropolitan General vous-même?

— Non.

— Pourquoi?

Coleman jeta un coup d'œil à Bannon.

— Je ne peux pas répondre à cette question sans parler de ma conversation avec Mr Reynolds.

Bannon réfléchit un moment puis il décida :

— Contentez-vous d'expliquer ce que vous avez dit et fait.

— J'ai appelé Mr Reynolds puis j'ai reçu un coup de téléphone du docteur Sobol qui m'avertissait qu'une ambulance venait chercher le bébé Simpson. Il m'a demandé de préparer une copie du rapport concernant l'enfant. C'est ce que j'ai fait.

— Dites-moi, docteur Coleman, quand vous avez procédé à votre dernier examen du bébé Reynolds... du bébé Simpson, avez-vous remarqué des signes de troubles neurologiques?

— Aucun, comme l'indique mon rapport.

— De sorte que les seuls problèmes qui se posaient concernaient la jaunisse, le Coombs positif et le taux de bilirubine?

— Exactement.

— Avez-vous eu l'occasion d'examiner le bébé Simpson depuis?

— Non. Quand le bébé Simpson est sorti du Metropolitan, le docteur Mitchell était remis de sa grippe.

— Vous pouvez donc affirmer que chaque fois que vous avez examiné l'enfant, il était absolument exempt de tout trouble neurologique.

— Je suis tout à fait positif à cet égard, dit Coleman avec une parfaite conviction.

Franklyn se détourna, indiquant qu'il avait terminé son interrogatoire.

Crabtree se leva pour commencer le contre-interrogatoire mais sans grand enthousiasme. Coleman avait été un témoin satisfaisant pour la partie demanderesse. Il n'offrait guère de prise.

— Docteur Coleman, pourquoi avez-vous choisi de transférer votre patient au Metropolitan?

— J'ai déjà répondu à cette question. Ils ont là-bas tout le personnel et l'équipement nécessaires pour les soins intensifs. Je ne pouvais consacrer à mon malade autant de temps que je l'aurais souhaité.

— Votre choix nous permet-il de conclure que vous considériez le Metropolitan comme un hôpital de première classe?

— Oui.

— Possédant un personnel de premier ordre?

— Oui, admit Coleman un peu moins fermement.

— Vous n'auriez pas choisi le Metropolitan si vous n'aviez pas eu la plus grande confiance dans la compétence de son personnel, n'est-ce pas?

— Non, naturellement.

Coleman avait légèrement hésité. Il se demandait où Crabtree voulait en venir.

— Si vous aviez eu des doutes concernant la compétence de son personnel, vous auriez commis une faute professionnelle en envoyant un malade à cet établissement?

— Ma décision était fondée sur l'excellente réputation de cet hôpital.

— Et sur la réputation de son département de pédiatrie?

— Oui.

— Connaissez-vous la réputation du docteur Michael Sobol?

— Oui. Elle est excellente.

— Avez-vous lu quelques-uns de ses articles?

— Oui. Sur le plan professionnel, ils sont très intéressants.

— Docteur Coleman, connaissez-vous le docteur Christopher Grant de réputation?

— Non et si j'avais su que le bébé Simpson allait échouer entre ses mains, je n'aurais jamais consenti à l'adresser au Metropolitan.

Chris fit un mouvement pour se lever; Laura le retint doucement mais fermement. Chris chuchota avec colère.

— Je veux l'interroger.

— Tu ne peux pas. Tu n'es pas avocat.

— Alors je veux dire un mot à Crabtree, insista Chris.

Bannon le rappela indirectement à l'ordre.

— Monsieur l'avocat veut-il veiller à ce que son client n'interrompe pas le déroulement de ce procès, dit-il à Crabtree.

Crabtree tança vertement le jeune médecin.

— Cette attitude ne va pas arranger vos affaires, docteur.

— Il ne faut pas qu'il s'en tire aussi facilement.

— Habituez-vous tout de suite à vous entendre traiter de la sorte, Grant, nous n'en sommes encore qu'au commencement. N'oubliez pas que c'est vous qui avez voulu ce procès.

— Interrogez-le donc sur le coup de téléphone, dit Chris.

— Quel coup de téléphone?

— Je l'ai appelé pour lui demander des détails qui n'étaient pas portés sur le rapport. Il n'a même pas été capable de me dire à quel moment les premiers signes de jaunisse sont apparus.

— Est-ce si important?

— Je comprends que c'est important. Un bébé qui présente une jaunisse au cours des premières vingt-quatre heures court de plus grands risques.

Pour la première fois, Crabtree parut sincèrement intéressé.

— Est-ce tout?

— Non, demandez-lui aussi quel a été le résultat de la seconde analyse de bilirubine.

— Et puis?

— Voyons d'abord ce qu'il va répondre.

Crabtree se tourna vers le témoin.

— Docteur Coleman, avez-vous eu un entretien avec le docteur Grant au sujet du bébé Simpson?

— Oui. Par téléphone.

— Est-ce vous qui l'avez appelé ou est-ce lui?

— C'est lui. Il voulait un renseignement qui ne figurait pas sur la copie du rapport que la clinique avait envoyée avec l'enfant.

— Quel renseignement?

— Il voulait savoir qui avait constaté les premiers signes de jaunisse. Je lui ai dit, comme je l'ai dit à Mr Franklyn, que c'était l'infirmière.

— Docteur, pourquoi l'heure à laquelle ces signes sont apparus n'est-elle pas indiquée sur le rapport?

— Je l'ignore.

— Pensez-vous qu'il aurait été souhaitable que l'autre médecin possède ce renseignement?

— Je le crois, oui.

— Docteur, n'est-il pas absolument *indispensable* qu'un médecin connnaisse l'heure exacte puisqu'un enfant qui présente une jaunisse dans les premières vingt-quatre heures court des risques plus grands que celui qui contracte cette maladie deux ou trois jours plus tard?

— Exact. Et j'ai dit au docteur Grant que l'infirmière n'avait constaté les symptômes qu'à la fin des premières vingt-quatre heures.

Chris adressa un signe à Crabtree mais celui-ci haussa les épaules et se pencha sur ses notes. Tout en continuant à les fixer des yeux, il demanda brusquement :

— Docteur Coleman, vous déclarez que vous avez ordonné une seconde analyse de bilirubine. Pouvez-vous nous dire ce qu'elle a révélé?

— Ma foi non. Puisque le bébé était transféré au Metropolitan, le rapport de notre laboratoire n'offrait plus d'intérêt. Je savais qu'ils allaient faire d'autres analyses à l'hôpital.

— Vous n'étiez pas curieux de connaître le résultat?

— Mr Crabtree, sous la pression de sa clientèle quotidienne, un médecin n'a déjà pas le temps de satisfaire sa curiosité; or, à l'époque, j'assurais en plus le remplacement du docteur Mitchell.

— Avez-vous essayé de joindre le docteur Grant pour lui demander des nouvelles du bébé?

— Puisque je le supposais en de bonnes mains, je présumais aussi qu'il recevrait les meilleurs soins. Franchement, j'ai eu des remords depuis. Si j'avais eu la moindre idée du genre de thérapie que le docteur Grant pratiquait...

Crabtree se leva.

— Objection!

Mais Coleman enchaîna :

— Je serais allé moi-même là-bas pour reprendre l'enfant.

Bannon fit retentir son marteau pour empêcher Coleman d'achever sa phrase mais ce fut inutile comme le fut l'ordre de n'en tenir aucun compte. Crabtree décida de ne pas poursuivre son contre-interrogatoire plus avant. Il sentait qu'il avait éveillé quelques doutes sur la valeur du témoignage de Coleman. Il savait cependant que Franklyn était ravi que la question de la photothérapie ait été soulevée avec autant d'acrimonie. L'appétit des jurés était aiguisé. Franklyn allait leur donner le temps de méditer sur cette question.

Crabtree regagna sa place. Chris chuchota avec colère :

— Bon Dieu! pourquoi lui avez-vous permis de s'en sortir

ainsi? Comment ne s'est-il pas préoccupé de cette seconde bilirubine?

Crabtree se tourna vers lui :

— Ecoutez docteur, tenez-vous en à votre médecine. Laissez-moi m'occuper des questions de droit. Nous avons une règle fondamentale en matière de contre-interrogatoire : ne jamais poser de questions dont nous ne pouvons prévoir la réponse. Comment saurions-nous ce que la seconde analyse a révélé?

17

Conformément à sa tactique, Harry Franklyn rappela le docteur Mitchell à la barre dans l'après-midi.

— Docteur Mitchell, quel était votre but en adressant le bébé Simpson à l'hôpital Metropolitan?

Crabtree se leva :

— Objection.

— Ecoutons d'abord la réponse, ordonna Bannon.

— Je pensais que le Metropolitan pouvait assurer de meilleurs soins intensifs à l'enfant car il possède un personnel plus important. A Parkside nous avons d'excellents praticiens mais le Metropolitan dispose d'un meilleur équipement. Par exemple, pour l'exsanguino-transfusion, opération nettement indiquée...

Crabtree l'interrompit. A contrecœur, Bannon admit son objection. Franklyn sourit et poursuivit :

— Vous n'avez eu aucune hésitation à adresser l'enfant au Metropolitan?

— Pas à l'époque, dit Mitchell.

— Mais vous avez fait des réserves plus tard.

— Il était impossible de ne pas faire de réserves plus tard en raison de ce qui s'est passé par la suite.

— Que s'est-il passé?

Franklyn posa cette question comme si elle faisait partie de la routine mais elle était destinée à bien établir la situation fondamentale sur laquelle le procès reposait.

— Vous voulez parler du jour où j'ai reçu ce terrible coup de téléphone de Mr Reynolds?

Bannon se pencha en avant :

— Docteur Mitchell, laissez Mr Franklyn conduire l'interrogatoire. Il en est très capable comme vous pouvez vous en rendre compte.

Mitchell eut un sourire contrit :

— Je regrette, votre Honneur.

Franklyn alla se placer à une extrémité du banc des jurés, forçant ainsi Mitchell à leur faire face. La manœuvre n'échappa pas à Laura qui poussa Chris du coude. Il était clair que Franklyn comptait beaucoup sur le second témoignage de Mitchell. Laura et Chris se penchèrent, prêts à prendre des notes.

— Docteur Mitchell, reprit Franklyn sans élever la voix, vous venez de faire allusion à un appel téléphonique de Mr John Reynolds. Puis-je vous ramener à une période antérieure afin que le jury puisse suivre le déroulement des faits. Quels ont été vos contacts avec le bébé Simpson après sa sortie du Metropolitan?

— A ce moment-là, j'étais remis de ma grippe et en état d'examiner l'enfant. Il était apparemment en bonne santé. Cependant, j'ai étudié la copie du rapport du Metropolitan.

— Avez-vous été favorablement impressionné par les résultats fournis?

— Oui et non.

— Veuillez préciser.

— J'ai été favorablement impressionné par les résultats *apparents*. Les analyses de laboratoire indiquaient une diminution du taux de bilirubine. Les fiches révélaient que les organes vitaux de l'enfant étaient en bon état. J'estimais que nous avions eu de la chance.

— De la chance?

— C'est ce que j'entendais en disant oui et non. J'ai été satisfait des résultats apparents mais pas de la méthode de traitement employée au Metropolitan.

Avant de poursuivre, Franklyn jeta un coup d'œil du côté des jurés pour se rendre compte de l'intensité de leur intérêt.

— A quel traitement faites-vous allusion, docteur?

— A cette... photothérapie.

— Pourriez-vous exposer aux jurés ce qu'est exactement la photothérapie?

— Eh bien, commença Mitchell sur un ton réprobateur, c'est un traitement de la jaunisse qui consiste à placer le malade sous une batterie de tubes fluorescents pendant un temps qui varie de quelques heures à quelques jours.

Franklyn prit un air incrédule comme s'il n'avait jamais entendu parler de cette technique.

— Docteur, voulez-vous dire que la méthode que vous décrivez est une forme de traitement admise?

— Certains médecins la croient efficace.

— Quand avez-vous appris qu'elle avait été utilisée pour le bébé Simpson?

— Quand je l'ai lu sur la copie du rapport qui accompagnait l'enfant à sa sortie du Metropolitan.

— Avez-vous été troublé?

Crabtree se leva à demi.

— L'avocat influence le témoin.

Franklyn s'inclina courtoisement devant Crabtree.

— Docteur Mitchell, quelle a été votre réaction lorsque vous avez eu ce rapport?

— J'ai été profondément troublé, répondit Mitchell, reprenant le terme que Franklyn lui avait suggéré.

— Voulez-vous dire pourquoi?

— A mon avis, la photothérapie est un traitement encore trop incertain en raison de ses effets secondaires et elle est loin d'être aussi satisfaisante que l'exsanguino-transfusion.

— Bien que cette méthode soit utilisée dans certains hôpitaux réputés excellents? demanda Franklyn comme s'il mettait en doute les paroles de son propre témoin.

— C'est le danger des hôpitaux qui pratiquent la médecine académique. Evidemment il faut des établissements de formation pour les jeunes gens mais ils sont trop enclins à pencher du côté de l'expérimentation.

— Objection! rugit Crabtree.

Mais le juge et les jurés étaient trop intéressés par cet aspect de l'exposé de Mitchell.

— Objection rejetée, dit Bannon, l'oreille tendue pour écouter Mitchell.

Celui-ci reprit :

— Il y a une grande différence entre les hommes qui pratiquent la médecine en tant que profession et ceux qui la considèrent comme un champ d'expérimentation.

Mitchell s'interrompit, hésitant à dévoiler devant des profanes les rivalités existant entre les professionnels.

Mais Franklyn était pressé de voir la déclaration de Mitchell inscrite dans le rapport du procès avant que Crabtree n'élève une objection.

— La médecine académique a tendance à abandonner les procédés qui ont fait leurs preuves pour les méthodes nouvelles et expérimentales simplement afin de se rendre compte des résultats.

— En somme le patient leur sert de cobaye? dit Franklyn.

Crabtree bondit sur ses pieds et Bannon approuva son objection. Franklyn retira son observation et reprit :

— Docteur, pourquoi un médecin agirait-il ainsi?

— Pourquoi? Mais comment les jeunes gens se feraient-ils une réputation autrement? Ils mettent au point leurs expériences, ils écrivent leurs articles, ils les publient dans des journaux médicaux de toute sorte. Leur avancement dépend de ce qu'ils ont publié au cours des deux dernières années.

Mitchell aurait continué si Crabtree n'avait pas fait opposition.

Mais Bannon jugea que ce témoignage entrait dans le cadre du procès et autorisa Mitchell à poursuivre. Franklyn l'encouragea :

— Docteur, parlez au jury de cet aspect de la médecine qui, j'en suis sûr, est aussi intéressant pour eux qu'il l'est pour moi.

— Il me paraît naturel qu'il y ait des heurts entre les hommes qui pratiquent la profession et ceux qui l'enseignent. Leurs impératifs sont différents. Nous autres praticiens, avons à traiter des problèmes quotidiens. Quand vient le moment d'appliquer un traitement, nous adoptons une attitude différente. Nous sommes plus méticuleux, plus prudents, plus conservateurs. En un mot, nous préférons n'avoir pas de reproches à nous faire.

— Comment cela s'applique-t-il au cas qui nous occupe?

— Je suis sûr que si le malheureux enfant avait subi une exsanguino-transfusion, nous ne serions pas ici à l'heure qu'il est. Il serait parfaitement normal et bien portant, déclara Mitchell.

— Docteur, à quel moment avez-vous constaté pour la première fois que cet enfant souffrait de lésions cérébrales?

— Le jour où Mr Reynolds m'a téléphoné pour me demander de venir examiner son petit-fils.

— Et qu'avez-vous conclu de votre examen?

— Aucun doute n'était possible : l'enfant avait le cerveau atteint.

— Son état s'est-il modifié depuis?

— Il s'est aggravé.

Franklyn se rapprocha de Mitchell.

— Docteur, donnez-nous votre avis d'expert sur la cause de la lésion cérébrale de cet enfant.

— Si je me fonde sur les analyses, les rapports et le traitement, je suis convaincu que la seule cause possible est la photothérapie appliquée par le docteur Grant.

— Comment pouvez-vous déterminer cette cause avec autant de certitude?

— Parce que, à aucun moment, le taux de bilirubine indiqué n'a dépassé seize milligrammes pour cent millilitres de sang. Un enfant né seulement deux semaines avant terme et pesant deux kilos six cents grammes ne risque pas de lésion cérébrale pour un taux de bilirubine qui n'excède pas vingt.

— Pourquoi attachez-vous tant d'importance au poids de l'enfant et au fait qu'il soit né seulement deux semaines avant terme?

— Parce que, chez un véritable prématuré, pesant moins de deux kilos cinq cents grammes, une bilirubine peut éventuellement créer des lésions à moins de vingt. Mais dans le cas du bébé Simpson il n'en était pas ainsi.

— Docteur Mitchell, si on vous avait demandé votre avis

à l'époque où le bébé Simpson fut confié au docteur Grant auriez-vous approuvé sa décision d'employer la photothérapie?

— Certainement pas.

— Auriez-vous préconisé une exsanguino-transfusion?

— Sûrement.

— Donc, d'après vous, docteur Mitchell, l'emploi de la photothérapie est contraire à la saine pratique de la médecine? demanda Franklyn en élevant la voix.

Chris sentit Laura se raidir. Elle l'avait averti que, dans tout procès pour faute professionnelle, la question clé était de savoir si le défenseur s'était écarté de la saine pratique de la médecine. Une fois la question posée, si la réponse était affirmative, Chris risquait de s'aliéner la majorité des membres du jury. Il attendit la conclusion de Mitchell.

— A mon avis, dans ce cas, l'emploi de la photothérapie est contraire à la saine pratique de la médecine, déclara Mitchell fermement.

— Encore une question, docteur : dans l'état actuel du développement de la photothérapie, croyez-vous nécessaire qu'un médecin informe les parents ou le tuteur de l'enfant qui va être soumis à ce traitement et obtienne leur consentement?

— Le parent responsable de tout patient doit être informé de tous les risques avant d'autoriser une thérapie quelle qu'elle soit. D'après ce que je sais, rien de tel n'a été fait en l'occurrence.

— Objection pour cette dernière phrase.

— Supprimez-la du plumitif, ordonna Bannon au greffier.

— Ce sera tout, docteur, dit calmement Franklyn qui retourna à sa place.

Il ne cachait pas sa satisfaction. Il avait posé de solides fondements sur deux plans : faute professionnelle et absence de consentement donné en connaissance de cause.

Crabtree demanda une brève suspension d'audience pour conférer avec son client. En fait, il voulait surtout donner à Mitchell le temps de se calmer. Certains témoins s'échauffent au cours de leur déposition. S'ils ont l'occasion de se détendre, leur élan est freiné et ils sont plus faciles à manier pendant le contre-interrogatoire.

Crabtree, Waller, Chris et Laura sortirent et se groupèrent dans le couloir.

— Mitchell est-il vulnérable sur certains points de la médecine? demanda Crabtree.

— Sans doute, répondit Chris. Regardez tous ces articles que je vous ai donnés sur la photothérapie, les hôpitaux où ce procédé est utilisé, les statistiques concernant des milliers de cas.

— J'ai tout cela. Je vous demande s'il a commis des erreurs sur le plan médical? Le traitement qu'il préconise est-il attaquable?

— Les documents que nous vous avons donnés sur l'exsanguino-transfusion contiennent de quoi l'embarrasser.

Chris entreprit de faire ressortir les différences existant entre les deux écoles de pensée médicale.

Crabtree l'interrompit :

— Je sais tout cela. C'est insuffisant. Deux écoles de pensée différente s'attaquent mutuellement, c'est normal mais je ne vois là aucun élément qui permette d'attaquer Mitchell sur le plan personnel ou professionnel. Il faudrait trouver une faille dans son témoignage afin de le prendre au piège car il nous fait un tort considérable.

— Si nous pouvions avoir une copie du rapport des séances, dit Laura en réfléchissant. Je suis sûre que Coleman a déclaré que c'était Mitchell qui lui avait suggéré d'envoyer le bébé au Metropolitan alors que Mitchell a dit le contraire.

— C'est juste, dit Chris.

— Il faut que je vérifie avant d'aborder ce sujet dit Crabtree. Mitchell est très fort, je ne voudrais pas passer pour un imbécile.

L'huissier annonça que la séance reprenait. Avant d'atteindre la porte, Chris et Laura virent le jeune Juan Melez qui s'approchait.

— Docteur Grant, commença-t-il.

— Pas de commentaires, dit Laura.

Melez sourit.

— Ecoutez je suis ici parce que les jeunes mères de mon quartier réclament *El Medico*. Elles ont appris qu'il était au tribunal au lieu d'assurer son service à l'hôpital et elles sont bouleversées. Je viens pour voir si je peux aller les rassurer. J'ai peur que ce ne soit dur pour vous, docteur, vraiment dur. Si je peux vous rendre un service quelconque...

— Nous devons retourner dans la salle, dit Laura.

— C'est bon. Rappelez-vous que je suis à votre disposition.

Mitchell retourna à la barre. Crabtree, une liasse de notes dans la main, se leva pour le contre-interrogatoire. Il dut attendre quelques minutes que le silence se fasse car, depuis le milieu de la matinée, la salle se remplissait d'heure en heure.

Enfin, le juge Bannon réussit à rétablir le calme.

Crabtree décida d'attaquer immédiatement. S'il réussissait à ébranler l'assurance de Mitchell dès le début il pourrait le dominer pendant le reste du contre-interrogatoire. Regardant ses notes dont aucune ne portait l'information qu'il allait utiliser, Crabtree demanda :

— Docteur Mitchell, au cours de vos discussions avec le docteur Coleman concernant ce cas, étiez-vous toujours parfaitement d'accord tous les deux?

— Parfaitement. Nous étions tous deux choqués par la méthode de traitement du docteur Grant et épouvantés par ses effets.

— Vous n'avez jamais été en désaccord? insista Crabtree.

— Jamais. Ni au moment où nous avons décidé d'envoyer le bébé Simpson au Metropolitan, ni quand nous avons découvert la nature de la méthode utilisée ni dans aucune des conversations que nous avons pu avoir depuis.

Bien que Mitchell lui en eût dit plus qu'il n'en demandait, Crabtree ne l'arrêta pas. Plus le témoin était sûr de lui plus il serait facilement démonté par la suite.

— Docteur, connaissez-vous le docteur Michael Sobol depuis longtemps?

— Plusieurs années. Un homme éminent dans son domaine. J'ai eu peine à croire qu'il patronnait un homme comme le docteur Grant.

— Si vous aviez su que le docteur Grant était le collaborateur de Sobol, auriez-vous été aussi prompt à conseiller le transfert du bébé Simpson au Metropolitan?

— Mais... ce n'est pas moi qui ai conseillé le transfert de l'enfant. C'est le docteur Coleman. Bien sûr j'ai été d'accord...

— Bizarre, dit Crabtree en se tournant vers le greffier. Mr Blau, voudriez-vous avoir l'obligeance de lire la question et la réponse que je vous ai signalées dans la déposition du docteur Coleman?

Le greffier questionna le juge du regard. Bannon acquiesça gravement. Blau lut :

— Question de Mr Franklyn; « quel fut le résultat de ce second test? » Réponse du docteur Coleman « En attendant qu'il me parvienne j'ai appelé le docteur Mitchell chez lui pour lui faire part de la situation. Il m'a conseillé d'envoyer l'enfant au Metropolitan sur-le-champ. »

— Merci, dit Crabtree satisfait de constater que Mitchell changeait de visage. Ainsi, d'après le docteur Coleman, c'est *vous* qui avez conseillé le transfert de l'enfant. Maintenez-vous que c'est lui?

— Il me semble... pour autant que je m'en souvienne, que c'est le docteur Coleman. Quoique...

— Quoique? insista Crabtree car sa tactique produisait l'effet voulu.

Voyant que Mitchell ne répondait pas, il répéta :

— Quoique, docteur?

— Quoique je ne voie pas très bien la différence du moment que nous étions tous deux d'avis que c'était la meilleure chose à faire.

— J'essayais simplement de vérifier l'exactitude de votre déclaration selon laquelle le docteur Coleman et vous-même étiez d'accord sur tous les points concernant ce procès. Pouvons-nous dire que voilà au moins un point sur lequel vous êtes en contradiction?

— Si cela peut vous faire plaisir, concéda Mitchell qui haussa les épaules comme pour marquer son indifférence.

Mais Crabtree se rendit compte que le médecin avait été ébranlé.

— Docteur Mitchell, lisez-vous les publications qui ont paru sur la photothérapie?

— Je me fais un point d'honneur de me tenir au courant de tous les nouveaux développements de la médecine.

— Si l'on vous demandait à brûle-pourpoint combien d'hôpitaux pratiquent la photothérapie, que diriez-vous?

Mitchell fixa le plafond du regard un moment et répondit :

— Plusieurs centaines.

— Pourrions-nous être un peu plus précis : deux cents, trois, quatre, cinq cents? Qu'entendez-vous par plusieurs centaines?

— Plusieurs centaines, répéta Mitchell, mais si je devais être plus précis je dirais trois ou quatre cents.

— Docteur Mitchell, seriez-vous étonné si je vous disais que des centaines d'hôpitaux utilisent la photothérapie?

— Je n'en serais ni surpris ni impressionné. Ce n'est pas parce qu'elle est répétée qu'une erreur doit être approuvée par le corps médical...

— Etes-vous toujours porté à être conservateur quand il s'agit de l'adoption de nouvelles méthodes ou de nouveaux remèdes?

Mitchell sourit :

— Les médecins expérimentés ont un principe; essayer toute nouvelle thérapie sur des étrangers d'abord, ensuite sur leurs patients et l'employer pour les membres de leur famille si les deux premiers groupes ont survécu.

Cette boutade amusa même les membres du jury qui se mirent à rire à gorge déployée. Bannon n'essaya pas de leur imposer silence bien qu'il fixât sur les spectateurs un regard irrité. Pour ne pas aller à contre-courant, Crabtree se permit un sourire.

— Docteur, pensez-vous que les jeunes médecins sont plus enclins que les anciens à adopter les nouvelles techniques?

— Les anciens ont généralement plus de discernement. Les jeunes cherchent à arriver et acceptent plus volontiers les nouvelles techniques, surtout à notre époque.

— A notre époque?

— Les jeunes médecins ont tendance à se laisser politiser

et à faire de l'activisme. Essayez donc d'obtenir de certains d'entre eux qu'ils se présentent dans un hôpital avec des cheveux d'une longueur convenable ou sans barbe.

— Vous êtes contre le port de la barbe pour les médecins?

— Absolument! L'aspect général d'un médecin est un élément important de sa conduite professionnelle. Il influe sur le moral du malade.

— Certains médecins célèbres portaient la barbe pourtant. Sigmund Freud par exemple.

— Je n'aurais pas confié l'un de *mes* malades à Sigmund Freud. Le nombre des guérisons qu'il a obtenues est très réduit.

Crabtree sourit :

— Docteur, reprochez-vous aux jeunes médecins leur apparence ou leur tendance à accepter les nouvelles méthodes de thérapie?

— Le second point en tout cas.

— Et réprouvez-vous l'emploi de la photothérapie, le traitement utilisé dans le cas présent?

— Absolument.

Crabtree changea soudain de terrain.

— Docteur, savez-vous qu'une exsanguino-transfusion peut entraîner des complications sérieuses?

— Evidemment.

— Pouvez-vous en exposer quelques-unes au jury?

— Si vous voulez, répondit Mitchell à contrecœur. Dans certains cas, ce procédé peut provoquer une infection ou un choc mais le taux de mortalité est très bas.

— Ainsi l'exsanguino-transfusion que vous auriez prescrite dans ce cas peut entraîner des complications?

— Tous les traitements comportent des risques mais l'exsanguino-transfusion est le traitement le plus efficace et le pourcentage de risques est infime.

— Docteur, connaissez-vous un cas où la photothérapie ait provoqué une infection chez un bébé?

— Une infection? Je ne vois pas le rapport... protesta Mitchell.

Franklyn se leva.

— Votre Honneur, le docteur Mitchell a raison. La question est inopportune.

Bannon approuva d'un signe et se tourna vers Crabtree mais celui-ci le devança :

— Votre Honneur, l'objet de ce procès est l'application d'une certaine forme de thérapie à un enfant en bas âge. Il me semble absolument opportun de découvrir les autres formes de thérapie que les défendeurs pouvaient adopter.

Bannon hésita, enfin il murmura :

— Je vous autorise à poursuivre.

— Docteur, je répète ma question : connaissez-vous un cas où la photothérapie ait provoqué une infection chez un bébé?

— Non, je n'en connais pas.

— Connaissez-vous un cas où la photothérapie ait entraîné des convulsions chez un bébé?

— Non.

— Ou une irrégularité du rythme cardiaque?

— Non.

— Et pourtant une exsanguino-transfusion peut engendrer des complications de ce genre?

— Non, pas si elle est pratiquée convenablement. Une exsanguino-transfusion doit être effectuée très lentement. Si l'enfant commence à réagir, s'il présente le moindre signe clinique de malaise l'opération doit être interrompue sur-le-champ.

— Docteur, est-il juste de dire que le second traitement qui aurait pu être appliqué par le docteur Grant ne comportait aucun risque? En fait, il aurait pu se révéler beaucoup plus dangereux que la photothérapie utilisée.

— Pas du tout, protesta Mitchell.

— Malgré tout ce que vous venez de dire?

— Oui! Au moins avec une exsanguino-transfusion, les effets sont combattus alors qu'avec la photothérapie, on ne sait jamais. Les effets peuvent se produire plusieurs semaines ou même, comme dans le cas présent, plusieurs mois plus tard.

— Objection, dit Crabtree. Rien ne prouve que la photothérapie soit responsable de l'état de l'enfant.

Bannon se pencha pour fixer Crabtree du regard.

— Mr Crabtree, dit-il, la Cour vous a laissé une grande latitude dans votre contre-interrogatoire. Je crois que vous êtes tenu d'admettre les résultats. Votre objection est rejetée. La réponse du docteur Mitchell est maintenue.

Laura avait saisi le poignet de Chris pour l'empêcher d'interpeller son confrère. Plus le témoignage de Mitchell avait été préjudiciable au jeune médecin plus celui-ci avait intérêt à se contenir. Une confrontation avec Mitchell lui aurait attiré une sévère réprimande et produit un effet désastreux sur le jury.

Crabtree essaya de se tirer dignement du piège qu'il s'était tendu.

— Lorsque mon client viendra à la barre, il saura vous répondre, docteur Mitchell, dit-il.

— Je serais curieux d'entendre ce qu'il aura à dire, railla Mitchell d'un air de défi.

Il était trop tard pour procéder à un nouvel interrogatoire. Bannon libéra les jurés après leur avoir recommandé de n'engager aucune discussion relative au procès.

Paul Crabtree, Avery Waller, Chris Grant et Laura Winters se tenaient sur le haut des marches du Palais de justice. Ils avaient l'air sombre et préoccupé. Crabtree essaya de remonter le moral de ses compagnons :

— La partie plaignante obtient toujours satisfaction le premier jour, déclara-t-il.

Chris explosa :

— Nous aurions dû attaquer Mitchell plus violemment.

— Je ne me tracasserais pas pour cela, dit Crabtree. Je me demande pourquoi Franklyn ne l'a pas exploité davantage. Que nous réserve-t-il?

— Ce salopard de Mitchell est partial et rétrograde, gronda Chris. Il aurait fallu le faire ressortir devant le jury.

— Ecoutez, docteur, rétorqua Crabtree, quand vous voudrez assumer la défense, dites-le et je plierai bagage.

— Paul, nous n'allons pas nous disputer entre nous, intervint Waller. Cette première journée a été décevante mais celle de demain sera peut-être meilleure.

— Vous connaissez Harry Franklyn; ce n'est pas le premier jour qu'il met le paquet.

Crabtree tourna les talons et commença à descendre les marches. Waller le suivit et essaya de l'apaiser.

— Vous êtes un peu nerveux, Paul. La situation ne se présente pas si mal.

— Vraiment? Mon instinct me dit le contraire. Il ne s'agit pas seulement de la déposition de deux médecins très distingués dont le témoignage est quasi inattaquable. Ma petite manœuvre au sujet de la décision du transfert de l'enfant n'a trompé personne. Les deux témoins étaient d'accord sur tous les points importants. Je n'ai pu les embarrasser.

— Vous n'en avez pas eu l'occasion. Mais il s'en présentera bien une.

— Avec Harry Franklyn? fit Crabtree avec un sourire amer. Vous ai-je dit que la compagnie d'assurances lui avait offert une rente à vie pour s'assurer ses services.

— Vraiment?

— Et ce n'est pas pour qu'il travaille pour elle mais pour qu'il ne travaille pas contre elle. Le montant de la rente s'élevait à un demi-million de dollars par an. Il a refusé.

— Avec sa clientèle et sa réputation, je le comprends.

— J'ai l'intention de défendre ma propre réputation envers et contre tous, fût-ce contre Franklyn mais il me faut un élément pour travailler. Nous n'en avons aucun.

18

Le deuxième jour, Harry Franklyn appela à la barre le docteur Walter Lawler, un psychopédiatre éminent et, après avoir énuméré ses qualifications, il entreprit son interrogatoire.

— Docteur Lawler, avez-vous examiné un bébé nommé John Reynolds Simpson.

— Oui.

— Qu'avez-vous constaté?

— L'enfant était atteint de lésion cérébrale. Il n'a pas réagi normalement aux tests. Pour un enfant de plus de un an, il était extrêmement en retard.

— Ces tests sont-ils ceux que vous pratiquez d'habitude pour établir un diagnostic de retard mental?

— Ce sont les tests que pratiquent tous les psychopédiatres.

— Docteur, d'après l'expérience que vous avez acquise dans votre spécialité, vous croyez que le mal est curable?

— Il est irréversible, affirma Lawler.

— Même en cas de nouvelles découvertes de la science?

— Il est incurable. Le tissu cérébral ne se régénère pas. Une fois que le mal est fait il est fait. Irréversible signifie qu'aucun changement ne peut intervenir.

— Docteur, en vous fondant sur les tests que vous avez effectués, pourriez-vous évaluer le niveau des facultés actuelles ou futures du bébé Simpson?

— A mon avis, il ne dépassera jamais l'âge mental d'un enfant de six ans.

Franklyn garda le silence un moment pour que les jurés

comprennent bien toute l'étendue des ravages. Après avoir consulté ses notes, il reprit :

— Docteur, pourriez-vous nous exposer les diverses causes des troubles mentaux chez les enfants en bas âge.

— Les troubles mentaux peuvent être héréditaires.

— Est-ce le cas ici?

— Non. Si c'était le cas, le test Apgar effectué à la naissance n'aurait pas été normal.

— Y a-t-il d'autres causes?

— Les troubles mentaux peuvent être consécutifs à certains traumatismes subis par la mère au cours de sa grossesse, généralement au cours des trois premiers mois.

— Etait-ce le cas ici?

— Non, le premier test Apgar l'aurait révélé.

— Quelles sont les autres causes de troubles mentaux, docteur?

— Certaines médications absorbées par la mère peuvent avoir de graves répercussions sur la santé de l'enfant. La thalidomide par exemple.

— Avez-vous envisagé cette possibilité dans le cas présent?

— Naturellement mais les rapports indiquent que la mère n'a pris aucun médicament susceptible de produire de tels effets.

— Quelle est votre conclusion?

— Les tests indiquent que la lésion cérébrale a été causée par un kernictère.

— Docteur, voudriez-vous expliquer au jury ce qu'est exactement un *kernictère*?

— C'est un état qui résulte d'un excès de bilirubine dans le sang. En règle générale, un taux de bilirubine de vingt milligrammes ou plus pour cent millilitres de sang atteint gravement le bulbe et les cellules du cerveau.

— Docteur, le taux de bilirubine du bébé Simpson était-il monté à vingt avant son transfert au Metropolitan?

— Non.

— Alors, quand le bébé a été transféré, il présentait une jaunisse provoquée par une incompatibilité de rhésus mais le taux de bilirubine n'avait pas atteint le seuil du danger.

— C'est exact.

— De sorte que tous les troubles intervenus ont dû se produire *après* le transfert?

— Sans aucun doute.

L'assurance de Lawler grandissait avec chaque réponse positive que Franklin l'encourageait à donner.

— Docteur, vous semble-t-il important qu'aucun rapport de laboratoire n'indique que le bébé ait eu un taux de bilirubine supérieur à vingt?

— Pas particulièrement.

— Pourquoi?

— Nous avons constaté des lésions cérébrales dans des cas où le taux de bilirubine était inférieur à vingt. Je commence à m'inquiéter à quinze.

— Et quand il atteint quinze ou seize?

— Je suis partisan d'opérer immédiatement une exsanguino-transfusion.

Chris fixait Lawler du regard. Un psychopédiatre respecté! Son témoignage lui était le plus préjudiciable jusqu'alors. Il établissait un rapport direct entre le traitement du docteur Grant et les troubles mentaux de l'enfant. Harry Franklyn savait décidément mener et présenter un procès pour faute professionnelle.

Les jurés eux-mêmes se rendirent compte de l'importance de la déposition de Lawler. Ils étaient tendus et parfaitement immobiles. John Stewart Reynolds se pencha en avant, les coudes appuyés sur la table, le visage encadré dans ses mains.

Désireux de maintenir le climat d'intérêt qu'il avait si habilement créé, Franklyn reprit son interrogatoire d'une voix douce :

— Docteur connaissez-vous le traitement médical appelé photothérapie?

— Oui.

— L'avez-vous utilisé?

— Oui.

— Le trouvez-vous efficace?

— Dans certaines circonstances.

— Quelles circonstances?

— S'il n'y a pas urgence, si la jaunisse n'est pas trop grave.

— Dans ce cas particulier, auriez-vous prescrit la photothérapie?

— Certainement pas.

— Pourquoi?

— Il fallait maîtriser la situation le plus tôt possible. Bien que le taux de bilirubine n'ait pas dépassé seize, il y avait un problème de rhésus et une exsanguino-transfusion s'imposait.

— C'est ainsi que vous auriez procédé?

— Les effets d'une exsanguino-transfusion sont immédiats. Lorsque l'état mental d'un enfant est en jeu, on ne prend pas de demi-mesures.

— Donc, même si la photothérapie peut être bénéfique dans d'autres cas, vous pensez que ce traitement était préjudiciable en l'occurrence?

— C'est exact.

— Et vous vous fondez sur le vu du rapport médical de l'enfant pour l'affirmer?

— Sur l'étude du rapport et sur l'état actuel de l'enfant qui prouve formellement que la photothérapie était contre-indiquée, déclara Lawler avec une fermeté qui marquait sa volonté de ne pas revenir sur son opinion.

Chris Grant était effondré. Sa chemise trempée lui collait au corps; son cœur battait si fort qu'il était conscient de chaque pulsation.

La déposition de Lawler créait une impression d'autant plus forte que le psychopédiatre n'était pas l'un des deux médecins qui avaient soigné l'enfant. C'était un expert éminent et indépendant. Aussi, le contre-interrogatoire de Crabtree était-il d'une importance vitale.

Crabtree se leva vivement :

— Docteur, si je vous ai bien compris, en vous fondant sur les faits décrits dans le rapport, vous auriez recouru à une exsanguino-transfusion?

— C'est juste.

— Puis-je vous demander si votre conclusion aurait été la même, si vous aviez examiné le rapport tel qu'il a été présenté au docteur Grant?

— Naturellement.

— Sans même savoir ce que contenait ce rapport?

— Je suppose que le contenu était le même : résultat de laboratoire, signes vitaux.

— Docteur, savez-vous si les faits indiqués dans ce dossier sont réellement les mêmes que ceux qui étaient présentés au docteur Grant?

— Maintenant que vous me le demandez, je pense que non, admit Lawler.

— De sorte que vous n'êtes pas fondé à exprimer une opinion sur ce que vous *auriez pu faire* dans des circonstances données sans savoir exactement quelles étaient ces circonstances.

— Je me fondais sur ce que j'avais vu et lu dans les rapports médicaux.

— L'un des tests mentionnés dans le dossier indique-t-il un taux de bilirubine supérieur à vingt?

— Seize est le taux le plus élevé qui soit indiqué.

— Considérez-vous qu'un enfant présentant une bilirubine dont le taux ne dépasse pas seize est gravement menacé?

— Je ne comprends pas votre terminologie.

— L'un des éléments de ce rapport indique-t-il que l'enfant était en danger?

— C'est une affaire de jugement personnel qu'il appartient au médecin traitant d'établir.

— Docteur, le fait qu'aucun résultat de laboratoire n'indiquait un taux de bilirubine dangereux n'aurait-il pas joué un rôle dans votre choix de la thérapie à utiliser?

— Sans doute, admit Lawler si l'enfant ne m'avait pas été envoyé d'un autre hôpital par un médecin qualifié. Ce seul fait m'aurait alerté. J'aurais présumé qu'il existait un danger imminent en dépit des résultats du laboratoire. J'aurais certainement jugé opportun de prendre les mesures immédiates les plus efficaces dont je disposais.

Cette explication suffit à balayer les quelques avantages que Crabtree avait pu s'assurer par ses questions directes. Il fallait qu'il reparte à l'attaque aussitôt que possible.

— Docteur, avez-vous déclaré que l'exsanguino-transfusion

a un effet immédiat alors que la thérapie est beaucoup plus lente à agir?

— Oui.

— Docteur Lawler, n'avez-vous jamais entendu parler de cas où la photothérapie a produit des effets dans les quelques heures qui suivent son application?

— Il y a eu des rapports concernant des cas... dit Lawler évasivement.

— Quelques cas ou de nombreux cas?

— Je ne saurais répondre à cette question.

— Puis-je vous montrer quelques articles attestant les faits et publiés dans des revues pédiatriques sérieuses.

— J'admets que, dans certains cas, la photothérapie a eu un effet rapide, moins cependant que l'exsanguino-transfusion.

Crabtree était satisfait. Il avait quand même obligé l'intransigeant médecin à revenir sur l'une de ses déclarations les plus importantes. Il n'était pas le témoin invulnérable qu'il avait paru être au début de l'audience. Crabtree décida d'exploiter son avantage.

— Docteur Lawler, quel est le devoir d'un médecin envers un malade en toute circonstance?

— Il doit s'efforcer de formuler un diagnostic et de traiter le mal aussi vite que possible.

— A votre avis, le docteur Grant ne s'est pas conformé à ce principe?

— Si j'en juge par les résultats, je dirais qu'il n'a pas choisi le meilleur mode de traitement.

— Vous ne répondez pas à ma question, docteur. Je vous demande si, selon votre propre définition, le docteur Grant s'est efforcé de formuler un diagnostic et de traiter le mal aussi vite que possible.

— Les résultats indiquent le contraire.

— Vraiment? Ou supposez-vous que, sachant ce que vous savez *maintenant*, vous n'auriez pas adopté la même méthode. Ce n'est pas la même chose, docteur.

Lawler hésita et Crabtree élargit sa question.

— Ou bien, voulez-vous dire que quiconque n'est pas

d'accord avec vous ou emploie une thérapie différente de la vôtre a forcément tort?

— Je n'ai pas dit cela.

— Nous pourrons peut-être y voir plus clair si je reformule ma question : un médecin a-t-il le devoir de pratiquer un traitement dans tous les cas ou doit-il exercer son jugement le plus consciencieusement possible et en accord avec la pratique médicale reconnue?

Lawler réfléchit aux conséquences que pourrait entraîner sa réponse puis il répondit :

— Je crois que j'admets votre seconde proposition.

— Alors je vous demande si, sans avoir examiné le patient à l'époque et en vous fondant uniquement sur un dossier, vous êtes qualifié pour déclarer que le docteur Grant n'a pas agi en accord avec la pratique médicale reconnue.

— Je pense que vous jouez sur les mots, Mr Crabtree.

— Docteur, avez-vous l'habitude de donner des consultations au téléphone, demanda brusquement Crabtree.

— J'en donne parfois.

— Supposez que je vous appelle au milieu de la nuit et que je décrive l'état d'un enfant, me donneriez-vous sans hésiter un conseil par téléphone?

— Seulement si je connais l'enfant.

— Mais vous n'avez vu le bébé Simpson pour la première fois il y a seulement quelques semaines n'est-ce pas?

— C'est exact, admit Lawler.

— Ainsi, vous exprimez une opinion sur ce que vous auriez fait il y a un an, alors que vous n'aviez pas examiné l'enfant. N'est-ce pas pour le moins présomptueux?

— Objection! s'écria Harry Franklyn prouvant qu'il avait une voix puissante quand il était forcé de l'utiliser.

— Objection maintenue, ordonna Bannon venant au secours de Lawler. L'avocat de la défense s'en tiendra aux questions et s'abstiendra de toute observation.

Pour la première fois, Chris Grant se rendit compte que Crabtree n'était pas seulement décidé à le défendre mais qu'il était un avocat compétent. Il échangea un regard avec Laura qui parut partager son optimisme naissant.

Crabtree changea son système d'attaque.
— A votre avis, docteur, un médecin qui a suivi un patient est-il plus apte à juger de la valeur d'un traitement qu'un autre qui ne peut se fier qu'à un dossier?
— En règle générale, oui, mais pas dans ce cas.
— Pourquoi?
— Parce que, dans ce cas, nous connaissons les résultats, dit Lawler avec malveillance. Et ces résultats sont désastreux.
— Docteur Lawler, au cours de votre longue carrière n'avez-vous jamais commis d'erreur?
Lawler se tut.
— Allons, poursuivit Crabtree, vous pouvez admettre que vous êtes humain. Vous n'allez tout de même pas nous dire que les médecins sont parfaits.
— Personne ne prétend que les médecins sont parfaits.
— N'est-ce pas pourquoi les médecins sont jugés sur un critère plus intelligent : a-t-il rempli sa tâche consciencieusement et en accord avec la saine pratique de la médecine?
— C'est juste.
— Ne pensez-vous pas que seul un médecin qui était présent et avait examiné l'enfant pouvait réellement juger si son confrère s'était conformé à la saine pratique médicale? demanda Crabtree sûr d'avoir poussé Lawler dans ses derniers retranchements.
La réponse du témoin le laissa stupéfait.
— Pas dans ce cas.
— Pourquoi?
— Ayant le choix entre deux formes de thérapie, il a choisi la plus mauvaise, la plus lente, la moins sûre. On ne joue pas avec la vie d'un enfant dans de telles circonstances, déclara Lawler dogmatique.
Cette réponse détruisit tout ce que Crabtree avait si soigneusement édifié. Pourtant il fallait qu'il poursuive :
— Docteur n'est-il pas vrai qu'un médecin peut commettre une erreur sans être coupable de faute professionnelle?
Avant que Lawler ait eu le temps de répondre, Chris bondit, repoussant la main de Laura qui essayait de le retenir.
— Cet avocat peut bien dire ce qu'il veut, protesta-t-il. Je

refuse d'admettre que j'ai commis une erreur. Il n'est pas mon défenseur. Il a été engagé par une compagnie d'assurances et je ne tolérerai pas qu'il reconnaisse quoi que ce soit en mon nom.

Le président Bannon fit retentir son marteau et foudroya Chris du regard.

— Jeune homme, abstenez-vous de vous livrer à d'autres éclats de ce genre. Pour l'instant, nous sommes obligés d'examiner les effets de votre interruption sur ce procès. Messieurs les avocats veuillez approcher.

Crabtree, Waller, Franklyn et Heinfelden s'approchèrent et engagèrent une intense discussion à voix basse. La révélation de la participation d'une compagnie d'assurances pouvait donner matière à annulation du procès. En effet, les jurés avaient la réputation d'être hostiles aux grandes sociétés. D'autre part, Crabtree estimait qu'une nouvelle procédure n'améliorerait pas sa position. Aussi, insista-t-il pour poursuivre l'affaire en cours.

Tout en simulant une certaine répugnance, Franklyn accepta car Chris Grant s'était révélé émotif, passionné et, partant, extrêmement vulnérable en tant que témoin. Franklyn savait que, quoi qu'il arrive, il gagnerait la partie en procédant au contre-interrogatoire de Christopher Grant. Non, décidément, il ne tenait pas à ce que tout soit remis en question.

Crabtree reprit son contre-interrogatoire. Pour détendre l'atmosphère il demanda au témoin :

— Docteur Lawler, où en étais-je quand nous avons été si cavalièrement interrompus?

Le témoin sourit, quelques jurés rirent franchement. Chris Grant rougit de colère mais Laura l'obligea à se maîtriser sinon à se calmer.

— Ah oui, reprit Crabtree, je vous demandais si une erreur est toujours considérée comme une faute professionnelle?

— Non, pas toujours.

— De sorte que si un jeune médecin exerce son jugement consciencieusement et en accord avec la saine pratique de la médecine, il peut commettre une erreur sans être coupable de faute professionnelle?

Crabtree s'efforçait d'aboutir à une conclusion favorable mais Lawler s'entêta :

— En règle générale oui, mais pas dans ce cas.

— Malgré toute la littérature relative au sujet, toutes les preuves accumulées et la pratique quotidienne de la photothérapie dans des milliers d'hôpitaux? insista Crabtree qui cherchait désespérément à arracher une concession au témoin de la partie adverse.

— Ce n'est pas parce qu'une thérapie est admise et adoptée qu'elle est appropriée ou indiquée dans une circonstance donnée, déclara Lawler. A mon avis, dans ce cas, son emploi fut une erreur, une erreur impardonnable.

Crabtree comprit que le témoin lui avait glissé entre les doigts comme le poisson qui glisse entre les mains du pêcheur au moment où il essaie de le décrocher de l'hameçon. Intérieurement il maudit l'intervention de Chris.

La séance fut bientôt suspendue. A la table des plaignants, Reynolds et Franklyn échangèrent quelques mots d'un air visiblement satisfait. Ils formaient un contraste étrange; l'un grand solide, imposant, l'autre petit, mince, effacé malgré ses yeux vifs au regard fureteur. Chris savait qu'avant la fin du procès il lui faudrait affronter ce petit homme à tête de fouine et il commençait déjà à le redouter.

A la table de la défense, Crabtree et Waller n'ouvraient pas la bouche mais la hâte avec laquelle ils rangèrent leurs documents révélait à quel point la journée avait été mauvaise. Chris et Laura restèrent seuls en haut des marches du Palais de justice.

— Il faut que j'aille à l'hôpital, dit-il. J'ai deux patients à examiner mais nous pourrions dîner ensemble plus tard.

— Non. Moi aussi, j'ai du travail, dit-elle.

— Au revoir alors.

Il se pencha pour l'embrasser. Elle le serra brusquement contre elle mais évita ses lèvres.

— Laurie, fit-il avec inquiétude.

— Je ne sais pas pourquoi j'ai fait cela, dit-elle.

Elle l'embrassa sur la bouche avec son ardeur habituelle. Il la suivit des yeux pendant qu'elle descendait vivement l'escalier et hélait un taxi. Quelque chose avait changé mais était-ce en elle ou en lui?

19

Dès qu'il eut regagné son bureau, Paul Crabtree téléphona à Tom Brady, président du Conseil d'administration du Metropolitan. Trois heures plus tard, Crabtree, Brady et une majorité d'administrateurs étaient rassemblés dans la salle de conférences. Crabtree décrivit les malheureux incidents de la journée et préconisa une reprise de contact avec les conseillers juridiques de Reynolds en vue de transiger.

— Sans tenir compte des conséquences pour les docteurs Sobol et Grant? demanda Brady.

— Sans tenir compte d'aucun autre facteur que l'avenir et la réputation du Metropolitan, déclara Crabtree.

Avery Waller l'appuya. A son avis, la confirmation du procès ne pourrait entraîner que des catastrophes.

Brady et quelques autres auraient voulu discuter de la question avec Mike Sobol mais Crabtree s'y opposa.

— Il nous a déjà détourné une fois de la voie de la raison.

Mrs Forster prit la défense de Sobol.

— Je ne suis pas d'accord. Je pense que le docteur Sobol est l'un des hommes les plus respectables que je connaisse. Il a aidé ma fille Emily à mener à bien une grossesse que la plupart des autres médecins lui conseillaient d'interrompre. Chaque fois que je mets mon petit-fils au lit, je pense qu'il n'aurait peut-être jamais vu le jour sans le docteur Sobol.

Crabtree fit un geste réprobateur qui irrita Mrs Forster. Elle le foudroya du regard :

— Ce n'est pas seulement une affaire de sentiment,

Mr Crabtree, reprit-elle. Le docteur Sobol est un homme remarquable et il a fait valoir un argument de poids en nous incitant à considérer l'impression que pourraient éprouver de futurs candidats en nous voyant abandonner les nôtres quand ils sont attaqués.

Crabtree se tourna vers le président.

— Mr Brady, je vous demande la permission de parler franchement très franchement.

— Bon Dieu, mon cher, c'est pourquoi nous sommes ici, répondit Brady. Ce n'est pas le moment d'employer des circonlocutions.

— Voilà, commença Crabtree, quand un avocat est dans la salle du tribunal prêt à entrer en action tout en observant la partie adverse, il a parfois une vue d'ensemble lumineuse de la situation.

« J'avoue que j'ai été impressionné par les arguments exposés par le docteur Sobol lors de notre dernière réunion. Mais, ce matin, en entendant les témoignages de ces médecins et sachant que ce n'était que le début d'un flot de dépositions, j'ai changé d'optique. Le tableau s'est subitement éclairé. Le docteur Sobol va faire l'objet d'une série d'attaques auxquelles il ne pourra pas survivre et, alors qu'aujourd'hui il était seul en cause, bientôt nous entendrons insinuer que Grant n'est pas l'unique coupable, que le Metropolitan a une part de responsabilité car, autrement, pourquoi serions-nous là pour le défendre? Comment je le sais? Parce qu'au début de ce procès, la salle était vide mais, aujourd'hui, les spectateurs faisaient la queue dans le couloir y compris les journalistes. Bientôt le bruit courra que c'est l'hôpital qui est coupable de pratiquer des thérapies douteuses tout en protégeant des médecins qui ne se préoccupent pas suffisamment de la sécurité de leurs malades.

— Je ne vois pas le rapport avec le docteur Sobol, dit Mrs Forster.

— Cet excellent homme nous a induits en erreur sans le vouloir. Si vous reconsidérez ce qu'il a dit à la lumière de ce qui s'est passé aujourd'hui vous verrez que ses arguments se retournent contre lui. Il nous a convaincus que les jeunes médecins d'avenir ne voudraient pas venir chez nous si nous ne défendions pas Grant. Alors permettez-moi de vous poser cette question : Pensez-vous vraiment que les candidats vont se bousculer pour entrer dans un hôpital dont la réputation est ruinée?

Brady était perplexe, ébranlé par la solidité de l'argument, il n'en était pas moins préoccupé par les conséquences qu'entraînerait l'abandon du procès.

— Nous devrions examiner la question avec Mike Sobol avant de prendre une décision, proposa-t-il.

Waller intervint :

— Je vous le déconseille. Vous assumez la responsabilité d'administrer un hôpital. Vous ne pouvez vous laisser guider par un homme qui, après tout, n'est qu'un employé. Le conseil d'administration doit prendre une décision et le plus tôt sera le mieux.

Waller jeta un regard circulaire sur l'assistance et ajouta :

— Nous allons nous retirer pour vous laisser prendre votre décision. En attendant si quelqu'un a une question à poser...

Mrs Forster leva la main.

— Que ferons-nous si Mike Sobol nous présente sa démission?

— Ce sera très regrettable mais les hommes passent, les hôpitaux restent s'ils sont convenablement administrés.

Sur l'invitation de Brady, les deux avocats quittèrent la salle.

Il était un peu plus de minuit lorsque le conseil d'administration décida d'autoriser Paul Crabtree et Avery Waller à entamer des négociations avec la partie adverse. La nouvelle de cette décision votée à l'unanimité moins une voix — celle de Mrs Forster qui s'abstint — n'allait venir aux oreilles de Mike Sobol et de Chris Grant que quelques jours plus tard.

Le lendemain matin, avant l'ouverture de la séance, Crabtree aborda le juge Bannon et l'informa que les défenseurs seraient éventuellement disposés à discuter des possibilités d'une transaction. Bannon lui proposa ses bons offices.

Au moment où Harry Franklyn citait son premier témoin, une note fut déposée sur la table de Crabtree. Il était invité ainsi que Waller à déjeuner avec Reynolds et Franklyn à l'Athletic Club. Il est possible que la réunion imminente ait incité Franklyn à adopter un rythme plus modéré. Quoi qu'il en soit il parut prendre son temps.

Le docteur Elliott Baker, chef d'un service de pédiatrie, expert dans son domaine s'avança à la barre. Il était plus jeune que ses qualifications n'auraient permis de le supposer mais personne ne doutait de sa haute autorité dans son domaine.

La déposition de Baker fut à peu près semblable à celle du docteur Lawler. Il avait également examiné le petit John Reynolds Simpson et constaté qu'il était atteint de lésion cérébrale. D'après les rapports et les résultats des tests Apgar, il concluait que l'enfant était normal à la naissance. A son avis, un traitement inapproprié au cours des premiers jours qui suivirent était responsable des troubles mentaux.

Baker se montrait plus tolérant à l'égard de la photothérapie, traitement utilisé dans son hôpital. Il l'avait employé lui-même en maintes occasions mais il ne se fiait pas à la seule pratique de cette méthode.

Chris et Laura ne perdaient pas un mot de sa déposition. Chris se trouva d'accord avec une grande partie de ses déclarations. En fait, au lieu de servir la partie plaignante, Baker paraissait tout à fait impartial et Franklyn ne semblait pas particulièrement désireux de le pousser dans un sens ou dans l'autre.

Au moment précis où Franklyn parut se contenter d'un témoignage qui renforçait simplement celui de Lawler, il demanda soudain :

— Docteur Baker, l'expression « masquer des symptômes » a-t-elle un sens particulier en médecine?

— Certainement.

— Pouvez-vous nous donner une explication accessible à des profanes?

— On peut masquer des symptômes en prescrivant un traitement ou une médication qui permet de dissimuler la maladie ou de rendre son diagnostic difficile.

— Voudriez-vous nous citer un exemple?

— La forme la plus courante est l'administration d'analgésiques. La douleur est parfois nécessaire pour faciliter l'établissement du diagnostic. La suppression de la douleur peut tout simplement amener le malade et le médecin à croire que la situation est moins grave qu'elle ne l'est en réalité.

— Dois-je comprendre que la photothérapie peut produire le même résultat?

— Sans aucun doute. Dans la plupart des cas, la photothérapie fait baisser le taux de bilirubine dans le courant sanguin mais, en provoquant cet abaissement, le traitement peut aussi masquer le véritable état du patient.

— Serait-il possible que ce soit le cas en ce qui concerne le traitement pratiqué sur le bébé Simpson?

— C'est plus que possible, c'est probable surtout avec un jeune médecin qui n'a pas eu le temps d'acquérir l'expérience...

Crabtree se leva pour protester. Bannon admit l'objection. Franklyn poursuivit :

— En conclusion, docteur Baker, étant donné les faits établis : taux de bilirubine de seize, incompatibilité de rhésus, quel aurait dû être à votre avis le traitement appliqué pour répondre aux exigences de la saine pratique de la médecine?

— Un seul : l'exsanguino-transfusion.

Crabtree se leva pour procéder au contre-interrogatoire mais Bannon intervint. Sachant que les avocats des deux parties devaient déjeuner avec Reynolds, il demanda :

— Mr Crabtree, ne pensez-vous pas que nous pourrions commencer le contre-interrogatoire du docteur Baker après la suspension d'audience de midi?

— Certainement, votre Honneur.

Chris se pencha derrière le dos de Waller et chuchota furieusement :

— Accrochez-le maintenant pendant qu'il est présent à l'esprit du jury.

— Je mène cette affaire comme je l'entends, docteur, rétorqua Crabtree.

Puis il s'adressa au juge :

— Votre Honneur, nous acceptons que l'audience soit suspendue plus tôt mais nous demandons que le docteur Baker reste à notre disposition pour la séance de cet après-midi.

Bien qu'ils aient quitté la salle d'audience apparemment en adversaires, Franklyn, Reynolds, Crabtree et Waller se retrouvèrent bientôt autour de la table réservée à Reynolds dans un coin du bar de l'Athletic Club. Assis devant leurs verres, ils parlèrent de tout sauf du procès.

Le maître d'hôtel s'approcha de Reynolds et lui parla à l'oreille... Reynolds se leva et conduisit ses hôtes dans un salon particulier où la table était mise pour quatre. Reynolds guida le choix de ses invités et donna des instructions détaillées au maître d'hôtel sur la manière de préparer les plats choisis. Pour lui-même, il ne commanda que du café. La raison de cette abstinence parut évidente lorsque le repas fut servi : pendant que Franklyn, Waller et Crabtree mangeaient, Reynolds prit la parole.

— Messieurs, dit-il, le règlement de cette affaire dépend en dernier ressort du demandeur, mon gendre, mais il se laissera guider par mes conseils, je n'en doute pas.

Ses interlocuteurs ne parurent pas en douter non plus.

— Nous pouvons éviter bien des marchandages, continua Reynolds, si nous nous mettons d'accord sur un point : Nous n'accepterons aucun compromis en ce qui concerne le défendeur Grant; est-ce clair?

Waller et Crabtree s'arrêtèrent de manger. Reynolds lança un coup d'œil à Franklyn qui ne parut pas s'émouvoir. Crabtree en conclut que Reynolds avait déjà entretenu son avocat de la question du compromis. Franklyn savait exactement ce que voulait Reynolds et il était d'accord avec lui. Aussi la défense n'avait-elle guère de marge pour la négociation. Cependant, en sa qualité d'avocat de la compagnie d'assurances, Crabtree se devait de réagir.

— Mr Reynolds, vous comprenez notre position. D'après les termes de la police, mon client est obligé de défendre l'hôpital et tous ses employés... Naturellement, si nous ne pouvons transiger au nom de Grant en même temps qu'au nom de l'hôpital et de Sobol, nous n'aurons pas amélioré notre position. La compagnie est toujours tenue de pourvoir à la défense de Grant et de payer les dommages-intérêts auxquels il serait éventuellement condamné. Dans ces conditions, je ne vois pas quel serait l'avantage d'une transaction et je ne pourrais pas conseiller à l'hôpital d'accepter un compromis.

Reynolds adressa un coup d'œil à Franklyn qui s'essuya les lèvres et se racla légèrement la gorge. Abandonnant le ton doucereux qu'il adoptait pour capter l'attention du jury dans la salle du tribunal, il parla à pleine voix.

— Je crois que je peux traduire les intentions de Mr Reynolds. Il n'en veut ni au docteur Sobol ni au Metropolitan mais il pense que, dans l'intérêt général, un médecin comme le docteur Grant doit être appelé à rendre des comptes pour négligence flagrante et faute professionnelle.

— Mais comment pouvons-nous séparer ces demandeurs? questionna Crabtree.

— Si la compagnie d'assurances décide de transiger, l'hôpital peut être *contraint* à accepter un compromis.

— Ce ne sera pas nécessaire, intervint Waller. Nous sommes tout à fait favorables à l'idée d'un arrangement.

— Parfait. Nous avons donc plusieurs parties qui sont disposées à transiger : les plaignants, la compagnie d'assurances et l'hôpital.

— Restent Grant et Sobol, dit Crabtree. Nous sommes encore coincés.

— A moins... commença Franklyn.

Il s'interrompit pour boire une gorgée de café.

— A moins? répéta Crabtree.

— Crabtree, j'ai étudié très attentivement cette police d'assurances. D'après ses termes, si la compagnie décide de transiger, il lui faut l'accord de l'hôpital. Si Grant s'écarte de la position du Metropolitan, il n'est plus couvert par cette police. Autrement dit, si l'hôpital accepte une transaction et que Grant refuse, vous, messieurs, vous tirez votre épingle du jeu.

Waller répondit le premier.

— Oui, mais supposez que Grant accepte de transiger pour ne pas faire cavalier seul?

Franklyn se tourna vers Reynolds.

— Chacun s'imagine que j'ai édifié ma fortune grâce à ma connaissance des affaires, dit-il. Sottises. C'est à ma connaissance de la nature humaine que je la dois. Croyez-moi, messieurs, ce garçon orgueilleux ne transigera pas.

Crabtree essaya de faire le point de la situation.

— Je voudrais que nous nous mettions bien d'accord à tous égards. Vous voulez transiger, que le docteur Grant accepte ou non. Nous voulons un règlement définitif c'est-à-dire sans remise en question si Grant décide d'abandonner la partie en fin de compte.

Reynolds grimaça un sourire.

— Je suis disposé à courir ce risque. Je veux ce jeune homme seul sur la sellette.

— Et Sobol? demanda Waller.

— Je regrette pour Sobol, dit Reynolds, mais il est capable de prendre ses décisions.

— Nous n'avons pas parlé chiffres, dit Crabtree.

— Ne vous tracassez pas à ce sujet, dit Reynolds. L'argent est le cadet de mes soucis.

Il fallut deux jours pour mettre au point les termes du compromis. Entre-temps, le procès suivait son cours mais au ralenti. Franklyn cita plusieurs experts dont le témoignage vint appuyer celui du docteur Lawler, le psychopédiatre. Crabtree se contenta de procéder à leur interrogatoire pour la forme.

Pendant la suspension d'audience de la matinée du troisième jour, Grant entraîna Laura dans un coin de la salle des pas perdus.

— Que diable se passe-t-il? Personne ne fait rien de concret, constata-t-il.

— Je sais, dit Laura qui n'osait laisser paraître ses propres craintes.

A la fin du troisième jour, Crabtree rangea ses papiers et dit à Laura :

— Je crois que nous pourrions avoir un entretien tous les quatre, vous, Grant, Waller et moi.

— Je le crois aussi, dit-elle vivement.

Dès qu'ils furent confortablement installés dans son bureau,

Crabtree commença à faire le point mais c'était un simple prélude à la déclaration qui allait suivre :

— Ainsi, nous avons conclu à l'unanimité que le compromis était la seule solution. Nous venons de nous mettre d'accord sur le chiffre.

— Sans nous prévenir! s'exclama Laura outrée.

— Puisque vous ne jouez pas un rôle officiel dans ce procès, nous avions le droit de décider seuls. Mais maintenant que tout est réglé, nous avons cru bon de vous informer.

Chris intervint :

— L'hôpital est-il d'accord?

— Oui, dit Waller fermement.

— Et Mike Sobol?

— Le docteur Sobol est dans la même position que vous, dit Crabtree. Tant mieux s'il accepte mais, légalement, son accord n'est pas indispensable.

Chris interrogea Laura du regard. Elle fit un signe de tête pour confirmer l'assertion de Crabtree. Celui-ci reprit :

— Maintenant, je vous conseillerais de saisir cette occasion d'enterrer cette vilaine affaire.

Chris bondit .

— Je vous tiendrai au courant, rugit-il.

Il sortit en claquant la porte.

Laura ne resta que le temps de crier :

— Salauds!

Et elle courut derrière Chris.

Crabtree et Waller ne s'émurent pas de cet éclat.

— Vous croyez que Grant finira par céder, demanda Waller.

— Franchement, je m'en moque, dit Crabtree.

— J'espère qu'il ne fera pas de bêtises, c'est tout.

— Il en fera sûrement, Franklyn a raison : il est têtu et enclin à se passer la corde au cou.

Mike Sobol apprit la nouvelle au cours d'une réunion privée dans la salle du conseil de l'hôpital. Il était vêtu de sa blouse de laboratoire car il se trouvait à la clinique quand il avait été convoqué devant un comité composé de Tom Brady, Avery Waller et Cy Rosenstiel.

Mike écouta sans paraître s'émouvoir. Peut-être était-il trop préoccupé pour comprendre ou trop fatigué pour réagir aussi vivement que la situation l'exigeait. Quand ils l'eurent mis au courant, il se contenta de demander :

— Où est Grant?

— Nous ne le savons pas. Il n'est pas encore rentré à l'hôpital.

— Il n'a pas démissionné, j'espère?

Brady le rassura.

— Bien sûr que non. Nous transigeons pour en finir au plus tôt. Ainsi nous pourrons nous consacrer de nouveau à l'hôpital — Grant y compris.

Mais Mike ne se contentait pas de promesses faciles. Rosenstiel intervint :

— En fait, Mike, nous avons pensé que si tu donnais l'exemple, Grant se déciderait peut-être à adopter une décision raisonnable. Nous comptons sur toi.

Sobol hocha la tête comme pour indiquer que cette question demandait réflexion.

— Nous savons que ce n'est pas facile, Sobol, dit alors Waller. Les mêmes problèmes se posent dans notre compagnie. Des jeunes gens viennent. Je les considère comme mes enfants. On les conseille, on les guide mais, en fin de compte, il faut qu'ils prennent leurs responsabilités, qu'ils construisent leur avenir.

Sobol grommelait intérieurement « Pourquoi me sortir de telles platitudes quand j'ai une décision aussi importante à prendre »?

Cependant, il dit tout haut :

— Je... je dois réfléchir.

Brady insista.

— Mike, nous savons que c'est dur mais vous devez prendre en considération *toutes* vos obligations.

— C'est-à-dire?

— Vous avez des devoirs envers l'hôpital aussi.

— Vous ai-je jamais donné des raisons de penser que je l'ignorais?

— Mike, je t'en prie, dit Cy Rosenstiel.

— Messieurs, j'ai pleinement conscience de *toutes* mes obligations et de toutes mes responsabilités. Je vais les peser et essayer d'aboutir à une conclusion.

— Bientôt, j'espère, dit Waller.

— Très bientôt, promit Sobol.

— Nous vous serions très obligés de nous faire part de votre décision demain matin, dit Brady.

— Très bien, demain matin.

Brady et Waller prirent congé. Rosenstiel resta. Dès qu'ils furent seuls, il dit doucement.

— Mike, laisse tomber cette sacrée affaire. Et si tu ne peux convaincre Chris d'en faire autant, qu'il se débrouille tout seul. Tu as fait tout ce que tu pouvais. Tu ne peux risquer ta situation pour un garçon comme Grant qui n'est pas des nôtres.

— Pas des nôtres?

— Un Gentil avec ses états de service, sa prestance, peut aller ailleurs et réussir à la longue. Il peut faire de la médecine privée. Il n'a pas à s'inquiéter.

— Avec une accusation pareille, un médecin, Gentil ou non et, quels que soient ses états de service, est complètement coulé dans tous les établissements de recherche valables. Aucun ne voudra de lui.

Mike se tut un instant et reprit sur un ton las :

— Cy, fais-moi le plaisir de ne plus jamais m'adresser la parole.

— Mike?

— Je pense ce que j'ai dit. A mes yeux, la pire anomalie qui existe sur la face de la terre c'est un Juif imbu de préjugés. Je ne connais que deux sortes de médecins, pas les Juifs et les Gentils mais les bons et les mauvais.

Sobol se dirigea vers la porte et ajouta avec lassitude :

— Tu connaîtras ma réponse demain.

20

Mike Sobol avait invité Chris et Laura à dîner. Il avait passé près de deux heures à faire les achats qui lui paraissaient nécessaires pour le genre de dîner que Rose avait l'habitude de servir à ses hôtes. Pour la Pâque ou *Rosh Hashanah* il invitait tous ses étudiants, internes et résidents juifs qui habitaient loin de leur famille. Rose avait parfois vingt-cinq convives à nourrir, tous jeunes affamés et avides de retrouver une ambiance familiale.

Ces jours-là, Mike rentrait un peu plus tôt que d'habitude pour aider sa femme. Rose le laissait faire mais, à la vérité, il était plutôt encombrant. Elle se demandait souvent comment un homme aussi habile dans un laboratoire de recherche pouvait être aussi maladroit dans une cuisine.

Ce soir-là, quatre jours après l'ouverture du procès, Michael Sobol recevait pour la troisième fois depuis la mort de Rose. Aussi décida-t-il de servir un repas fait maison. En réalité, il avait acheté le potage à l'orge et aux champignons dans le seul restaurant « cacher » du quartier et le gâteau aux noix à la pâtisserie viennoise à côté de l'hôpital mais il prépara lui-même la salade et le plat de résistance : des côtelettes de veau aux pommes frites.

Il avait sorti le plus beau linge de table de Rose et son argenterie des jours de fête. Tout se passa à merveille.

Chris n'avait pas dit grand-chose au cours du repas mais lorsqu'il vit Laura allumer sa cigarette pendant qu'ils prenaient le café, il protesta :

— Laurie!

Pour toute réponse, Laura aspira une longue bouffée. Chris implora Mike du regard.

— Je vous en prie, dites-lui, vous.

Mais Mike se contenta de répliquer :

— Vous êtes assez grand pour savoir que la raison est la dernière des choses à invoquer pour convaincre une femme.

Il sourit à Laura qui lui rendit son sourire.

— Je vais ranger et faire la vaisselle pendant que vous bavarderez, dit-elle.

— Jamais un invité ne fait la vaisselle chez moi, dit Mike, c'est-à-dire pas tout seul. Nous allons la faire ensemble.

Quand ils eurent terminé, ils revinrent s'asseoir dans le living-room. Mike leur parla de son entrevue avec Brady, Waller et Rosenstiel.

— Alors? questionna Chris.

— Alors, j'ai appelé mon frère à Chicago. C'est un excellent avocat et il m'a expliqué qu'ils *pouvaient* transiger sans notre consentement. Nous restons donc devant cette seule alternative : poursuivre et nous défendre ou battre en retraite. Reynolds veut votre tête, Chris, alors, il s'agit de savoir si vous voulez lutter ou vous rendre en vous reconnaissant coupable?

Chris ne répondit pas.

— J'ai beaucoup réfléchi depuis hier, reprit Mike. Il y a la question de principe mais il faut aussi tenir compte du côté pratique. Qu'allons-nous faire pour la défense. Sans la compagnie d'assurances pour payer la facture? Allez-vous hypothéquer tout votre avenir pour lutter contre un fou qui possède une fortune incalculable.

Laura intervint fermement.

— Je suis qualifiée pour assurer votre défense toute seule.

— Tu vas partir en guerre contre toute la bande des conseillers juridiques de Reynolds! s'exclama Mike.

Elle sourit.

— Un témoin ne peut être interrogé que par un seul avocat à la fois. Alors que m'importe le nombre d'hommes de loi dont les plaignants disposent. Franchement, je pourrais faire dix fois mieux que Crabtree en ce qui concerne ce cas précis.

Mike sourit.

— Voyons, Laura, pourras-tu apprécier la situation objectivement quand la question se posera de savoir si Chris a pris ou non la décision qui convenait? Peux-tu croire qu'il n'a pas appliqué un traitement conforme à la saine pratique de la médecine? Peux-tu admettre, en tant qu'avocat, que cette cause est mauvaise?

— J'en ai connu de meilleures.

— Au moins tu as les pieds sur terre. Et maintenant dis-moi si tu la crois défendable?

Elle hésita un long moment et finit par répondre.

— Oui, je crois qu'elle l'est.

— Une dernière question : à ton avis quelles sont nos chances?

— Le pourcentage n'est pas très encourageant.

Mike se tourna vers Chris.

— C'est donc à partir de ces données que nous devons prendre notre décision.

Chris se dressa de toute sa hauteur.

— Il faut tenir compte d'un autre facteur, dit-il. Je suis décidé à aller jusqu'au bout mais je veux que vous laissiez tomber, Mike. Moi aussi, j'ai réfléchi. Vous avez créé ce service. Vous pouvez le maintenir quoi qu'il m'arrive. Vous êtes un pilier, Mike.

— Je suis un pilier, vraiment? Pauvre naïf! Je suis hier et vous êtes demain. Ecoutez-moi bien : ou nous acceptons le compromis tous les deux ou nous ne transigeons ni l'un ni l'autre.

— Mike, il faut être pratique!

— Oh! je suis pratique. — J'ai bien étudié la question. A soixante-quatre ans, il ne me reste pas beaucoup de temps. Aucune faculté de médecine ne veut d'un sexagénaire pour une spécialité qui change aussi rapidement que la pédiatrie et aucun laboratoire pharmaceutique n'a besoin d'un homme de mon âge pour diriger un service de recherche. Je sais. Je me suis renseigné. Vous devriez voir la pile de lettres bien tournées qui disent toutes *non* sans jamais employer ce mot d'une syllabe.

— Autant de raisons pour accepter le compromis, insista Chris.

— Des raisons? Chaque fois que nous nous trouvons devant une décision importante à prendre, nous examinons les raisons *pour* et les raisons *contre*. Alors, nous décidons... guidés par nos réactions émotionnelles. Tout à l'heure, pendant que je faisais la cuisine, je ne cessais de penser à Rose. Je sais ce qu'elle me dirait dans le cas présent : Mike, ce jeune homme a besoin de tous les appuis qu'il peut obtenir. Si tu te ranges à ses côtés, c'est un atout pour lui; et qu'importent les conséquences. De toute façon, ne devions-nous pas prendre notre retraite en Floride, un jour ou l'autre...?

— Vous n'avez pas peur de remettre votre sort entre les mains d'une femme? demanda Laura. Dites-le franchement, Mike.

Il sourit :

— Inutile de dire à un vieux Juif ce qu'une femme peut accomplir, aussi petite soit-elle. Où croyez-vous donc que la légende de la mère juive ait pris naissance?

Soudain, ses yeux habituellement tristes se mirent à pétiller.

— Nous allons porter un toast.

Il alla à la cuisine et revint avec une bouteille de vin.

— La dernière bouteille que Rose avait achetée pour la Pâque.

Il remplit trois verres et leva le sien.

— A tous les fous du monde qui ne peuvent se résoudre à faire ce qui n'est pas bien.

21

— John Stewart Reynolds.

L'huissier appelait le dernier témoin à la barre. Le procès se poursuivait contre les docteurs Grant et Sobol.

Un murmure de curiosité s'éleva dans la salle. Personne, sauf peut-être Chris Grant assis à côté d'elle, ne ressentit le choc avec autant de force que Laura Winters. Rien ne leur avait laissé prévoir que Franklyn entendait citer John Reynolds à titre de témoin.

Contrairement à son habitude, Franklyn s'était montré aimable et compréhensif quand Laura avait demandé trois jours de délai pour préparer la défense de Mike qu'elle assumait seule.

Laura pensait que Franklyn ferait défiler une série d'experts qualifiés pour étayer sa cause. Elle avait préparé une longue liste de questions destinées à convaincre ces témoins d'abandonner leur position. Elle était restée plusieurs heures chaque nuit avec Mike et Chris pour rédiger le texte de ces questions. Elle ne s'attendait pas du tout à affronter le témoin qui était en train de prêter serment à la barre. Elle murmura à l'oreille de Chris :

— Va téléphoner à Mike et dis-lui de venir tout de suite.

Quand Chris revint, Harry Franklyn avait déjà commencé à interroger Reynolds sur ses antécédents. Reynolds déclara qu'il appartenait à une famille nombreuse et modeste. Il avait débuté comme apprenti maçon et était devenu entrepreneur avec un seul camion. Pendant la période de grande dépression, la plupart des grosses entreprises de construction avaient d'énormes frais généraux et sa petite affaire s'était développée.

Au cours de la Seconde Guerre mondiale, il avait rempli son devoir de bon patriote en se lançant dans la construction de navires et de pièces d'avion, posant ainsi les bases de sa fortune colossale et, dans la vague de prospérité qui suivit, cette fortune s'était multipliée en centaines de millions de dollars.

Un silence complet régna dans la salle pendant toute la durée de la déposition de Reynolds. Pour la première fois, les jurés voyaient de près le héros de légende dont ils entendaient parler depuis leur enfance. Loin d'être le géant rébarbatif et dur qu'ils avaient imaginé, Reynolds était sympathique et bienveillant. Il était aussi d'humble origine comme eux. Ils voyaient en lui le grand-père et non l'industriel mondialement connu.

Laura savait qu'elle ne pouvait intervenir. Toute attaque ou objection de sa part risquait d'indisposer le jury. Mike Sobol arriva au moment où Franklyn entamait le véritable interrogatoire :

— Mr Reynolds, je suis désolé d'avoir à vous prier de nous rappeler les tristes événements qui ont entraîné l'ouverture de ce procès.

Après ce préambule, Franklyn le questionna sur les circonstances qui entourèrent le transfert de son petit-fils au Metropolitan. Enfin, il demanda :

— Mr Reynolds, espériez-vous un petit-fils?

— Naturellement. L'argent ne change pas les sentiments profonds d'un individu. Je voulais des fils et des petits-fils. J'attendais cette naissance comme un événement.

— Et vous avez suivi la grossesse de votre fille avec un intérêt constant?

Laura savait qu'elle aurait dû faire objection, mais, en évaluant les conséquences d'une intervention, elle laissa passer la question.

— Oui. Je demandais toutes les semaines au docteur Mitchell de me tenir au courant. Il m'assurait que tout se passait bien.

— Avez-vous assisté à certains entretiens entre votre fille et le docteur Mitchell?

— Oui.

— Avez-vous jamais entendu le docteur Mitchell lui donner une raison de supposer qu'elle risquait de ne pas accoucher d'un enfant normal?

— Jamais. Il était très satisfait du déroulement de la grossesse et très optimiste quant à son issue.

— Quand avez-vous appris que l'état du bébé n'était pas satisfaisant?

— Quand le docteur Coleman m'a téléphoné.

— Pouvez-vous dire exactement ce qui s'est passé?

— Je ne suis pas près de l'oublier. J'étais allé à l'hôpital pour la seconde fois ce jour-là.

— Mr Reynolds, vous inquiétiez-vous pour votre fille ou pour votre petit-fils?

— Parce que je suis allé deux fois à l'hôpital le même jour? Non, je n'étais inquiet pour personne, mais mon gendre était en voyage d'affaires, nous n'attendions pas le bébé aussi tôt, alors je l'ai remplacé.

— Et que disait le premier rapport de l'hôpital?

— Que ma fille se portait aussi bien que possible compte tenu de son accouchement légèrement avant terme et l'enfant était en excellent état.

— A quel moment a-t-il commencé à présenter des signes alarmants?

— Le lendemain matin, l'infirmière m'a dit qu'elle avait appelé le docteur Coleman.

— Avez-vous parlé au docteur Coleman à ce moment-là?

— Non, plus tard, quand il est venu. Il était préoccupé par les rapports du laboratoire et m'a conseillé de faire transférer l'enfant au Metropolitan General.

— Etiez-vous d'accord pour ce transfert?

— Oui. En fait, j'ai appelé Mike Sobol, le docteur Mike Sobol.

— Le même docteur Michael Sobol qui est défendeur dans ce procès?

— Oui, dit Reynolds en jetant un coup d'œil furieux vers la table de la défense.

— Vous avez donc appelé le docteur Sobol, et alors?

— Je lui ai parlé d'abord puisque nous étions amis puis j'ai passé le téléphone à Coleman pour qu'il lui explique la situation clinique.

— Avez-vous entendu la réponse du docteur Sobol?

— Il a dit : nous envoyons immédiatement une ambulance. Il a ajouté qu'il serait heureux de faire tout ce qu'il pourrait pour moi ou pour un membre de ma famille.

— Combien de temps l'ambulance a-t-elle mis pour arriver à Parkside?

— Quarante minutes

— Comment le savez-vous?

— Parce que j'ai attendu auprès de mon petit-fils et je l'ai accompagné au Metropolitan General.

— Et quand vous êtes arrivé au Metropolitan?

— Le docteur Sobol nous attendait au garage dans une ambulance.

— Qu'a-t-il fait exactement?

— Il a lu la copie du rapport de Parkside puis il a examiné le bébé.

— Et après?

— Il a relu la copie du rapport. Je ne savais pas alors...

Laura se leva. Bannon admit son objection et donna un avertissement à Reynolds.

— Le témoin limitera ses réponses à ce qu'il a vu à l'époque.

Comme Bannon n'avait pas l'intention de favoriser Laura, il voulait marquer cette concession. Si, par la suite, son impartialité était contestée, il pourrait citer quelques exemples pour prouver son absence de prévention.

— Et après avoir relu ce rapport qu'a fait le docteur Sobol?

— Il a fait transporter le bébé dans la salle des soins intensifs de pédiatrie puis il m'a dit qu'il avait exactement l'homme qu'il fallait pour prendre soin de mon petit-fils. Il a appelé le docteur Grant qui, d'après ce que j'ai compris...

Devançant les intentions de Laura qui s'apprêtait à faire objection, Franklyn mit son client en garde :

— Seulement ce que vous avez vu et entendu, monsieur.

— Le docteur Sobol a dit au docteur Grant qu'il regrettait de l'arracher à ses recherches. Aussi j'ai supposé...

— Sans faire de suppositions, Mr Reynolds, avez-vous réellement entendu le docteur Sobol exprimer ses regrets au docteur Grant?

— Oui.

— N'avez-vous pas trouvé bizarre qu'un chef de service exprime des regrets à un médecin qui est sous ses ordres parce qu'il lui demande de s'occuper d'un malade?

— Objection! lança Laura.

— Pour quel motif? demanda Bannon.

— Parce que Mr Reynolds est un profane. Comment peut-il émettre une opinion sur une action qui se passe entre deux médecins en relations professionnelles. Il n'est pas qualifié pour juger si cette attitude est bizarre ou non.

Bannon statua à contrecœur :

— L'avocat du plaignant voudra bien reformuler sa question sinon la Cour se verra obligée de la rejeter.

— Mr Reynolds, reprit Franklyn, avez-vous entendu le docteur Sobol dire au docteur Grant qu'il regrettait de l'arracher à ses recherches?

— Oui.

— Alors qu'il l'appelait pour soigner un enfant malade né depuis à peine quarante-huit heures?

— Oui, répondit Reynolds avec une indignation manifeste, c'est difficile à croire mais...

— Mr Reynolds, aussi justifiée que soit votre émotion, je vous conseille de ne pas poursuivre, dit Franklyn qui avait atteint son but en dépit de l'objection de Laura. Et maintenant voudriez-vous nous dire quelle a été l'attitude du docteur Grant quand il est arrivé?

— Il semblait mécontent... commença Reynolds.

— Objection! s'écria Laura.

Franklyn s'inclina et reprit.

— Quand vous avez vu le docteur Grant pour la première fois, qu'a-t-il dit?

— A moi, rien. Il m'a ignoré comme s'il m'en voulait.

— Ne dites que ce qui s'est passé, Mr Reynolds. Qu'a fait le docteur Grant?

— Il a jeté un coup d'œil sur le rapport. Puis le docteur Sobol est entré dans la salle des soins intensifs et Grant l'a suivi. J'ai voulu en faire autant mais Grant m'a barré le passage.

— Il a refusé de vous laisser entrer?

— Oui.

— Sachant que votre petit-fils était là?

— Oui, répéta Reynolds sur un ton chargé de rancune.

— Quelle a été votre réaction alors?

— J'ai dit : c'est mon petit-fils. J'ai le droit de savoir ce qu'on lui fait, déclara Reynolds qui parut prendre les jurés à témoin.

Plusieurs membres du jury approuvèrent d'un signe de tête.

— Et qu'a répondu le docteur Grant?

— Je ne me rappelle pas ses termes exacts mais ils étaient discourtois.

— Objection pour le mot *discourtois,* dit Laura.

— Sa réponse n'était pas favorable.

— Alors, le docteur Grant ne vous a pas permis d'entrer dans la salle où était votre petit-fils? reprit Franklyn.

— J'ai dû rester derrière la paroi vitrée de la salle et me contenter de regarder.

Harry Franklyn demanda alors d'une voix si étouffée que les jurés durent tendre l'oreille :

— Voyez-vous une explication à l'hostilité du docteur Grant?

— Je crois qu'il était irrité d'avoir été arraché à ses travaux de recherche.

Laura se leva :

— Objection! La question fait appel à l'imagination du témoin.

Bannon admit l'objection. Franklyn sourit avec indulgence et poursuivit :

— Mr Reynolds, une parole prononcée à ce moment-là a-t-elle pu motiver l'attitude du docteur Grant?

— Je n'y ai pas attaché d'importance sur le moment mais je me souviens d'un détail. J'étais décidé à attendre toute la nuit s'il le fallait pour savoir comment l'état de mon petit-fils évoluerait. Aussi ai-je accompagné le docteur Grant dans la cafétéria de l'hôpital. Je lui avais demandé au préalable si je pourrais dîner avec lui. Il m'a répondu : « Il faudra que vous portiez votre plateau. »

— A votre avis, qu'entendait-il par là?

— Cette remarque traduisait manifestement son mépris de la fortune. Il m'a donné l'impression d'être l'un de ces jeunes médecins activistes radicaux pour lesquels la médecine n'est pas une science mais un instrument de politique.

Laura se dressa comme un ressort :

— Objection! protesta-t-elle. Cette question n'a aucun rapport avec l'objet du procès. Je demande qu'elle soit rayée du plumitif et que le jury soit prié de ne pas en tenir compte.

Franklyn se tourna vers la Cour d'un air las comme s'il se sentait brimé par des interruptions constantes :

— Je prie votre Honneur de bien vouloir attendre mes prochaines questions avant de prendre des décisions.

— Continuez, Mr Franklyn.

— Mr Reynolds, indépendamment de ses réflexions qui révèlent les préjugés du docteur Grant contre votre fortune, s'est-il passé autre chose ce jour-là?

— Oui. Alors que mon petit-fils était dans un état extrêmement critique, le docteur Grant a quitté l'hôpital pendant deux heures pour aller faire une conférence à Rixie Square. J'ai eu beau essayer de le retenir, ses inclinations politiques étaient tellement fortes qu'elles dominaient son sens du devoir et ses écrits le prouvent.

— Objection! dit Laura.

Bannon réfléchit un moment, puis il décida :

— Si les écrits du défendeur constituent une preuve, j'autorise le témoin à poursuivre.

Reynolds se tourna légèrement vers la table de la défense.

— Pour vérifier l'exactitude de mes soupçons, j'ai fait faire des recherches dans les articles publiés par le docteur Grant. En fait d'articles médicaux, ce sont des attaques contre la société, ce sont des tracts politiques.

— Objection! cria Laura.

Franklyn se tourna vivement vers le président.

— Votre Honneur, avant que la Cour ne prenne une décision, nous voudrions attirer l'attention sur un point : lorsqu'un médecin a le choix entre plusieurs thérapies, les raisons, conscientes ou inconscientes qui l'ont amené à adopter l'une plutôt que l'autre, sont logiques, concrètes, pertinentes, surtout eu égard aux opinions exprimées par les experts hautement qualifiés qui sont en désaccord avec lui.

Pendant que Bannon réfléchissait, Franklyn continua :

— Je suppose que si les déclarations du témoin sont inexactes, le docteur Grant pourra nous le prouver quand il se présentera à la barre.

Sûr désormais que Laura ferait appel au témoignage de Chris Grant, Franklyn était disposé à accepter toutes les décisions de la Cour.

Bannon déclara :

— La Cour réserve sa décision mais elle conseille à Mr Franklyn d'exposer des faits plus concrets.

— Oui, votre Honneur. Mr Reynolds, vous nous disiez que vous étiez obligé de rester à la porte de la salle des soins intensifs et d'observer à travers la vitre la façon dont votre petit-fils était traité. Qu'avez-vous vu?

— Le docteur Grant a examiné mon petit-fils, il lui a prélevé un échantillon de sang qu'il a remis à une infirmière puis il a fait quelque chose de très bizarre.

— Objection! intervint Laura.

Bannon se pencha en avant.

— Le témoin s'abstiendra d'employer des qualificatifs et de formuler des opinions.

— Le docteur Grant a placé sur l'isolette où était couché le bébé une sorte de couvercle dont le dessous était composé de tubes fluorescents.

— Et alors?

— Il l'a branché, les tubes se sont allumés et la lumière s'est projetée sur mon petit-fils.

Franklyn secoua imperceptiblement la tête et regarda le jury du coin de l'œil.

— Dites-nous, Mr Reynolds si, avant de brancher cet appareil, le docteur Grant vous a expliqué ce qu'il comptait faire?

— Absolument pas.

— Vous a-t-il dit que le traitement comportait des risques?

— Non.

— Vous a-t-il demandé l'*autorisation* d'appliquer ce traitement à un moment quelconque — *avant* ou *après?*

— *Il ne m'a demandé aucune autorisation,* dit Reynolds en détachant chaque syllabe.

Laura écoutait, les nerfs tendus, incapable d'empêcher Franklyn et Reynolds de prouver un élément essentiel de leur plainte à savoir que Chris avait opéré sans l'autorisation d'un proche parent du malade. L'absence de consentement dans un cas où une forme de thérapie présente des dangers constitue incontestablement une faute professionnelle.

Franklyn poursuivit :

— Mr Reynolds, depuis cette époque, avez-vous été informé des dangers que comportait cette forme de thérapie?

— Oui.

Laura fit appel à toute son énergie pour faire front à la question suivante.

— Mr Reynolds, si vous aviez su alors ce que vous savez maintenant sur la photothérapie...

— Objection!

— Motif?

— Rien n'indique que le docteur Grant était obligé d'informer un membre de la famille en ce qui concerne la photothérapie.

Bannon fut contraint d'admettre l'objection. Franklyn reformula sa question :

— Mr Reynolds, si vous aviez été informé des dangers....

— Nous n'acceptons pas le mot *dangers*, dit Laura, saisissant l'occasion d'intervenir.

Bannon suggéra avec un certain agacement :

— Mr Franklyn, ne pouvez-vous éviter d'employer des expressions que l'avocat de la défense juge inadmissibles?

Franklyn poussa un soupir de lassitude indiquant aux jurés qu'il se sentait brimé par une pécore qui rendait son travail et le leur plus difficile.

— Mr Reynolds, depuis ce jour-là, vous êtes-vous documenté sur la question de la photothérapie?

— Oui, je me suis informé. Les médecins et les ouvrages spécialisés que j'ai consultés sont d'accord sur un point : en raison de ses effets secondaires encore inconnus, la photothérapie est une forme de traitement sujette à caution.

— Je demande que cette question soit rayée, dit Laura.

Bannon dont l'irritation devenait de plus en plus visible se tourna vers elle :

— Et pour quel motif, cette fois, jeune fille?

— Tout simplement, vieil homme, parce que...

Laura fut interrompue par les éclats de rire de l'assistance. Rouge de colère, Bannon réclama le silence. Il foudroya Laura du regard :

— La formule employée par la défense frise l'insolence et dénote un certain mépris de la Cour. Toute autre forme d'expression analogue entraînera une action immédiate du tribunal.

Laura blêmit. Elle attendit que le silence soit complètement rétabli et ce fut d'une voix ferme et assurée qu'elle répondit :

— La défense est toute disposée à stipuler que toute formule fondée sur l'âge et le sexe soit bannie de ce procès.

Ainsi défié, Bannon se contenta de répliquer sèchement :

— Si la défense établit le bien-fondé de son objection, la Cour jugera.

— Etant donné que Mr Reynolds n'a pas qualité d'expert, toute question qui l'appelle à donner son avis sur des affaires d'ordre médical est absolument inadmissible.

Bannon jeta un coup d'œil sur Franklyn.

— Même si Mr Reynolds répète ce que lui ont dit certains médecins? demanda Franklyn.

— Tant que nous ne connaissons pas les qualifications des médecins que Mr Reynolds a consultés, nous nous opposons à ce que cette question soit posée quelle qu'en soit la forme. Nous n'acceptons que le témoignage direct d'experts dûment qualifiés et seulement s'il peut faire l'objet d'un contre-interrogatoire.

Franklyn hésita un instant puis il se tourna vers Reynolds

qui paraissait manifestement irrité de n'avoir pu répondre à une question qu'il jugeait cruciale.

— Si le docteur Grant vous avait fourni des explications sur la photothérapie, l'auriez-vous autorisé à appliquer le traitement à votre petit-fils?

— Certainement pas.

Franklyn avait réussi à prouver le bien-fondé des accusations de son client concernant l'absence d'autorisation de proches parents bien informés. Laura espérait qu'elle pourrait enfin procéder au contre-interrogatoire. Mais il n'en avait pas encore fini.

— Mr Reynolds, vous me pardonnerez de passer à des sujets encore plus pénibles.

Ce préambule de Franklyn inquiéta Laura encore plus que son intention déterminée de maintenir Reynolds à la barre.

— Mr Reynolds, pouvez-vous nous décrire l'état de votre petit-fils?

— Objection! dit Laura.

Le juge intervint :

— Un grand-père n'a pas besoin d'être expert, pour être autorisé à porter un témoignage sur l'état de son petit-fils.

— Toute opinion concernant l'état de l'enfant, objet de ce procès, est l'affaire d'experts qualifiés, dit Laura.

Reynolds se tourna vers le jury.

— Il était atroce d'observer le changement commença-t-il, surtout après toutes les promesses de ces médecins. Ils m'ont rendu le bébé en disant : « Il est parfaitement bien maintenant. » Je l'ai emporté moi-même jusqu'à la voiture et je l'ai ramené à sa mère. Son regard quand je lui annonçai qu'il était guéri...

Il laissa sa phrase en suspens. Son propre regard était assez éloquent.

Laura était furieuse de cet appel manifeste à la compassion du jury. Elle savait parfaitement que toute objection de sa part ne pourrait qu'aggraver la situation au lieu de diminuer les effets de la manœuvre. Elle décida de laisser Reynolds poursuivre le récit.

— Nous jouions avec lui, son père, sa mère, ma femme et moi-même. Quand j'étais en ville je le voyais au moins une fois par jour, quand je partais en voyage d'affaires la nursery était le dernier endroit où je passais avant d'aller à l'aéroport et le premier où je m'arrêtais à mon retour.

Reynolds parut se perdre dans ses pensées. Franklyn dut l'éperonner.

— Et, à tous égards, il paraissait normal, bien portant?

— Il *paraissait*, répéta amèrement Reynolds. Voilà encore une chose que j'ai apprise : un bébé peut paraître parfaitement normal puis, au bout de quatre ou cinq mois, vous commencez à constater des changements. Ils sont imperceptibles au début. Vous remarquez qu'il ne sourit pas, qu'il ne réagit pas. Un beau jour, vous vous rendez compte qu'il ne progresse pas; vous vous inquiétez, vous vous posez des questions. Au début, vous n'osez pas demander.

Reynolds s'interrompit. Il secoua légèrement la tête comme pour chasser ses propres pensées. Se tournant vers le jury, il reprit :

— Excusez-moi de m'appesantir sur ces détails. Je voulais expliquer que c'est moi qui les ai remarqués le premier. Alors sans rien dire à personne, je suis allé à la bibliothèque de l'Association médicale et je me suis documenté sur la question. Je ne suis pas médecin mais je suis capable de comprendre qu'une lésion cérébrale comme celle qui nous occupe ici ne se manifeste généralement que vers le quatrième ou cinquième mois, exactement le temps qui s'est écoulé avant que je commence à déceler les premiers symptômes. Plus je lisais plus je trouvais de raisons de m'inquiéter. Avant même que nous consultions un neurologue, j'étais fixé.

Reynolds s'arrêta, visiblement dominé par l'émotion. La salle était plongée dans un silence de mort. Franklyn tendit un verre d'eau à son client. Reynolds le but d'un trait et essaya de se ressaisir. Bannon demanda :

— Le témoin désire-t-il une courte suspension d'audience?

Reynolds se contenta de secouer la tête pour indiquer qu'il était prêt à poursuivre.

— J'ai appelé le docteur Mitchell pour lui faire part de mes craintes. Il a d'abord essayé de me rassurer mais, après un examen approfondi, il a abouti aux mêmes conclusions que moi.

Nous avons fait appel à des spécialistes; non que j'aie douté du diagnostic du docteur Mitchell qui est un excellent médecin mais personne ne peut accepter d'emblée un pronostic aussi tragique. Quatre spécialistes ont vu mon petit-fils et tous ont constaté qu'il présentait une lésion cérébrale irréversible.

Reynolds commençait à haleter; sa respiration devenait sifflante et saccadée. Il conclut en fixant sur Chris un regard haineux :

— Malgré toutes les promesses du docteur Grant, cet enfant né en parfaite santé ne sera jamais normal.

Quand Reynolds eut terminé, personne ne bougea. Chris était peut-être plus ému encore que les membres du jury car il connaissait mieux qu'eux les espoirs que Reynolds avait fondés sur cet enfant.

Laura était forcée de reconnaître que Harry Franklyn avait surmonté son principal obstacle avec une suprême habileté : il avait su convaincre le jury que, malgré sa fortune, sa situation, sa puissance, John Stewart Reynolds était digne de pitié. Si elle essayait à présent de démolir une partie de sa déposition, elle indisposerait le jury.

Comprenant qu'elle n'avait pas le choix, elle se leva et déclara à la Cour :

— Si votre Honneur n'y voit pas d'inconvénient, je ne procéderai pas au contre-interrogatoire du témoin pour le moment, me réservant le droit de le rappeler plus tard.

Bannon consulta l'horloge et décréta :

— Nous nous retrouverons demain matin à dix heures quand la défense sera prête.

22

Ils vidèrent leur verre de vin mais touchèrent à peine au contenu de leur assiette. Chris régla l'addition.

— Je vais te raccompagner chez toi, dit-il, tu as besoin de sommeil.

— J'ai encore plus besoin de prendre l'air, répondit Laura. Je vais aller faire un tour. Je te déposerai.

— Non, dit-il fermement, je ne veux pas que tu sois seule, pas ce soir.

Il prit le volant et se dirigea vers le nord de la ville où les prés verts et les bouquets d'arbres dégageaient une bonne odeur revivifiante. La route était à peu près déserte. Seuls quelques camions transportant des produits frais à la ville passaient de temps à autre avec un grondement sourd. Il allongea le bras, pensant qu'elle allait se blottir contre lui comme elle le faisait d'habitude mais elle ne bougea pas.

Après un moment de silence, il murmura doucement :

— Laurie?

— Dis-moi... commença-t-elle en hésitant.

Elle scruta son visage. Il semblait mécontent.

— Chris, te rappelles-tu ce que tu as réellement ressenti le jour où tu as soigné le bébé?

— Que veux-tu dire? demanda-t-il en tournant la tête pour lui lancer un regard de défi.

— Occupe-toi donc de la route; ce que j'ai à dire est assez difficile sans que tu me foudroies du regard.

— C'est bon. Continue.

— D'abord, tu dois comprendre qu'il ne dépend pas entièrement de moi que tu passes ou non à la barre. Franklyn veut te mettre sur la sellette. Aussi semblerait-il logique que je ne t'appelle pas à témoigner mais je dois te prévenir que, même si je ne t'interroge pas, il peut te citer comme témoin hostile. Il faut donc que nous soyons prêts.

— Qu'est-ce qui peut te faire croire que je ne suis pas prêt à cette éventualité? Enfin que veux-tu savoir exactement?

— Quels *étaient* tes sentiments ce jour-là?

— Mes sentiments à propos de quoi? De l'enfant? Du rapport succinct de Parkside? Du vieux Reynolds qui ne me lâchait pas? Je savais que je ne me fierais pas aux rapports du laboratoire de Parkside. Alors j'ai fait faire les analyses. En attendant les résultats j'ai décidé d'utiliser la photothérapie pour plus de sûreté. Quand je les ai vus, l'état de l'enfant ne m'a pas paru nettement défini. J'ai donc voulu continuer le traitement tant que nous n'avions pas d'indication plus précise. Dès que le taux de bilirubine a commencé à baisser, j'ai cru honnêtement que le gosse s'en était sorti.

— Tu m'as bien raconté ce que tu *as fait* mais pas ce que tu *as ressenti.*

— Que veux-tu dire?

— Chris, mon chéri, implora-t-elle, tu viens de manifester une certaine irritation en parlant de Reynolds, t'a-t-il agacé à ce moment-là aussi?

Chris ralentit, et rangea la voiture sur le bord de la route.

— Enfin, qu'essaies-tu de me dire?

— Je ne dis rien, je demande simplement.

Elle s'interrompit puis elle se décida brusquement à aller droit au but :

— Se pourrait-il que Reynolds n'ait pas absolument tort en prétendant que tu détestes instinctivement sa famille à cause de sa fortune?

— Tu ne crois tout de même pas cela?

— Ce que je crois n'a aucune importance. Il faut que je sache ce que tu vas répondre si Franklyn t'interroge à ce sujet.

— Si *tu* peux poser une question pareille...

— Il faut que je sache. Franklyn est un avocat des plus habiles et des plus retors.

— Franklyn, répéta-t-il. Eh bien c'est un sacré métier que tu exerces ma chérie. La simple justice c'est trop demander. En somme, ce que j'ai pu faire ou ne pas faire est tout à fait secondaire et ce procès a pour but de mettre en lumière le grand talent de Harry Franklyn.

— La question n'est pas là.

— Vraiment? Tu me demandes si je vais être capable d'affronter Franklyn et de soutenir que je suis innocent. Vas-y, pose la question que tu as derrière la tête.

Elle essaya de l'apaiser :

— Chris...

— Je n'ai pas peur d'aller à la barre. Je sais que j'ai fait ce qu'il fallait. Je n'ai aucun doute à ce sujet. Maintenant, si toi tu en as, peut-être que...

Il n'acheva pas sa phrase. C'était inutile. Elle avait compris. Un long silence oppressant régna dans la voiture.

— C'est ce que tu voulais dire quand tu m'as averti que les rapports risquaient de se détériorer au cours d'un procès? demanda-t-il enfin.

— Peut-être.

Ils se turent un moment puis elle reprit :

— Il se fait tard. Rentrons.

Il s'apprêtait à démarrer lorsqu'une voiture de police s'arrêta derrière eux. Un agent en uniforme en descendit : il vérifia leurs papiers et les autorisa à partir mais non sans leur donner un avertissement.

— Il y a des motels pour ce genre d'occupation, ils sont plus sûrs. Trop d'amoureux se sont fait voler ou pire encore sur cette route depuis deux ans.

Ils prirent la route du retour. Un peu contrit, Chris essaya de détendre l'atmosphère.

— Des amoureux, dit-il, je me demande ce qu'il nous aurait conseillé s'il avait entendu notre conversation.

Elle garda le silence. Ils poursuivirent leur chemin sans échanger une parole. Il l'accompagna jusqu'à sa porte et l'embrassa mais elle répondit à peine à son étreinte.

— A demain, dit-elle.

Elle verrouilla sa porte et eut le vague sentiment qu'elle accomplissait un geste aussi symbolique qu'utile. Elle venait de refermer sa porte sur lui.

Elle se brossa les dents, se démaquilla et se mit au lit sans cesser de réfléchir. En réalité, elle aurait dû lui poser la question quelques semaines auparavant. Si Chris n'avait été qu'un client comme un autre, elle lui aurait demandé une description honnête et détaillée de ses sentiments et de ses pensées au cours du tragique épisode. Mais, comme elle l'aimait, elle lui avait fait confiance puis, ce qui était pire, elle avait commencé à se demander si sa confiance était justifiée.

Elle se cala contre ses oreillers et prit une cigarette. Il fallait qu'elle fasse objectivement le point de la situation.

S'ils perdaient, ils n'auraient pas les moyens de faire appel. Et si Chris avait encore un avenir dans la médecine il ne pourrait exercer que dans un coin perdu. Alors, s'ils devaient faire leur vie ensemble, elle serait obligée d'abandonner sa carrière ou de tout recommencer ailleurs. L'amour pourrait-il survivre à de tels déracinements?

Seule, dans le silence de la nuit, elle pouvait être franche avec elle-même. Oui, elle voulait épouser Chris et lui donner des enfants mais elle ne se contenterait pas de cette vie d'épouse et de mère. Pourtant, si le jury se prononçait contre eux, il faudrait qu'elle fasse son choix.

Elle se promit que, jusqu'à la fin du procès, elle traiterait Chris uniquement en client. Elle pensa aussi qu'elle n'avait d'autre solution que de l'appeler à la barre. Quel que fût le nombre des experts médicaux ralliés à la défense, le jugement de Chris était le point crucial du procès et lui seul pouvait le justifier.

Elle s'endormit en continuant à établir une défense dont le dernier acte serait la déposition de Chris.

— Docteur Mitchell Sobol, annonça l'huissier.

Mike prêta serment et prit place à la barre des témoins. Laura se leva pour l'interroger. Il se dit que, si la situation n'était pas aussi grave, elle serait plutôt amusante. Il se représentait la gamine blonde qui faisait ses premiers pas et voilà que cette même gamine le questionnait sur ses études, ses antécédents, la liste des postes de faculté qu'il avait occupés.

Lentement mais sûrement, Laura brossait un portrait de Mike qui l'imposait au public comme un expert éminent. La liste de ses réalisations professionnelles était si longue que Harry Franklyn se leva pour déclarer :

— Le plaignant admettra qu'il reconnaît les qualifications de ce témoin.

Le juge Bannon était disposé à accepter cette suggestion. Mais Laura refusa. Elle voulait que le jury connaisse l'historique de l'impressionnante carrière de Mike. Ensuite, elle demanda à son témoin comment il avait été mis au courant de la maladie de l'enfant et amené à envoyer une ambulance pour le transporter au Metropolitan.

— Docteur Sobol, quand vous avez examiné l'enfant, vous a-t-il paru dans un état désespéré?

— Désespéré, non. Mais chaque fois qu'un enfant présente un Coombs positif, nous prenons des mesures sérieuses.

— Quel que soit son état? insista Laura.

— La situation peut devenir extrêmement sérieuse en quelques heures.

— Dans la situation que vous décrivez, docteur, que feriez-vous en votre qualité de pédiatre éminent?

— Exactement ce que j'ai fait. J'ai remis l'enfant entre les mains d'un homme qui m'inspire une confiance absolue, le docteur Grant.

— Lui avez-vous donné des instructions?

— C'était parfaitement inutile.

— Objection! dit Franklyn.

— Objection admise, décréta aussitôt Bannon.

— Docteur, reprit Laura, répondez directement à la question : lui avez-vous donné des instructions?

— Non.

— Docteur, pour quelle raison n'avez-vous pas traité l'enfant vous-même?

— Eh bien, comme vous le savez...

Franklyn leva la main pour faire objection. Bannon le devança :

— L'avocat du témoin sait peut-être certaines choses mais la Cour et le jury ne les savent pas. Le témoin s'en tiendra aux faits.

Mike rougit.

— J'ai confié l'enfant au docteur Grant pour deux raisons : d'abord j'avais un cours, ensuite, ce qui est plus important, je me fie autant au jugement du docteur Grant qu'au mien.

— Docteur Sobol, en vous fondant sur les signes cliniques, les rapports de laboratoire, les faits mentionnés dans le rapport et votre examen de l'enfant en question, un autre traitement aurait-il dû être utilisé?

— Si je me retrouvais exactement dans les mêmes circonstances, je prendrais exactement les mêmes mesures.

Laura posa alors la question cruciale :

— A votre avis, le traitement du docteur Grant est-il conforme à la saine pratique de la médecine?

— Sans aucun doute.

Laura lui relut ensuite certains extraits des témoignages des médecins cités par la partie plaignante et lui demanda s'il approuvait ou désapprouvait. Cette procédure prenait un temps interminable mais elle était nécessaire pour déloger de l'esprit des jurés plusieurs des notions que Franklyn leur avait mises dans la tête. A la fin de sa déposition, Mike Sobol avait établi un contact avec les jurés. On sentait qu'ils le croyaient.

Harry Franklyn se leva pour contre-attaquer. Il s'avança lentement vers Sobol et demanda sur un ton suave :

— Docteur, voulez-vous dire que vous auriez appliqué le même traitement à un nouveau-né présentant les mêmes symptômes?

— Je crains que ce ne soit impossible.

— Vous prétendez qu'il ne peut y avoir de cas identiques à celui-ci?

— Pas du tout, je prétends qu'un enfant ne peut présenter de symptômes, rétorqua Sobol calmement.

Franklyn rougit.

— Vous voulez dire que vous ne pouvez déceler des symptômes chez un bébé?

— Je veux dire, monsieur l'avocat que les symptômes sont

des troubles perçus et signalés par le patient. Un enfant de deux jours n'est guère susceptible de présenter des symptômes.

— Ce n'est pas le moment de jouer sur les mots, docteur, rétorqua Franklyn.

— Mr Franklyn, dit Sobol sans élever la voix, j'essaie d'éviter des équivoques. Les troubles que le médecin observe sont des signes cliniques, ceux dont le patient se plaint sont des symptômes. Quand il s'agit d'enfants en bas âge nous ne pouvons nous fier qu'à des signes cliniques.

Refrénant sa colère, Franklyn reformula sa question.

— Docteur Sobol, voulez-vous dire qu'en présence du même cas clinique vous auriez agi comme l'a fait le docteur Grant?

— Précisément.

— Vous auriez utilisé la photothérapie?

— Je n'ai pas dit cela.

— C'est pourtant le traitement utilisé par le docteur Grant, n'est-ce pas?

— En partie seulement.

— A-t-il utilisé la photothérapie pour cet enfant oui ou non?

— Mr Franklyn, voulez-vous une réponse à votre question ou voulez-vous la vérité? demanda Sobol sans se démonter.

Franklyn était mis au pied du mur.

— C'est la vérité qui nous intéresse, naturellement.

— Eh bien, en médecine, lorsque nous nous trouvons devant un cas dont le pronostic est incertain nous avons une règle fondamentale : tant que nous n'avons pas établi de diagnostic, nous traitons ce qui est curable. Dans ce cas, avec un enfant présentant des signes cliniques qui peuvent être dus ou non à une incompatibilité de rhésus nous traitons toutes les causes possibles. C'est pourquoi le docteur Grant a commencé par pratiquer une perfusion non seulement pour alimenter l'enfant mais pour lui administrer un antibiotique pour le cas où la jaunisse serait due à une infection. En même temps, il a prélevé un échantillon de sang pour les analyses nécessaires et, par mesure de précaution supplémentaire, il a placé le bébé sous photothérapie. Ainsi avant même que les résultats arrivent du laboratoire, le traitement était commencé.

— Docteur, les troubles n'auraient-ils pu être éliminés par une exsanguino-transfusion?

— Je ne vois pas comment.

— De nombreux experts sont venus déclarer ici que, dans les mêmes circonstances, ils auraient procédé immédiatement à une exsanguino-transfusion. Vous n'êtes pas d'accord avec eux?

— Leur avez-vous demandé ce qu'ils auraient fait si les troubles avaient été causés par une infection?

Franklyn se tourna vers le tribunal.

— Votre Honneur, pourriez-vous demander au témoin de répondre à la question?

Bannon se pencha en avant :

— Docteur Sobol, il ne faut pas répondre à une question par une question. Voudriez-vous donner à Mr Franklyn une réponse directe?

— Je vais essayer, dit Sobol en épongeant son crâne chauve avec son mouchoir. Franklyn répéta sa question :

— N'êtes-vous pas d'accord avec l'opinion des experts qui ont déclaré qu'ils auraient procédé immédiatement à une exsanguino-transfusion?

— Etant donné que la gravité et le pronostic de la maladie n'étaient pas déterminés, ce traitement paraissait trop radical pour la situation. La cause aurait pu...

Franklyn l'interrompit :

— Vous avez répondu à la question, docteur. Considérez-vous qu'une incompatibilité de rhésus est un problème grave chez un enfant de quarante-huit heures et présentant un taux de bilirubine de seize?

— N'importe quel médecin le penserait.

— Je vous ai demandé si *vous* le pensiez?

— Je la juge virtuellement *très* dangereuse.

— Alors trouvez-vous qu'un recours à la photothérapie était suffisant, alors que vous disposiez d'une autre méthode plus sûre, autrement dit l'exsanguino-transfusion?

— Cela dépend des circonstances spécifiques.

— Docteur, je crois que vous êtes évasif.

— Avocat, je crois que vous essayez de m'égarer, riposta Sobol sèchement.

Bannon intervint.

— Docteur Sobol, malgré tout ce que vous avez pu voir à la télévision, nous n'avons pas l'habitude d'échanger des insultes dans le prétoire.

Laura se leva.

— Votre Honneur, mon client a essayé d'être aussi précis que possible mais il n'est pas facile de répondre à certaines questions médicales dans les limites que Mr Franklyn lui impose. Je crois que si on lui laissait un peu plus de latitude nous éviterions des chicaneries et une perte de temps.

Bien qu'il n'acceptât pas d'être conseillé par une femme, Bannon fut obligé de s'incliner.

— Le témoin sera autorisé à fournir des explications complètes en cas de nécessité.

— Docteur, reprit Franklyn, entre les deux méthodes de traitement...

Sobol l'interrompit.

— J'ai laissé certaines réponses en suspens, Mr Franklyn.

— Par exemple?

— Par exemple, vous m'avez demandé si j'étais d'accord avec les experts. Non je ne suis pas d'accord avec eux pour une raison bien simple. Ils n'étaient pas présents, moi, j'étais là. Ils n'ont pas examiné l'enfant; moi, je l'ai examiné. Ils jugent après les faits; ce n'est pas mon cas. A mon avis, devant un enfant présentant les signes cliniques concernés : un taux de bilirubine de seize milligrammes, on peut *envisager* l'idée d'une exsanguino-transfusion mais, lorsque les résultats de l'analyse suivante montrent que la bilirubine s'est stabilisée, je ne crois pas qu'un médecin entreprenne une exsanguino-transfusion. C'est tout de même une opération qui n'est pas exempte de risques et, si vous vous en souvenez, le niveau de la bilirubine a commencé alors à baisser nettement. La saine pratique de la médecine ne consiste pas à procéder immédiatement à une exsanguino-transfusion.

L'explication était claire et complète, un peu trop au gré de Franklyn. Il décida de pousser son attaque.

— Si votre opinion est juste, comment expliquez-vous l'état tragique de l'enfant?

Laura vit le sang affluer au visage de Mike.

— Je crains de ne pouvoir répondre à cette question, dit-il. Il n'est pas toujours possible d'attribuer une lésion cérébrale à une cause spécifique.

— Voulez-vous dire que votre expérience ne sert à rien quand il s'agit de répondre à la question cruciale? demanda Franklyn légèrement sarcastique.

— Je veux dire que, dans le cas de cet enfant, aucun médecin ne peut établir avec certitude la cause de la lésion cérébrale.

— Pourtant, nous avons entendu des experts exprimer des opinions contraires. Ils pensent qu'elle est consécutive à un traitement inapproprié; un traitement qui a pu lui faire plus de mal que de bien.

— Les experts! railla Sobol. Je vous ai dit qu'ils ne peuvent que supposer. Ils ne peuvent déterminer la cause. Ils ne font que supposer.

— Docteur, reconnaissez-vous que John Reynolds Simpson est atteint d'une lésion cérébrale?

— Oui, je le reconnais.

— Voyez-vous une cause qui aurait pu provoquer une telle lésion, abstraction faite d'un traitement inapproprié?

— Une cause? Il y a bien des causes mais, dans ce cas... Non, je ne vois pas, avoua-t-il avec tristesse.

— Merci docteur, dit Franklyn mettant fin au contre-interrogatoire.

Laura se sentit obligée de retenir Sobol pour qu'il mette au point certaines explications que Franklyn avait sabotées.

— Docteur Sobol, vous avez fait allusion aux diverses causes de lésion cérébrale, pourriez-vous les citer?

— Une médication qu'aurait pu prendre la mère au cours de la grossesse, une infection virale qui aurait pu affecter le fœtus ou un facteur que nous n'avons pas encore déterminé.

— Par conséquent, les troubles dont souffre John Reynolds Simpson pourraient être dus à plusieurs causes?

— C'est exact.

Franklyn se leva vivement :

— Docteur Sobol, après tous les témoignages de spécialistes et votre propre constatation de l'état tragique de ce malheureux enfant, maintenez-vous que la photothérapie était la forme de traitement appropriée à ce cas?

Le visage congestionné et trempé de sueur, Mike Sobol répondit dans un murmure :

— Oui, oui, je le maintiens.

Franklyn ne poursuivit pas. Mike se leva péniblement, soudain conscient de la force de ses battements de cœur. Il n'était décidément pas fait pour le rôle de témoin. Il regagna la table de la défense, évitant le regard de Chris et de Laura. Il avait l'impression de les avoir trahis tous les deux. Pourtant, il avait dit la vérité, une vérité qui ne pouvait être aussi concluante que la loi le désirait mais c'était tout ce que la science médicale avait à offrir.

23

Laura cita plusieurs autres experts médicaux, des médecins compétents, jouissant d'une excellente réputation qui s'étaient tous offerts pour témoigner en faveur de Chris. Bien que Laura sût que la seule déposition capable d'étayer la défense fût celle de Chris Grant, elle prévoyait aussi le danger que présentait pour lui le contre-interrogatoire de Franklyn. Mais c'était un risque qu'elle devait prendre.

Elle appela Chris à la barre. Après avoir établi ses excellents antécédents médicaux et l'intérêt de ses travaux au Metropolitan, Laura l'interrogea sur son expérience en matière de photothérapie, sur les résultats, les effets, les bienfaits du traitement.

Elle s'efforçait d'amener le jury à accepter la photothérapie comme une saine pratique de la médecine. Elle voulait aussi donner à Chris tout le temps de se défendre avant d'affronter le contre-interrogatoire.

Harry Franklyn ne fit guère d'objections. Au bout d'un moment, Laura se rendit compte avec un certain malaise qu'il se dispensait d'intervenir pour endormir sa méfiance. De temps à autre, il prenait des notes mais c'était tout et Laura se demandait quels atouts il tenait en réserve.

Au milieu de l'après-midi, après avoir interrogé Chris sur les généralités de la photothérapie, les risques connus de l'exsanguino-transfusion et les particularités du cas Simpson, elle posa l'une des inévitables questions de Franklyn :

— Docteur, n'aurait-il pas été plus sûr de procéder immédiatement à une exsanguino-transfusion au lieu d'attendre plusieurs heures les résultats des analyses de bilirubine?

— Pas nécessairement. Un médecin qui n'est pas sûr de son propre jugement peut se hâter d'adopter cette solution mais j'évite toujours une transfusion si c'est possible. Les risques sont trop grands.

— Bien que les experts qui sont venus témoigner aient affirmé que les risques de mortalité ne sont que de un pour cent?

Inconsciemment, Chris se tourna vers les jurés :

— Il faut voir les nouveau-nés dans la salle des soins intensifs; ils tiennent tout juste dans le creux de la main et portent encore les marques de l'accouchement. Ils cherchent leur respiration et essaient de s'accrocher à la vie. Ils sont isolés dans les incubateurs et leurs petits corps se tordent, avides de nourriture alors qu'ils devraient se blottir douillettement contre leurs mères.

Derrière Laura, Harry Franklyn donnait des signes d'impatience. C'était encourageant. La nervosité de l'avocat signifiait que Chris commençait à marquer des points. Elle savait que la partie adverse n'allait pas tarder à protester mais, en attendant, elle laissait Chris continuer sur sa lancée.

— Il se peut qu'un pédiatre ait des idées spéciales sur la petite enfance. Nous n'avons pas affaire à des bébés bien portants. Nous ne voyons que les malades, les cas pathologiques. Nous les voyons aussi quand, malheureusement, ils deviennent des spécimens de laboratoire.

Franklyn intervint :

— Objection. Le témoin a bénéficié d'une trop grande latitude.

Bien que Bannon fût intéressé par la déposition de Chris, il dut reconnaître la validité de l'intervention de Franklyn.

— Le témoin s'en tiendra aux faits se rapportant au procès.

Laura n'était pas fâchée de cette interruption. Ainsi le jury sentirait que Chris n'avait pas été autorisé à aller jusqu'au bout de son récit. Elle poursuivit avec un regain de confiance :

— Docteur, pourriez-vous énumérer les risques que comporte l'exsanguino-transfusion?

— Elle peut provoquer une infection ou des réactions cardiaques dangereuses. C'est une intervention très longue qui dure généralement plus d'une heure et, pendant ce temps, l'enfant réagit parfois très mal.

— Que fait le médecin dans ce cas?

— Il arrête immédiatement l'opération.

— Et alors?

— Après vérification de la tension et du pouls, il peut décider de continuer plus tard ou bien il est obligé de renoncer. Tous les enfants ne survivent pas à une transfusion.

— Vous êtes-vous déjà trouvé dans l'obligation d'interrompre une exsanguino-transfusion?

— Tous les pédiatres se sont trouvés dans ce cas.

— Et que faites-vous alors?

— Comme nous n'avons plus le choix, il faut essayer la photothérapie mais, à ce stade, il ne faut pas s'attendre à un bon résultat.

— Docteur, si vous aviez opéré pour la transfusion, le bébé Simpson aurait-il pu réagir favorablement?

Avant que Chris ait pu répondre, Franklyn était debout.

— Votre Honneur, puisque cette opération n'a pas été pratiquée sur le bébé Simpson, cette question est inopportune.

— Objection retenue.

Laura regrettait que Chris n'ait pas eu le temps de répondre à la dernière question mais elle était assez réaliste pour se rendre compte qu'aucun juge ne le lui aurait permis. Elle reprit son interrogatoire :

— Docteur, il y a un moment, vous avez parlé d'enfants qui deviennent des spécimens de laboratoire, que vouliez-vous dire?

— Je veux parler de ceux qui meurent au cours de la première semaine. Généralement je demande une autorisation d'autopsie aux parents.

— Avez-vous examiné de nombreux spécimens?

— Près d'un millier.

— Docteur Grant, un homme qui a l'habitude de se pencher sur des cas aussi lamentables a-t-il tendance à être insouciant ou négligent en décidant du traitement à employer pour un enfant présentant un taux de bilirubine élevé?

— Objection! intervint Franklyn. La réponse ne peut que servir son auteur.

— Objection retenue.

Laura orienta Chris vers la partie la plus délicate de l'interrogatoire — une tentative de réfutation des accusations de Reynolds concernant ses préjugés à l'égard de la fortune :

— Docteur Grant, vous avez entendu John Stewart Reynolds déclarer que votre hostilité à son égard a pu influer sur le choix du traitement que vous avez appliqué à son petit-fils.

— C'est faux. En premier lieu, je n'éprouve aucun sentiment d'hostilité à l'égard de Mr Reynolds. Ensuite, il n'était pas le malade, enfin, quels que soient mes sentiments à l'égard d'un individu, je n'irais jamais me venger sur un enfant.

Harry Franklyn prit une note.

— Docteur, vous venez de déclarer que Mr Reynolds ne vous inspire aucun sentiment d'hostilité. Or, Mr Reynolds a affirmé que vos articles médicaux reflétaient vos préjugés contre la société, particulièrement contre les riches. Pouvez-vous donner une explication à ce sujet?

— La plupart des enfants que je cite dans ces études sont nés de mères trop pauvres ou trop ignorantes pour connaître les effets d'une alimentation insuffisante au cours de la grossesse. Cette malnutrition est à l'origine de diverses carences chez les enfants qui naissent souvent avec un cerveau sous-développé. S'ils survivent, ils deviennent un poids mort pour la société, s'ils meurent, ils deviennent des spécimens. Pour des pédiatres comme moi, il paraît inhumain de travailler en silence au lieu de chercher à modifier la situation. Si un médecin a des idées sur les moyens qui pourraient prévenir la maladie et servir la société dans son ensemble, il doit les exprimer. S'il agit autrement il se rend coupable d'une négligence criminelle.

Harry Franklyn prit une autre note.

— De sorte que vous n'aviez pas l'intention de faire allusion à un individu en particulier?

— Non.

— Ni à une classe d'individus.

— Si par classe vous entendez les riches, je réponds non. Bien des riches essaient de changer la situation. La majeure partie des fonds alloués à la recherche vient des riches. Je n'ai aucune raison de leur en vouloir.

— Docteur Grant, avez-vous été guidé dans le choix de votre traitement par une autre cause que votre jugement professionnel?

— Absolument pas.

— Si vous vous trouviez aujourd'hui en présence d'un cas identique, appliqueriez-vous le même traitement?

— Si le cas est identique, certainement, dit Chris fermement.

Laura s'écarta de la chaise du témoin et regagna sa place.

— Quelle est ton impression? lui chuchota Mike Sobol.

— Tout s'est très bien passé, dit-elle en s'efforçant de paraître plus optimiste qu'elle ne l'était en réalité.

Au lieu de commencer son contre-interrogatoire, Harry Franklyn signala qu'il était tard et demanda au président de reporter la suite du procès au lendemain. Il voulait avoir le temps de disséquer tout à son aise le vulnérable médecin.

24

Le lendemain matin, pendant que Chris, Mike et Laura s'installaient à la place de la défense, il y eut un mouvement du côté de la porte. Les gardes forçaient des spectateurs curieux à reculer tandis que Mr et Mrs John Reynolds entraient en compagnie d'une jeune femme inconnue. Franklyn les conduisit le long de l'allée.

Intriguée, Laura murmura :

— Qui sont ces deux femmes?

Chris identifia Mrs Reynolds. Mike reconnut la plus jeune.

— Arlene Simpson, la fille de Reynolds, souffla-t-il.

— La mère du bébé?

Laura s'alarma. Pourquoi Harry Franklyn avait-il choisi cette étape du procès pour la montrer au tribunal?

Chris retourna à la barre et s'assit dans le box des témoins. Pendant que Franklyn rassemblait ses papiers, Laura observait discrètement Mrs Simpson, mince, fine, avec des traits réguliers qui rappelaient ceux de sa mère, elle paraissait plus jeune qu'elle ne l'était en réalité et mal armée pour assumer la responsabilité d'élever un enfant mentalement handicapé.

Laura comprit pourquoi Harry Franklyn avait attendu jusqu'alors pour la mettre en présence du jury. Bien qu'elle lui en voulût du procédé, elle reconnaissait son efficacité. Déjà les jurés avaient les yeux braqués sur la jeune femme, devinant son identité et aussitôt attendris.

Franklyn attendit que tous les jurés aient bien remarqué la présence de Mrs Simpson puis il s'approcha du témoin en feuilletant ses notes comme s'il ne savait trop par où commencer. Ce n'était qu'une tactique : Harry Franklyn avait toujours toute sa stratégie en tête. Il divisait les témoins hostiles en deux catégories : les menteurs et les honnêtes gens et il employait des tactiques totalement différentes pour les prendre en faute les uns et les autres.

Le menteur pouvait s'enferrer dans ses propres déclarations. Quant à l'honnête homme, il fallait faire en sorte que ses convictions paraissent mal fondées et que sa loyauté même constitue le défaut de la cuirasse.

Chris Grant avait la passion de son métier. Son interrogatoire préliminaire et sa déposition directe en témoignaient. A plusieurs reprises, ses éclats avaient interrompu le cours du procès. Harry Franklyn avait soigneusement enregistré ces manifestations émotionnelles et son contre-interrogatoire était construit en conséquence. Dans le cas de Grant, il avait un atout supplémentaire : le médecin pouvait être amené à s'engager si profondément dans une phase de sa déposition qu'une brusque attaque par surprise risquait de le laisser un moment sans défense.

Avec une expression bienveillante, comme s'il essayait d'aider à la fois Chris et le tribunal, Franklyn posa sa première question :

— Docteur Grant, peut-être serait-il bon que nous reprenions le dernier point soulevé par la défense. Le greffier pourrait-il relire la question et la réponse?

Le greffier reprit ses notes de la veille et lut à haute voix :

— Si vous vous trouviez aujourd'hui en présence d'un cas identique, appliqueriez-vous le même traitement?

— Et la réponse? demanda Franklyn.

« Si le cas est identique certainement », lut le greffier.

— Docteur Grant, appliqueriez-vous le même traitement alors que vous savez que l'enfant de cette malheureuse jeune femme est handicapé? dit Franklyn en se tournant légèrement vers Arlene Simpson.

Laura et Mike échangèrent des regards inquiets. Franklyn faisait de nouveau appel aux sentiments du jury.

— Eh bien, docteur, insista-t-il.

— Me fondant sur les faits tels qu'ils me sont apparus à l'époque, je réponds encore oui; j'aurais appliqué le même traitement parce qu'il est conforme à la saine pratique de la médecine.

Franklyn était ravi. Décidément, il avait bien jugé Chris. C'était une proie trop facile. Il secoua la tête d'un air indigné, jeu de scène destiné au jury.

— Dois-je comprendre que cette tragique expérience ne vous a rien appris? demanda-t-il.

Chris commençait à donner des signes d'impatience marqués.

— Je considère que mon traitement était le seul qui convenait dans ces conditions.

— En dépit du résultat?

— En dépit du résultat, répéta Chris fermement.

C'est ce que Franklyn voulait lui faire dire.

— Docteur, poursuivit-il, est-il courant que des jeunes gens comme vous soient aussi positifs, aussi dogmatiques?

— Au sujet des procédés qui ont fait leurs preuves nous sommes positifs.

— Si positif que vous continuez à les utiliser en dépit de leurs conséquences?

— J'ai traité le bébé Simpson guidé par les faits connus et par ma propre expérience personnelle et j'estime que j'ai choisi le traitement approprié au cas.

— Avez-vous consulté un autre médecin avant de placer l'enfant sous photothérapie?

— Non.

— Pas même le docteur Sobol?

— Je l'ai informé de ce que j'avais fait et je l'ai prévenu que j'attendais les résultats du laboratoire avant de me décider pour une autre forme de traitement.

— Avez-vous discuté avec le docteur Sobol?

— Je l'ai mis au courant.

— Avez-vous discuté du traitement que vous appliquiez?

Laura protesta :

— L'avocat du demandeur essaie d'entraîner le témoin dans

une discussion sémantique, dit-elle. S'il a tenu le docteur au courant je considérerai le fait comme une discussion.

— Et moi pas, répliqua Franklyn.

— Mr Franklyn est autorisé à poursuivre, décida Bannon.

— Docteur dois-je comprendre qu'avant de placer cet enfant sous photothérapie, vous n'avez pas consulté le docteur Sobol? reprit Franklyn.

— C'était inutile.

— Pourquoi.

— Parce qu'il aurait approuvé ma décision comme il l'a fait par la suite.

— Vous ne croyez pas qu'il aurait pu vous dire : « Je pense que, dans un cas pareil, nous aurions intérêt à envisager une transfusion au lieu de nous fier à la photothérapie? »

— C'est possible mais peu probable.

— Alors parce que *vous* avez pensé que c'était peu probable, parce que *vous* avez décidé que *votre* jugement était bien supérieur à celui de tout autre, vous avez jugé qu'il était inutile de demander conseil. Docteur, vous vous rendez compte n'est-ce pas? que l'absence de consultation avec d'autres médecins dans une situation problématique peut constituer une faute professionnelle.

— Le cas n'était pas tellement hors série qu'il nécessitât l'avis d'autres médecins.

— C'est l'opinion d'un jeune homme qui considère que son jugement est supérieur à celui d'un certain nombre de spécialistes hautement qualifiés et possédant infiniment plus d'expérience.

Laura s'apprêta à protester; Franklyn retira vivement sa remarque et exprima ses regrets mais il avait marqué des points en accusant Chris d'avoir agi sans consulter personne alors qu'il l'aurait dû. De plus, il l'avait présenté comme un jeune homme suffisant, trop sûr de lui, trop arrogant, trop dogmatique pour faire crédit à ses aînés ou apprécier l'expérience du passé. C'était une stratégie extrêmement efficace et qui, avec la collaboration d'un témoin aussi émotif que Chris, avait toutes ses chances de réussir.

Franklyn changea brusquement de sujet.

— Docteur, votre propre avocat vous a demandé hier si, en traitant le bébé Simpson vous aviez été influencé par vos sentiments à l'égard de John Reynolds.

Laura l'interrompit vivement :

— Ce n'est ni la forme ni la substance de ma question. Je n'ai jamais mentionné Mr Reynolds ni aucun autre individu.

— Peut-être ma mémoire me joue-t-elle des tours. Le greffier voudrait-il lire l'avant-dernière question posée hier par l'avocat de la défense?

— Docteur Grant, lut le greffier, avez-vous été guidé dans le choix de votre traitement par une autre cause que votre jugement professionnel?

— Et la réponse du docteur Grant? demanda Laura.

— Absolument pas! cria Chris avant que le greffier ait eu le temps de commencer.

Franklyn demanda alors :

— Docteur, prétendez-vous toujours que vous n'éprouvez aucun sentiment hostile à l'égard de Mr Reynolds?

Il se dirigea vers sa table pour prendre quelques papiers puis il revint près du témoin. Chris remarqua que les papiers étaient des photocopies d'articles médicaux.

— Docteur, connaissez-vous le terme « bébés Reynolds »? demanda l'avocat.

Chris rougit et répondit enfin :

— Oui, je le connais.

— Pouvez-vous dire au jury qui a inventé ce terme?

Chris sentit sa gorge se serrer :

— Je... C'est une expression que j'ai utilisée au cours de mes récentes recherches pour désigner les enfants déficients mentaux.

— Avez-vous inventé ce terme avant ou après avoir traité le bébé Simpson?

— Je ne vois pas ce que... protesta Chris.

— *Avant* ou *après* avoir traité le bébé Simpson, docteur?

— Avant.

— Docteur, pouvez-vous expliquer au jury pourquoi seul, parmi tous les médecins qui ont écrit sur ce sujet, vous employez l'expression « bébés Reynolds »?

— C'était sans rapport avec John Reynolds, déclara Chris. La plupart des petits handicapés mentaux que je vois viennent de maisons très pauvres. Leurs mères habitent des logements modestes ou des HLM. Par pure coïncidence, les premiers cas que j'ai eu à traiter ici venaient de résidences appelées « immeubles Reynolds ». Aussi, pour ma commodité personnelle, je les ai tout simplement nommés « bébés Reynolds ».

— Et par la suite, vous avez tout simplement continué à utiliser ce nom, remarqua Franklyn sur un ton acide. Vous ne pensiez pas que vous pouviez ainsi diffamer un honorable citoyen?

— Je n'avais nullement l'intention de diffamer qui que ce soit. Je me trouvais devant un problème de HLM qui correspond aux difficultés sociales de notre époque, tenta d'expliquer Chris.

— D'autres types de HLM n'évoquaient-ils pas ces mêmes difficultés sociales?

— Je n'en sais rien. Sans doute ai-je utilisé le nom de Reynolds parce qu'il est plus connu.

Franklyn saisit la balle au bond.

— Donc vous aviez une raison. Le choix de ce nom *était* bel et bien délibéré.

— Délibéré oui, mais pas hostile; le choix reflétait un problème social et non individuel. En fait l'immeuble dans lequel j'ai effectué mes recherches est un don de Mr Reynolds. Pourquoi aurais-je essayé de le diffamer?

— Pourquoi en vérité? dit Franklyn sur un ton de reproche.

Chris se rappela que Laura lui avait constamment recommandé de ne pas fournir spontanément des informations. Un avocat rusé trouvait toujours moyen d'exploiter cet excès de bonne volonté. Franklyn regardait les jurés d'un air de dire : A tous ses autres défauts, ce jeune homme ajoute l'ingratitude.

Avant que Chris ait eu le temps de se ressaisir, Franklyn prit une coupure de journal sur sa table.

— Docteur, connaissez-vous une publication intitulée *Revue de la médecine?*

— Bien entendu.

— Puis-je vous montrer une lettre publiée dans la Revue médicale du 3 septembre 1970? Voulez-vous la lire?

Il tendit une copie de la coupure à Chris qui la parcourut attentivement du regard.

— Docteur, connaissez-vous les deux noms qui apparaissent à la fin de cette lettre?

— J'ai entendu parler des docteurs Albert et Renter.

— Savez-vous qu'ils ont la réputation d'être d'excellents médecins?

— Oui.

— Eh bien, gardez cette copie pour vérifier l'exactitude de ce que je lis.

— « A l'éditeur... commença Franklyn. Les nombreux articles que vous avez publiés au cours de ces récentes années sur le sujet de la photothérapie continuent à passer sous silence les divers risques que cette méthode comporte pour le patient. Nous avons établi une liste des dangers possibles de la photothérapie et nous croyons qu'il serait utile de la diffuser. Données animales... » Que signifie cette expression, docteur?

— Il s'agit des résultats obtenus à la suite d'expériences pratiquées sur les animaux de laboratoire.

Franklyn poursuivit sa lecture :

— Données animales : retard de croissance chez les rats Gunn; lésions oculaires chez les cochons d'Inde; retard du développement de la glande pinéale chez les lapins; retard du développement des gonades chez les rats; lésions rétiniennes chez les hamsters, rats et singes; modifications vasculaires rétiniennes chez les rats; augmentation du taux de glycogène du foie chez les rats.

« Nous arrêtons ici cette nomenclature pour ne pas ennuyer le jury avec toute cette terminologie médicale. Puis-je cependant vous demander, docteur, ce que les auteurs entendent par lésions oculaires et rétiniennes?

Soucieux de se faire bien comprendre, Chris expliqua prudemment :

— L'intensité prolongée de la lumière peut endommager la vue du patient si, je le répète, si les yeux sont insuffisamment protégés durant la photothérapie. Dans le cas du bébé Simpson, les yeux étaient parfaitement protégés, ajouta-t-il vivement, sans laisser à Franklyn le temps de l'interrompre. Il ne présentait absolument aucune lésion oculaire. Personne n'a jamais rien mentionné de tel.

— Docteur, expliquez-nous ce que sont les gonades.

— Les testicules.

— Quelle est leur fonction?

— Le sperme est fabriqué dans ces glandes.

— De sorte que tout le processus de reproduction chez le mâle dépend d'elles?

— Naturellement.

— Alors par l'expression « retard du développement des gonades chez les rats » ces deux médecins entendent que l'application de la photothérapie provoque le retard de cette fonction vitale chez les rats. Est-ce exact?

— C'est ce qu'ils entendent mais ce n'est peut-être pas la vérité.

— Docteur, sous le titre : « données humaines » ces deux médecins signalent les possibilités d'un retard de croissance chez les bébés humains soumis à la photothérapie. Savez-vous pourquoi ils en sont venus à cette conclusion?

— Un article écrit il y a huit à dix ans citait des cas où des bébés traités par la photothérapie avaient la tête plus petite que la normale mais le fait fut réfuté par des observations et des tests plus récents. En réalité, le médecin qui a écrit cet article a reconnu en fin de compte que ses constatations étaient inexactes.

— Docteur, parmi les autres possibilités de danger signalées par les mêmes médecins figure la « cyanose masquée par la lumière bleue ». Que signifie le mot cyanose?

— Un patient est atteint de cyanose quand il manque d'oxygène.

— Et quel est le premier signe clinique de cet état?

— La peau bleuit, à commencer par les lèvres et le bout des doigts.

— Alors, ai-je raison de supposer que, par « cyanose masquée par la lumière bleue » les auteurs veulent dire que la lumière bleue de la photothérapie peut dissimuler une cyanose chez l'enfant?

— C'est ce qu'ils voudraient dire s'ils avaient eu des preuves concrètes du fait. Or, ils ne font que soulever la question.

— Docteur, qu'arrive-t-il à un cerveau humain s'il est privé d'oxygène ne serait-ce que pour une période très courte?

Laura était décidée à ne pas laisser Chris tomber dans le piège :

— Objection! s'écria-t-elle. La question est hors de propos. Aucun médecin n'a constaté l'existence d'une cyanose chez l'enfant qui nous occupe.

— C'est précisément à cela que je voulais en venir, dit Franklyn. Merci pour votre collaboration. Votre Honneur je cherchais à établir que la photothérapie pouvait *masquer* les symptômes de cyanose. L'enfant aurait pu souffrir d'une lésion cérébrale sans qu'aucun médecin en soupçonne la cause. Les marques bleues pouvaient être masquées par ces lumières bleues.

Chris explosa :

— C'est une pure vue de l'esprit. Vos arguments sont fondés sur des théories, pas sur des faits.

— Voulez-vous les *réfuter,* docteur?

— Il n'est pas toujours scientifiquement possible de prouver qu'un fait ne s'est pas produit.

Chris était manifestement sur le point de s'emporter : Laura se leva vivement :

— Votre Honneur, nous demandons une suspension d'audience.

Franklyn s'interposa. Il n'était pas disposé à accorder à Chris un moment de répit.

— Votre Honneur, je comprends le malaise du témoin mais un contre-interrogatoire a pour but de déceler la vérité, pas d'assurer le bien-être du témoin à moins, naturellement, que la défense veuille le déclarer souffrant.

Bannon se pencha vers Laura :

— La défense a-t-elle cette intention?

Laura secoua la tête. Bannon s'adressa à Franklyn avec impatience.

— Continuez, maître.

— Docteur, à la fin de la liste des dangers cités par les docteurs Rentler et Albert, je remarque le mot « Inconnu ». Voudriez-vous avoir l'obligeance de regarder votre copie et de nous dire quel signe de ponctuation apparaît après le mot « inconnu »?

— Un point d'exclamation.

— Voyez-vous un point d'exclamation après les autres dangers mentionnés?

— Non.

— En tant que médecin qu'en concluez-vous?

— Que ces médecins jugeaient que ce dernier point était le plus important.

— Plus important que les dangers déjà mentionnés?

— Je le suppose.

Franklyn hocha la tête pour souligner le sens de cette réponse mais, avant qu'il ait eu le temps d'en tirer parti, Chris enchaîna :

— Si vous voulez vraiment approfondir la question, il y a un autre paragraphe dans cet article qui est plus important encore.

Franklyn hésita un instant puis il comprit qu'il valait mieux accepter de bonne grâce.

Levant la coupure de journal pour que le jury voie qu'il citait l'article, Chris lut :

— « Nous croyons que la photothérapie convenablement utilisée est une méthode à la fois sûre et efficace. Nous mentionnons qu'aucune toxicité clinique grave n'a été signalée sur plus de cinq mille cas traités par la lumière après une période de un à douze ans. »

Les jurés parurent stupéfaits, mais Franklyn ne se troubla pas. Il reprit la coupure en main.

— Permettez, docteur, dit-il courtoisement. Je voudrais lire le dernier paragraphe de cet article : « Bien que les risques connus de l'hyperbilirubinémie et de l'exsanguino-transfusion l'emportent sur les risques théoriques ci-dessus mentionnés, nous affirmons que tout médecin responsable doit être mis au courant des dangers éventuels de cette nouvelle thérapie surtout en ce qui concerne les nouveau-nés. » Docteur, voulez-vous me suivre pendant que je traduis en termes de profane et corrigez-moi si je commets des erreurs.

Franklyn se tourna vers le jury. C'était l'un des moments clé qu'il avait prévus au cours du contre-interrogatoire.

— Si je comprends bien, dit-il, ces deux éminents médecins disent d'abord qu'une bilirubine élevée et une exsanguino-transfusion comportent des risques.

— Et que ces risques connus dépassent les risques inconnus de la photothérapie.

— Merci docteur. C'est le second point que je voulais établir. Oui, les risques connus de l'exsanguino-transfusion dépassent les risques inconnus de la photothérapie dans *la mesure où nous le savons*. Mais ces spécialistes ajoutent qu'aucun médecin responsable ne devrait appliquer la photothérapie à un bébé surtout un nouveau-né sans être conscient des dangers possibles de cette forme de traitement. C'est juste, docteur?

— Dangers qui, d'après ces médecins eux-mêmes, ne se sont pas manifestés chez plus de cinq mille patients dont quelques-uns ont été sous surveillance pendant plus de douze ans, dit Chris qui espérait détruire la mauvaise impression que les paroles de Franklyn auraient pu laisser au jury.

Franklyn resta imperturbable.

— Docteur, n'avez-vous pas entendu parler d'effets secondaires survenus plus de douze ans après le traitement? N'avez-vous pas lu récemment qu'une médication prise par une femme enceinte avait produit dans les organes génitaux de sa fille un état cancéreux qui ne s'était manifesté que vingt-cinq ans plus tard?

— Des résultats de ce genre ont bien été rapportés et, maintenant, ils font l'objet d'une enquête.

— Alors, docteur, résumons-nous. Vous avez décidé d'utiliser la photothérapie avec tous ces dangers connus et inconnus après un premier examen du bébé.

— Vous créez une mauvaise impression.

— Nous courrons ce risque, docteur. Répondez à ma question.

Chris n'avait pas le choix.

— Oui, c'est bien la forme de traitement que j'ai prescrite.

— Et seulement dix minutes après avoir posé les yeux sur cet enfant?

— Oui.

— Et vous avez entrepris ce traitement sans en expliquer les risques aux parents ou au grand-père de l'enfant.

— C'était inutile.

— C'est votre opinion, docteur.

— C'est mon opinion.

— Docteur, savez-vous que, dans certains hôpitaux, il est de règle de demander une autorisation en connaissance de cause pour l'application de la photothérapie?

— Dans certains, oui, pas dans tous.

— Mais vous avez jugé que c'était inutile?

— Quand un bébé est malade, il est essentiel de commencer le traitement le plus tôt possible. J'ai donné toutes les explications nécessaires à Mr Reynolds lorsque l'enfant était sous photothérapie.

— Vraiment? Et l'avez-vous averti que son petit-fils allait être exposé aux divers dangers que nous venons de passer en revue?

— Puisque les effets secondaires sérieux ne sont que théoriques, je n'ai pas pensé qu'une mise en garde fût nécessaire et nous aurions perdu trop de temps.

— Trop de temps! s'exclama Franklyn sur un ton sarcastique. Trop de temps comparé au reste de l'existence de ce malheureux enfant!

— Trop de temps étant donné les circonstances. A ce moment-là, il était plus important de déterminer l'état réel du bébé.

Franklyn savait qu'il était sur le point de gagner.

— Docteur, vous avez déjà répondu à cette question, cependant je vous la pose de nouveau dans l'espoir que les dernières heures de contre-interrogatoire ont pu vous faire changer de position : Aujourd'hui, en présence d'un enfant présentant les mêmes signes cliniques, appliqueriez-vous le même traitement?

Chris hésita puis il dit fermement :

— Oui, je l'appliquerais.

— Malgré les risques?

Chris se dressa de toute sa hauteur.

— Aucun des experts, aucun des médecins que vous avez convoqués ici n'a été capable d'affirmer qu'il existait un lien entre la photothérapie et la lésion cérébrale dont souffre cet enfant.

Franklyn se dirigea lentement vers la table de la partie plaignante comme s'il en avait terminé avec le témoin. Brusquement, il se tourna vers Chris.

— Docteur, la glande pinéale, où est-elle située?

— Dans le cerveau.

— Et les docteurs Rentler et Albert n'ont-ils pas signalé que la photothérapie pouvait affecter le développement de la glande pinéale?

— Cette constatation a été faite sur des animaux de laboratoire pas sur des humains. Vous tirez des conclusions hasardeuses.

— Ici c'est au jury qu'il appartient de tirer des conclusions docteur! Ont-ils oui ou non mis en garde contre des lésions de la glande pinéale observées en laboratoire?

— Oui, oui, admit Chris exaspéré.

— Et vous n'avez jamais jugé qu'il était important d'avertir Mr Reynolds avant de commencer ce traitement?

Sûr que ni Chris ni son avocat ne pourrait prévoir sa prochaine ligne d'attaque, Franklyn jugea opportun de demander une suspension d'audience. Si le témoin avait les nerfs tendus, ceux de Franklyn l'étaient tout autant. Il était comme un acteur qui tient continuellement la scène avec cette différence qu'il ne répétait jamais son rôle et, bien qu'il affichât un calme souverain, son corps frêle était trempé de sueur.

Oui, un répit serait le bienvenu et il ne servirait guère à la défense. Il pourrait même augmenter son appréhension.

25

L'esprit imprégné des recommandations de Laura, Chris Grant retourna à la barre.

Notes et documents en main, Harry Franklyn s'avança vers le témoin.

— Docteur, tout à l'heure, vous avez employé la formule « problème social de notre temps. » Voudriez-vous éclairer le jury sur le sens de cette expression et sur ces rapports avec vos travaux?

Laura se leva.

— Votre Honneur c'est là une exploration en terrain totalement étranger au procès. Nous n'avons à nous occuper ici que d'affaires d'ordre purement médical.

Franklyn se tourna vers le juge.

— Votre Honneur, quand l'objet d'un procès est la décision subjective d'un individu, il me paraît opportun d'enquêter sur son état d'esprit au moment où il est parvenu à cette décision. Et puisque l'avocat de la défense a soulevé la question, je revendique le droit de poursuivre.

Bannon fit tambouriner ses doigts sur la table avec impatience puis il décida :

— L'enquête sur l'état d'esprit du témoin est opportune.

Laura se rassit. Elle n'avait protesté que pour avertir Chris qu'il devait se montrer particulièrement prudent et circonspect.

— Alors, docteur pourriez-vous nous éclairer sur le sens de l'expression « un problème social? », reprit Franklyn.

Chris essaya d'expliquer clairement la nécessité vitale d'inculquer aux pauvres de bonnes notions d'alimentation pré- et post-natale.

Laura sentit que Chris regagnait du terrain non seulement pour ce qu'il disait mais pour la façon dont il l'exprimait; elle savait aussi que Franklyn n'avait pas abordé le sujet pour lui donner l'occasion de se faire valoir.

— Docteur, dit Franklyn, jusqu'à quel point le devoir d'un médecin est-il de devenir un activiste politique et de se servir de sa clientèle pour atteindre des buts d'ordre social?

— J'ai simplement dit que nous devions divulguer les résultats de nos recherches pour le bien du public.

— Docteur, pensez-vous qu'un médecin puisse se consacrer à la fois à la recherche et à ses malades?

— Oui.

— Est-ce pourquoi le docteur Sobol s'est cru obligé de vous dire qu'il regrettait de vous arracher à vos travaux pour vous confier le bébé Simpson?

— Vous essayez délibérément de déformer les faits.

Franklyn ignora l'accusation; il était satisfait d'avoir amené Chris à un point où son émotivité prenait le dessus.

— Voudriez-vous vous expliquer, docteur?

Laura espéra un instant que Chris refuserait car il risquait de s'enferrer mais il saisit l'occasion que Franklyn lui offrait.

— Quand un médecin accepte un poste dans un hôpital comme le Metropolitan, il s'assure qu'on lui accordera la possibilité et le temps d'effectuer ses recherches. Faute de quoi, il n'accepte pas le poste.

— Voulez-vous dire que la recherche est plus importante à ses yeux que les malades?

— Ce n'est pas du tout ce que j'ai voulu dire.

— Pourtant, puisque c'est vous qui avez choisi vos mots, je crains que nous ne soyons obligés de nous en tenir à cette explication. Du moins, elle nous permet de comprendre pourquoi le docteur Sobol a jugé nécessaire de vous exprimer des excuses. Vous n'étiez vraiment pas d'humeur à vous occuper d'un malade au moment où vous avez commencé à soigner le bébé Simpson, n'est-ce pas?

— C'est absolument faux.

Franklyn ne crut pas utile d'insister. Il poursuivit :

— Docteur, qui avez-vous vu le premier quand vous êtes arrivé à la salle des soins intensifs : Mr Reynolds ou le malade?

— Mr Reynolds. Pourquoi?

— Docteur, devant un tribunal c'est l'avocat qui pose des questions. Donc, après avoir été arraché à vos recherches avec toutes les excuses du professeur Sobol, la première personne que vous voyez est Mr Reynolds qui symbolise une condition sociale pour laquelle vous éprouvez des sentiments hostiles.

— Jamais je n'ai parlé de sentiments hostiles.

— Pouvons-nous transiger pour « sentiments négatifs » alors?

— Un bon médecin ne perd pas son temps à éprouver des sentiments négatifs pour aucune condition. Il essaie de combattre certaines conditions de vie.

— Au point de devenir un activiste politique?

— Je ne suis pas un activiste politique.

— Pas même quand vous incitez un groupe de médecins à l'action politique au cours d'un congrès médical?

— Si un médecin constate qu'une série de conditions provoque des effets dangereux et indésirables, il est de son devoir de les dénoncer. Et je me moque éperdument de votre appréciation.

Chris vit la consternation se peindre sur les visages de Laura et de Mike Sobol. Il leur cria :

— J'ai juré de dire la vérité. Eh bien c'est la vérité.

Harry resta impassible bien qu'il eût obtenu une réaction qui dépassait ses espérances. Il était prêt pour le dernier assaut.

— Je considère que vous répondez par l'affirmative à ma question concernant votre activisme politique.

— Je ne répondrai pas à cette question. Si je le faisais vous trouveriez encore moyen de dénaturer mes propos. Vous essayez d'imposer l'idée que j'ai entrepris de soigner le bébé Simpson avec des préjugés contre lui.

— Docteur, vous occupez-vous de tous vos malades avec la même impartialité?

— Outre qu'elle est stupide votre question est insultante.

Décidément, le témoin perdait tout sang-froid. Franklyn sentit que le moment était venu de conclure.

— Docteur, dit-il avec une affabilité désarmante, n'est-il pas vrai que la communauté qui environne le Metropolitan vous considère comme le médecin des pauvres? En fait, les Hispaniques qui habitent ce quartier ne vous appellent-ils pas *El Medico?*

— C'est vrai, admit Chris qui se demandait pourquoi Franklyn soulevait cette question.

— Pour quelle raison leur inspirez-vous une confiance aussi marquée?

— J'essaie de respecter leurs sentiments. J'essaie de leur donner des explications. J'ai sauvé certains de leurs enfants très malades.

— C'est tout, docteur?

Intrigué Chris hésita à répondre. Franklyn insista.

— N'est-il pas vrai que vous donnez des causeries dans cette communauté?

— Mais oui, bien sûr.

— Et vous ne considérez pas ces causeries comme une partie importante de votre activisme politique?

— Si elles contribuent à sauver une vie d'enfant ou son cerveau en inculquant à une mère des principes d'alimentation, je les considère comme une partie importante de mon rôle de médecin. Elles n'ont rien à voir avec l'activisme politique.

Brusquement, Franklyn changea ses batteries de place.

— Docteur, pouvez-vous nous dire combien de temps il faut pour procéder à une exsanguino-transfusion?

— Si elle est faite avec toutes les précautions requises et qu'aucune complication n'intervient, il faut environ une heure.

— Une heure.

Franklyn parut réfléchir un moment puis il demanda :

— Docteur, vous avez déclaré tout à l'heure que le taux de bilirubine est vérifié toutes les deux heures. Est-ce exact?

— Il est impossible de discerner un changement important sur une période plus courte.

— De sorte que deux heures se sont écoulées entre la première bilirubine et la seconde?

— Oui.

— Qu'avez-vous fait dans l'intervalle?

— J'ai parlé avec Mr Reynolds. Je lui ai expliqué que nous devions attendre les résultats de la seconde analyse.

— C'est tout ce que vous avez fait?

— Oui, c'est tout... Non, attendez, c'était le jour où je devais donner l'une de mes causeries.

— Et vous l'avez donnée?

— Oui.

— Docteur, Mr Reynolds ne vous a-t-il pas fait observer que vous abandonniez son petit-fils dans un état critique?

— Son petit-fils n'était pas dans un état critique, protesta Chris furieux.

— Mais Mr Reynolds vous a demandé de ne pas partir n'est-ce pas?

— C'est exact.

— Et vous êtes parti quand même?

— J'avais promis de donner cette causerie. D'ailleurs, je ne pouvais rien pour l'enfant avant de connaître le résultat de cette seconde bilirubine.

— Vous auriez pu pratiquer une exsanguino-transfusion, non?

— La situation ne l'exigeait pas.

— La situation ne l'exigeait pas ou vous ne pouviez la faire coïncider avec votre emploi du temps? Si vous aviez pris une heure pour faire cette transfusion vous n'auriez pu donner votre précieuse causerie.

— Il n'était pas question de choisir. Si l'état de l'enfant avait nécessité une transfusion, nous avons une demi-douzaine de médecins qui auraient pu la faire.

— Alors, si nous vous en croyons, docteur, vous avez examiné le bébé Simpson cinq à dix minutes, pratiqué quelques tests, vous l'avez placé sous une série de tubes fluorescents comme une ménagère laisse mijoter un ragoût à feu doux et vous êtes allé faire une causerie à des femmes dont les enfants n'avaient pas besoin de vos services à *ce moment-là*. Est-ce exact?

— Non, protesta Chris. Je n'ai pas employé la photothérapie comme un traitement de maintien; c'était la seule chose à faire en attendant l'évolution de la maladie.

— Docteur, vous avez prétendu que vous n'aviez de préférence pour aucun de vos malades. Voudriez-vous rectifier votre déclaration à ce sujet?

— C'était vrai alors. C'est toujours vrai maintenant.

— Docteur, voudriez-vous rectifier votre déclaration relative à la non-existence de votre activisme politique?

— Non.

— Où avez-vous prononcé votre causerie le jour où le bébé Simpson vous a été confié?

— Je ne m'en souviens pas.

— Je vais vous rafraîchir la mémoire. N'était-ce pas à l'école publique numéro 146?

— Ah oui, c'était là en effet.

— Docteur, dans quel secteur de la ville se trouve cette école?

— Quel secteur? A Rixie Square. Tout le monde le sait.

— Vraiment? tout le monde le sait, répéta Franklyn. Docteur, à quelle date avez-vous donné cette causerie?

— Je n'en sais rien. Le jour où le bébé Simpson nous a été confié.

— Et aussi le jour de l'émeute de Rixie Square, n'est-ce pas? demanda Franklyn sur un ton suave.

— C'est bien possible.

— Docteur, savez-vous que certaines des femmes qui ont assisté à votre causerie participaient à cette émeute?

— Non, je ne le savais pas, dit Chris qui chercha un appui du côté de Laura et de Mike.

Franklyn agita une liasse de coupures de journaux.

— Voici les comptes rendus de presse, dit-il. Voulez-vous les examiner?

— Inutile. Ils n'ont aucun rapport avec ce procès.

— Je pensais que vous vous décideriez à retirer vos dénégations concernant votre activisme politique, dit Franklyn en enflant la voix, ou bien que vous finiriez par admettre que vous auriez mieux fait de consacrer votre temps au bébé Simpson au lieu de provoquer une émeute à Rixie Square.

Laura Winters comprenait pourquoi Harry Franklyn avait pris tant de peine pour choisir un jury composé de Blancs de la classe moyenne. A moins d'un miracle, tout espoir de verdict favorable semblait exclu; mais elle ne pouvait laisser Chris quitter la barre sur cette note. Elle s'avança pour reprendre l'interrogatoire direct. Après avoir fait ressortir les démentis de Chris au sujet des accusations de Franklyn, elle posa une dernière question :

— Docteur Grant, au cours du traitement de John Reynolds Simpson avez-vous pensé un seul instant à autre chose qu'au bien de l'enfant?

— Pas un instant, répondit Chris simplement, la gorge sèche, la voix à peine perceptible. Un médecin... un pédiatre... est le défenseur des plus faibles, des plus fragiles de tous les malades. Je me considère comme leur protecteur. Si je ne pouvais défendre leur droit à la santé dans toute la mesure de mes capacités, j'abandonnerais la carrière médicale. Appelez cela activisme politique ou tout ce que vous voudrez. Pour moi, c'est le devoir du médecin.

Les yeux de Laura se remplirent de larmes. En tant que femme elle était fière de lui mais, en tant qu'avocate, elle se rendait compte que Chris s'était fait du tort. Il avait virtuellement démontré que Franklyn avait eu raison de l'accuser d'activisme politique. Le petit avocat devait être extrêmement satisfait de sa dernière déclaration.

— Merci docteur, dit-elle enfin.

Cinq minutes plus tard, Chris et Mike se tenaient sur les marches du tribunal. Reynolds et sa famille sortirent. Soudain, Arlene Simpson se tourna légèrement et son regard croisa celui de Chris qui resta stupéfait. Les yeux de la jeune femme exprimaient la douleur mais aucune haine. Puis elle monta dans la limousine qui démarra. Il allait prendre le bras de Laura pour l'entraîner mais quelqu'un abordait la jeune femme.

— Cette fois, maître, je peux vous être utile.

C'était Juan Melez. Il paraissait tellement sûr de lui que Laura hésita. Après ces heures éprouvantes elle voulait ramener Chris le plus vite possible.

— Ecoutez, dit Melez. La déclaration de Franklyn à propos de l'émeute était entièrement fausse. Si les mères y ont participé c'est parce qu'un enfant a été molesté.

— Et comment allons-nous le prouver? demanda-t-elle.

— Moi je peux le prouver. Appelez-moi à la barre et je leur ferai entendre l'enregistrement au tribunal?

— Avec le matériel portatif, oui certainement.

— Alors, oui, vous nous rendriez service, fichtrement service.

Melez nota son numéro de téléphone pour la prévenir dès qu'il serait prêt.

Il était minuit passé. La diffusion du journal de onze heures était terminée depuis plus d'une heure. Juan Melez se trouvait dans la salle d'enregistrement de la station KTNT en compagnie d'Irv Kumanoff, l'ingénieur du son qui avait accepté de l'aider. Il avait repéré sur la bande la place qui concernait l'émeute de Rixie Square. L'ingénieur la passa à deux reprises. Melez écouta attentivement.

— Ça n'y est pas! s'exclama-t-il. Je me rappelle tout de même ce que j'ai dit et je ne l'entends pas! que diable s'est-il passé?

— Voilà exactement ce qui a été diffusé sur les ondes.

— Je me rappelle ce que j'ai dit ce soir-là, répéta Melez.

— Tu t'en souviens sûrement. C'est probablement dans les coupures.

— Bande de crétins! rugit Melez. L'enregistrement en direct est la seule façon de rendre le journal vivant et ils en bousillent l'essentiel.

Irv essaya de le calmer.

— Ils étaient obligés. J'ai fait l'enregistrement moi-même.

— Que veux-tu dire par « ils étaient obligés »?

— Des pressions de l'Hôtel de Ville : ordre de mettre une

sourdine à tous les rapports sur Rixie Square. Autrement, ils pourraient fomenter une nouvelle émeute.

— Irv, où sont ces coupures?

— Juano mon garçon, pour sortir ces coupures des archives c'est une affaire d'Etat. Laisse tomber.

— La carrière d'un médecin en dépend; comment veux-tu que je laisse tomber? Où sont ces sacrées coupures?

— Juano, il me faut l'autorisation.

— Je me fous de l'autorisation. Je veux ces coupures, gronda Melez avec une telle fureur que Irv finit par s'incliner.

— Seulement ne dis pas que c'est moi, dit-il par-dessus son épaule en se dirigeant vers les archives.

Au bout de vingt minutes, Irv avait découvert les coupures et il les fit passer sur le magnétophone.

— Tout est bien là, dit Melez. Maintenant, Irv, je voudrais emprunter un matériel portatif et faire entendre ces bandes demain au tribunal.

— Pas sans autorisation, protesta l'ingénieur, autrement, je me fourre dans un sale pétrin. Pas sans autorisation.

— C'est bon, dit Melez avec colère. Quel est le numéro du patron?

— Tu veux l'appeler chez lui? A cette heure-ci! Tu es cinglé.

— Appelle-moi ce bougre d'idiot au téléphone ou je t'arrache le cœur. Tu sais qu'un Portoricain ne se sépare jamais de son couteau à cran d'arrêt. Je t'en prie Irv, si ce n'était pas important, je n'insisterais pas.

Irv céda enfin.

— Je vais faire le numéro mais c'est toi qui parleras.

Cinq minutes plus tard, Melez raccrocha, le visage blême. Le patron ne voulait pas laisser sortir les coupures sans un ordre de la Cour. Etant donné tous les ennuis que la station avait eus avec l'administration qui essayait de contraindre les journalistes à livrer leurs sources, notes et coupures, il n'envisageait même pas cette possibilité.

Melez comprit que tous les arguments ne le mèneraient à rien. Il lui fallut une bonne demi-heure pour trouver le courage de téléphoner à Laura.

26

Chris et Laura déjeunèrent ensemble. Ils mangèrent à peine. Dans la matinée, Laura avait cité comme témoins deux confrères de Chris qui avaient attesté que le traitement appliqué au bébé Simpson était conforme à la saine pratique de la médecine mais elle savait qu'ils n'avaient pas convaincu les jurés. Elle se creusait désespérément la cervelle pour trouver quelque chose qui sèmerait le doute dans leur esprit sur la culpabilité de Chris.

Seul le témoignage de Coleman pouvait encore fournir une chance. Elle en parla à Chris. Il réfléchit un moment et dit enfin :

— Cette seconde bilirubine... celle qui manque...

— Si elle était revenue du laboratoire après le transfert du bébé au Metropolitan, y aurait-il eu une différence?

— Sans doute que non, pas *si* elle était revenue après le transfert.

— Si elle était revenue avant, l'infirmière l'aurait portée sur le rapport de l'hôpital, non?

— Pas nécessairement. Dans de nombreux hôpitaux, le médecin doit voir le rapport du labo et le viser avant qu'il soit classé dans le dossier du patient. Il est possible que ce soit le cas à Parkside. Si un médecin trouve un rapport alarmant, il peut se contenter de le glisser dans sa poche sans le viser. Ainsi, il ne figurera jamais dans le dossier du malade.

— Chris, est-il possible que ce second rapport de labo ait contenu un élément qui aurait alarmé Coleman? Quel élément?

— Le même élément qui aurait pu le pousser à adresser un bébé à un établissement hospitalier autre que Parkside : un taux de bilirubine supérieur à quatorze.

Pour la première fois depuis le début du procès, ils entrevirent une lueur d'espoir. Peut-être la lésion cérébrale n'étaitelle pas simplement un inexplicable accident de la nature.

— Je vais me mettre en quête de ce rapport, dit Chris brusquement. Si Coleman l'a détruit, il en existe des traces dans le journal de laboratoire de la polyclinique de Parkside. La loi exige que chaque laboratoire enregistre sur un journal tous les tests qu'il effectue et tous les rapports qu'il établit.

En longeant les couloirs du service de pédiatrie, Chris sentait qu'il était l'objet de regards furtifs. Avant, la plupart des membres du personnel le saluaient d'un sourire. Maintenant, ils craignaient d'être importuns; ils se demandaient si une manifestation de sympathie ne serait pas interprétée comme une marque de curiosité. Il accéléra son allure et faillit se heurter à Alice Kennan. Ils s'arrêtèrent et se sourirent mais, sans doute à cause de leurs relations passées, ils se tenaient sur la réserve. Les souvenirs réveillés par cette rencontre soudaine la désarmèrent : le terrain le plus sûr était le procès.

— Comment la situation se présente-t-elle?

— Ce n'est pas du gâteau mais nous avons une chance.

— Est-elle bien comme avocate? demanda Alice en s'efforçant de prendre un ton détaché.

— Oh très bien, excellente.

— Allons, tant mieux. Ici l'ambiance est sinistre. Personne ne parle plus d'autre chose.

— Je l'imagine.

— Mon Dieu je voudrais tellement que tout s'arrange.

Dans ces quelques mots elle exprimait sa crainte d'une défaite. Elle lui laissait aussi entendre qu'il lui manquait beaucoup et qu'elle regrettait d'avoir laissé leurs relations dévier vers leur fin inévitable.

— Et toi? demanda-t-il en pensant à ce qu'elle devenait depuis leur rupture.

Elle eut un sourire évasif et essaya de paraître plus gaie qu'elle ne l'était en réalité.

— J'ai suivi ton conseil, dit-elle.

— Mon conseil?

— J'ai vu un psychanalyste.

— Non, c'est vrai? C'est magnifique! Et comment ça marche?

— Tu ne devineras jamais.

Son sourire se transforma en un pli amer.

— Quoi?

— Il n'est plus mon psychanalyste. Il est devenu mon amant.

— Oh! Allie... dit-il avec une expression de reproche mêlé de regret.

Alice sentit les larmes lui monter les yeux.

— Je ne sais pourquoi, après toi, j'ai réellement voulu y voir clair et, maintenant, je suppose que je ne le saurais jamais.

Il fut tenté de la prendre dans ses bras mais il refréna son élan.

— Après le procès, nous en discuterons. Peut-être pourrai-je t'aider d'une façon ou d'une autre.

Elle esquissa un sourire.

— Merci, Chris. Je pense à toi tout le temps. Mon Dieu mes élèves m'attendent, je dois me sauver, dit-elle brusquement.

Et elle s'éloigna en refoulant ses larmes.

Mike Sobol examinait des résultats d'expérience dans son bureau. En levant les yeux, il vit Chris sur le seuil de la porte. Il remarqua que le long procès prélevait son tribut. Inconsciemment, Chris devenait moins agressif, plus renfermé. Il avait été terriblement affecté par cette expérience.

Chris ferma la porte et alla droit au but.

— Mike, il faut que nous puissions accéder aux rapports de laboratoire de la polyclinique de Parkside.

— Laura croit que c'est utile?

— Oui si Coleman a délibérément voulu escamoter le rapport du labo concernant la seconde bilirubine.

Michael Sobol hocha la tête.

— La question qui se pose est de savoir comment nous pouvons nous le procurer.

— Exactement.

— Naturellement, les deux personnes qui ont le plus intérêt à s'introduire dans la place sont les dernières à pouvoir le faire. Il suffirait qu'on nous voie poindre à l'horizon pour que tous les systèmes d'alarme de Parkside se mettent à fonctionner.

— Nous pourrions essayer dans la nuit.

— Comme des cambrioleurs? Beau passe-temps pour des médecins.

Il se caressa le menton en passant en revue les hommes qu'il connaissait à Parkside. Bien entendu Mitchell et Coleman étaient exclus. Il y avait bien Gunther. Mike l'avait rencontré au cours de diverses réunions médicales mais il ne le connaissait pas suffisamment pour lui demander un service de ce genre. Soudain, il pensa à Wellman.

Chris n'avait jamais entendu ce nom. Mike expliqua :

— Mais oui, Wellman. Nous verrons si la reconnaissance n'est pas un vain mot. Il y a quinze ans, il m'a appelé au secours. Il venait d'opérer un accouchement difficile. L'enfant se présentait par le siège et il avait dû employer le forceps pour le remettre en place. Vous connaissez les risques que peut entraîner cette intervention : hématomes, déchirures du cuir chevelu, lésions. Il était tout jeune à l'époque. Il débutait et vous savez qu'un tel accident aurait pu porter tort à sa carrière. J'ai accepté de m'occuper du nouveau-né. Nous avons passé ensemble trente-six heures dans un état d'extrême tension. Enfin tout s'est bien terminé. Il m'a été très reconnaissant et il m'a juré que si jamais il pouvait me rendre service...

Mike décrocha le téléphone.

Pendant que le standardiste essayait de joindre Wellman, Mike demanda :

— A quelle date le bébé Simpson nous a-t-il été adressé?

— Le 16 mars.

Mike reprit l'appareil. Au bout d'un instant, il entendit la voix de Wellman.

— Mike?

Wellman avait le ton d'un médecin sous pression.

— Brad? Pouvez-vous parler?

— Ça dépend.

Mike comprit qu'il n'était pas seul.

— Brad, il faut absolument que je jette un coup d'œil sur le journal de laboratoire à la date du 16 mars. C'est d'une importance vitale.

— Oh!

Wellman n'en dit pas davantage mais, au ton de sa voix, Mike comprit que son interlocuteur avait deviné de quoi il s'agissait. Il y eut un long silence. Enfin, Wellman reprit brusquement :

— Je ne veux pas radiographier une patiente uniquement pour déceler le sexe du bébé.

Et il raccrocha. Mike reposa le téléphone.

— Il a deviné, dit Chris.

— Oui. J'espère seulement qu'il ne dira rien à personne.

— Voyez-vous un autre confrère à Parkside que vous pourriez joindre?

Mike commençait à faire l'inventaire des médecins de Parkside auxquels il avait rendu service quand la sonnerie du téléphone retentit. Il décrocha. C'était Wellman.

— Mike? Excusez-moi. J'ai dû couper mais j'ai pensé qu'il valait mieux que je vous parle d'un téléphone public. Vous voulez connaître le résultat des analyses du bébé Simpson antérieures à son arrivée chez vous?

— C'est exact, Brad. Je ne veux pas vous créer d'ennuis mais nous vous serons infiniment reconnaissants de tout ce que vous pourrez faire pour nous aider.

— Il me faudra peut-être un jour ou deux mais vous aurez la réponse.

— Merci Brad.

— Ne me remerciez pas, Mike. Il est tellement difficile de payer une dette à un homme comme vous. Il faut attendre l'occasion pendant des années. J'espère seulement que tout s'arrangera comme vous le souhaitez.

— Je l'espère aussi. Merci encore.

Mike raccrocha.

— Il va le faire, dit Chris soulagé.

— Vous voyez comme une expérience de ce genre peut modifier nos points de vue. J'ai d'abord cru qu'il essayait de se dérober et j'étais sur le point de le traiter d'ingrat. Bon Dieu. Si seulement ce procès n'avait jamais eu lieu!

Il se leva, lui mit la main sur l'épaule et promit :

— Dès que je saurai quelque chose je vous avertirai.

27

— Le temps presse, dit Laura. Il ne nous reste pas grand-chose à présenter pour la défense et ce qui nous reste ne nous suffira pas.

Ni Mike ni Chris n'avaient d'idée à suggérer.

— Je vais téléphoner à l'hôpital, dit Mike.

L'infirmière de nuit lui répondit. Il n'y avait pas d'urgences mais plusieurs messages d'un certain Mr Bradford.

— Il demande que vous l'appeliez chez lui. Il est sûr que vous connaissez son numéro.

— Bradford? Mike réfléchit puis il comprit soudain : c'était Brad Wellman. Il prit le carnet dans lequel il avait noté tous les numéros privés des médecins de la région, précaution qui lui permettait de gagner du temps en cas d'urgence. Bradford répondit aussitôt.

— Alors? demanda Mike avec anxiété.

— J'ai trouvé le rapport de la seconde bilirubine. Il figure dans le journal du labo. J'ai fait photocopier la page à cette date.

— Oui, oui. Que dit le rapport?

Chris et Laura attendirent le souffle coupé.

— Je vois, dit Mike. Pourriez-vous le déposer à l'hôpital? Merci encore. Soyez sûr que vous m'avez rendu au centuple tout ce que j'ai pu faire pour vous.

— Le taux de la seconde bilirubine était plus élevé, n'est-ce pas? demanda Chris lorsque Mike eut raccroché.

Avant qu'il ne se laissât aller à un optimisme excessif, Mike répondit :

— Oui mais il ne dépassait pas dix-huit cinq.

— Mais qui sait si, entre le premier et le second test, il n'était pas monté beaucoup plus haut. Il était peut-être *en baisse* quand le laboratoire a trouvé dix-huit cinq.

— Très juste. Plus l'état est grave plus la montée et la baisse sont rapides.

— Nous avions pensé que la bilirubine à seize marquait une tendance à l'augmentation et nous avons entrepris le traitement mais le taux était peut-être supérieur à vingt avant que l'enfant n'arrive au Metropolitan, dit Chris d'un air préoccupé.

— Et, dans ce cas... dit Laura qui n'osa achever sa phrase.

— La lésion se serait produite avant même que Chris ait vu le bébé, conclut Mike. Quand Coleman a vu le résultat de la seconde analyse, il a compris qu'il avait affaire à un cas très grave.

— Alors, il a détruit le rapport, appelé Mitchell et suggéré de transférer le bébé.

— Nous n'en avons pas la preuve, observa Laura.

— En somme, la négligence même de Coleman le protège. Il a failli à la saine pratique de la médecine en s'abstenant de vérifier le taux de bilirubine toutes les deux heures et c'est nous qui devons payer.

— Peut-être ne s'en tirera-t-il pas à si bon compte, dit Laura fermement.

— Laura?

— Je vais rappeler Coleman à la barre demain.

28

Laura eut toutes les peines du monde à obtenir que le docteur Robert Coleman soit convoqué pour un nouveau contre-interrogatoire. Harry Franklyn souleva une série d'objections. Coleman lui-même envoya plusieurs messages au juge Bannon pour lui expliquer que son emploi du temps chargé ne lui permettait pas de prendre une autre demi-journée. La nature décidait du moment et du lieu où il devait exercer, pas le tribunal et encore moins l'avocat des défenseurs. Enfin, en raison de la découverte de nouveaux éléments produits par la défense, Bannon fut obligé d'exiger que Coleman se présente.

Laura voulut d'abord rafraîchir la mémoire des jurés.

— Docteur Coleman, commença-t-elle, lors de votre dernière déposition, vous avez déclaré que, bien que le bébé Simpson ne fût pas en danger, vous l'aviez adressé au Metropolitan General. Pouvez-vous rappeler pourquoi?

— Comme je l'ai expliqué, j'étais particulièrement débordé à l'époque et je pensais qu'il valait mieux le transférer dans un hôpital possédant un personnel plus nombreux et un équipement de soins intensifs plus important.

— Docteur, avez-vous suivi l'évolution de l'état du bébé Simpson après son transfert?

— Une fois que l'enfant se trouvait en de bonnes mains, comme je le croyais à l'époque, je me suis senti libre de consacrer mes efforts à mes autres patients.

— Ainsi, vous n'avez rien su des progrès de la bilirubine,

de l'élévation de son taux, du traitement appliqué à l'enfant et de son apparente guérison?

— Je n'ai appris les détails qu'au cours du procès.

— Alors, vous savez que la bilirubine est montée à seize au Metropolitan et qu'elle a commencé ensuite à baisser?

— Oui.

— Les taux peuvent-ils expliquer que l'enfant ait subi une lésion cérébrale?

— Certains médecins ont conclu récemment qu'un taux supérieur à quinze peut être dangereux.

— Alors un taux de seize doit être certainement plus dangereux?

— Oui, d'après cette nouvelle théorie.

— Et dix-huit?

— Si un taux de seize est dangereux, un taux de dix-huit l'est forcément encore plus, dit Coleman qui commençait à se sentir mal à l'aise.

— Et au-dessus de dix-huit, docteur?

— Nous pouvons considérer que, selon la nouvelle théorie, un taux de bilirubine supérieur à dix-huit est extrêmement dangereux.

— Docteur, la plupart des experts qui ont déposé ici, ont déclaré que lorsqu'une bilirubine commence à monter, il convient de refaire des analyses toutes les deux heures. Etes-vous d'accord avec eux?

— Je pense que tous les médecins sont d'accord à ce sujet.

— Est-ce ce que vous avez fait pour le bébé Simpson?

— Dès que j'ai su que la bilirubine était montée à quatorze, et que le Coombs était positif, j'ai ordonné une seconde bilirubine.

— Immédiatement?

— Immédiatement.

— Docteur Coleman, si nos souvenirs sont exacts, vous avez reçu un appel de la salle des nouveau-nés pendant que vous étiez en salle de chirurgie. Et vous avez appris alors que le bébé Simpson présentait des symptômes de jaunisse et un taux de bilirubine de quatorze.

— Ces renseignements ne sont pas communiqués par interphone, interrompit Coleman. Le médecin est simplement invité à appeler le service concerné.

— Oh! Je vois. Ainsi, ce n'est qu'après avoir quitté la salle d'opération que vous avez été informé du taux de bilirubine?

— Oui.

— Et vous avez quitté la salle d'opération combien de temps après avoir reçu l'appel de l'interphone?

— Je ne puis me souvenir de pareils détails.

— Surtout un jour où vous aviez deux patients à opérer. Combien de temps a pris chaque opération, docteur? Quatre heures? cinq heures?

— Sûrement pas, deux à trois heures au plus.

— De sorte que, si vous avez reçu l'appel pendant la première intervention, il s'est peut-être écoulé quatre ou cinq heures avant que vous ne puissiez consulter le rapport de laboratoire concernant le bébé Simpson?

Coleman hésita puis il répondit :

— Je doute qu'il y ait eu un intervalle aussi long.

— Docteur, combien de temps faut-il généralement pour faire une analyse ordinaire à Parkside?

— Environ trois heures.

— De sorte que, si le jury ajoute aux trois heures requises pour l'analyse, les quatre à cinq heures écoulées pendant que vous étiez en chirurgie, il conclura que huit heures ont passé...

— Il ne s'est pas passé huit heures, interrompit Coleman. D'ailleurs, tout cela n'est que pure hypothèse. Le bébé Simpson n'a jamais eu de rapport indiquant un taux de bilirubine supérieur à seize. Et il a commencé à décliner à partir de là.

— Seriez-vous vraiment surpris, docteur, d'apprendre que le résultat de la seconde bilirubine prescrite par vous indiquait un taux de dix-huit cinq?

Coleman fixa sur Laura un regard stupéfait. Sans lui laisser le temps de se ressaisir, Laura se tourna vers la Cour et déclara :

— J'apporte pour preuve une photocopie du rapport du

journal de laboratoire de Parkside à la date en question.

A la table du demandeur, il y eut une vive discussion entre Reynolds et Franklyn. Ce dernier bondit :

— Votre Honneur, nous demandons avant tout à examiner ce document.

Laura lui tendit la copie.

— Vous pouvez la garder, Mr Franklyn, nous en possédons plusieurs.

— Votre Honneur, déclara Franklyn, je jure en ma qualité d'avocat et de membre de cette Cour, que je vois ce document pour la première fois.

— Nous présentons ce rapport pour authentification, dit Laura et, lorsqu'il sera reconnu authentique, nous poursuivrons l'interrogatoire.

Coleman intervint :

— Votre Honneur, si vous me permettez d'examiner cette pièce, je pense pouvoir l'authentifier.

Laura l'observa, redoutant une ruse. Bannon fit droit à la requête du médecin. Coleman étudia le document avec la plus grande attention.

— Docteur, cette copie vous paraît-elle être la reproduction authentique d'un extrait du journal de laboratoire de la polyclinique de Parkside? demanda Laura intriguée par cette coopération inattendue.

Enfin, Coleman déclara :

— Oui, cela me paraît une reproduction authentique.

Toujours méfiante, Laura présenta une copie au tribunal puis elle se tourna vers Coleman.

— Docteur, voudriez-vous nous lire le résultat de la seconde analyse qui apparaît à côté du nom du bébé Simpson?

Sans changer d'expression, Coleman lut simplement :

— Dix-huit cinq.

— De sorte que, lorsque l'enfant a été confié au docteur Grant, son taux de bilirubine était supérieur à celui de quatorze que vous avez indiqué?

— Il semble que oui, admit Coleman.

— Docteur, avez-vous eu oui ou non connaissance de ce fait?

— Je n'en ai pas eu connaissance.

— En êtes-vous sûr? n'est-ce pas ce rapport qui vous a décidé à transférer l'enfant au Metropolitan?

— Jamais de la vie.

— N'avez-vous pas envoyé cet enfant au Metropolitan pour vous débarrasser du cas et ne pas être tenu pour responsable des conséquences.

— C'est absolument faux.

Passant brusquement à une autre question, Laura demanda :

— Est-il d'usage à la polyclinique de Parkside que le médecin traitant vise un rapport de laboratoire avant qu'il soit versé au dossier du patient?

— En règle générale, oui.

— Y a-t-il des raisons de croire que la règle générale n'a pas été suivie en l'occurrence?

— Toutes les raisons. Comme je ne suis pas allé dans la salle des nouveau-nés de Parkside après le transfert de l'enfant, je n'ai jamais vu ce rapport donc je ne l'ai pas visé et il n'a pas été versé au dossier du bébé Simpson.

— Docteur, puis-je me permettre de vous poser une question hypothétique? Supposons qu'un enfant présente un taux de bilirubine de quatorze et souffre d'une incompatibilité de rhésus qui tend à faire monter la bilirubine à un rythme rapide ne serait-il pas possible que la bilirubine ait poussé une pointe à vingt ou plus, de sorte qu'à dix-huit cinq elle avait commencé à *baisser?* Et, en réalité, le bébé aurait pu subir une lésion *avant* son départ de la polyclinique de Parkside.

Elle avait crié cette dernière phrase pour dominer la voix de Franklyn qui s'efforçait de faire opposition. Bannon dut recourir à son marteau pour imposer silence aux deux avocats. Il interrogea Franklyn du regard.

— Votre Honneur, il est purement hypothétique que la bilirubine ait atteint un taux supérieur à celui qui est mentionné, dit Franklyn. Quoi qu'il en soit, le document n'a aucun rapport avec la décision du docteur Grant. J'insiste pour que la cour interdise cette méthode d'interrogatoire.

Bannon examina gravement la question puis il décida :

— Compte tenu des arguments de l'avocat des demandeurs et l'importance des preuves déjà présentées, le tribunal se sent obligé d'interdire cette méthode de contre-interrogatoire.

— Je proteste, s'écria Laura tout en sachant que sa protestation était vaine.

— Le rapport mentionnera que l'avocat de la défense conteste les décisions de la Cour, dit Bannon.

Pour s'assurer un minimum d'avantages, Laura se retourna pour faire face à Coleman.

— Docteur, si vous aviez eu connaissance de ce taux de bilirubine de dix-huit cinq, l'auriez-vous signalé au docteur Grant?

— Naturellement.

— A quelle fin?

— Pour l'aider à décider du traitement à appliquer.

— Et quelle aurait été cette forme de traitement, à votre avis?

Franklyn protesta :

— L'avocat de la défense demande à un médecin de deviner ce qui se serait passé dans l'esprit d'un autre.

Laura fit une nouvelle tentative.

— Docteur, qu'auriez-vous fait en présence d'un enfant ayant un taux de bilirubine supérieur à dix-huit?

— J'aurais pratiqué immédiatement une exsanguino-transfusion.

— L'auriez-vous pratiquée si le taux de bilirubine avait été de quatorze?

— Probablement pas?

— N'êtes-vous pas en train de dire que vous auriez agi exactement comme l'a fait le docteur Grant?

Franklyn se leva et se tourna vers Laura :

— L'avocat de la défense sait comme moi que, légalement, le médecin prend le patient comme il le trouve. Son ignorance de tel ou tel fait ne change rien. En outre, rien ne prouve que le docteur Coleman ait vu le rapport de laboratoire avant qu'il ne lui ait été présenté dans cette salle. Je demande que l'avocat de la défense présente des excuses pour avoir essayé de ternir la réputation de ce médecin.

— La Cour approuve cette requête, dit Bannon en fixant sur Laura un regard sévère.

Elle ne céda pas. Bannon secoua la tête d'un air tellement réprobateur que les jurés ne pouvaient s'empêcher de le remarquer.

Franklyn avait atteint son but. Il avait réussi à effacer l'effet d'une pièce qui aurait dû être un important élément de preuve pour la défense.

— Votre Honneur, dit-il, je pense que nous avons assez abusé du temps du docteur Coleman.

Laura comprit qu'il était inutile qu'elle tente de le retenir.

Lorsque Coleman quitta la barre, Bannon déclara que l'audience était suspendue jusqu'au lendemain matin. Il ajouta qu'il espérait bien que les deux parties lui donneraient alors une idée au moment où la Cour serait prête à conclure. Laura comprit qu'il l'incitait vivement à présenter les conclusions afin que le jury puisse délibérer en fin de semaine.

— Fuyant comme une anguille, fulmina Chris.

— Ce n'est pas à lui qu'il faut en vouloir, Chris, dit Laura, c'est à moi.

— Tu as fait le maximum de ce qu'il était possible de faire avec un salaud pareil!

Mike qui était perdu dans ses réflexions dit soudain :

— Peut-être êtes-vous trop durs pour Coleman.

— Comment? demanda Laura.

— Rappelons qu'il était sous pression ce jour-là. Il assume une double charge : sa clientèle et celle de Mitchell. Il est occupé dans la salle d'opération. Il reçoit un appel de la salle des nouveau-nés mais le seul bébé qu'il a eu en observation semble en bonne santé et ne devrait présenter aucune complication d'après sa fiche. Pourquoi se serait-il cru pressé par le temps?

Chris reconnut à contrecœur :

— Il avait affaire à un premier-né dont la mère ne présentait pas un Coombs positif pendant la grossesse bien qu'elle ait un rhésus négatif. Statistiquement, ces conditions éliminent le problème. Je vois, Mike. Je comprends ce qu'il a pu se dire pendant ces opérations : il n'y a pas d'urgence c'est un premier-né.

— Comment pouvons-nous le savoir? demanda Laura.

— Parce que ni Mitchell ni aucun médecin compétent qui examine une femme n'aurait manqué de déceler les traces d'un précédent accouchement.

— Mitchell aurait pu être au courant et tenu au secret professionnel, suggéra Laura.

— Non, mon petit, répondit Mike. Un médecin honnête comme Mitchell aurait averti Coleman.

— Attendez, interrompit Chris. La fille de Reynolds a pu être sensibilisée d'une autre façon qui aurait permis à ses anticorps de détruire le sang du bébé : une précédente grossesse interrompue par un avortement.

— Donc une première grossesse pourrait se terminer par un avortement *sans premier bébé.*

— Oui, admit Mike.

— Mais si la fille de Reynolds s'est fait avorter...

— Je suis prêt à jurer qu'elle ne l'a jamais dit à Mitchell, dit Mike. Autrement, il aurait pris des précautions contre une incompatibilité de rhésus.

— Si elle n'en a pas parlé à son médecin, à qui a-t-elle bien pu en parler? demanda Laura. A sa mère? à son père?

— Si tu avais un père comme Reynolds tu lui aurais dit?

— Alors, à une amie? A une camarade de faculté? Elle s'est mariée peu après sa sortie de l'université. Dans cette situation, une fille se confie à quelqu'un. Elle a besoin de conseils, de réconfort, d'aide, et tout au moins de faire part de ses craintes. L'homme? Elle a dû le lui dire. Si seulement nous pouvions nous le trouver.

— Et si tu l'appelais à la barre, demanda Chris.

— Sous quel prétexte? Aucun juge ne le permettrait et certainement pas Bannon.

Chris et Mike quittèrent Laura un peu après une heure du matin sans que personne ait pu trouver une solution.

29

La suspension d'audience de midi prenait fin. Laura et Chris commencèrent à monter les marches du vieux palais. Mike Sobol avait dû retourner à l'hôpital pour donner ses cours. En levant les yeux, Laura aperçut Juan Melez qui les attendait en haut adossé à un palier. Il vint à leur rencontre.

— Avez-vous entendu mon bulletin d'information hier soir? J'ai essayé de compenser l'absence des bandes que j'espérais pouvoir vous procurer. Si vous me prêtez le docteur Grant seulement soixante secondes, je pense que je pourrais effacer de l'esprit du public l'accusation portée contre lui au sujet de l'émeute.

— Pouvez-vous l'effacer de l'esprit du jury? riposta Laura.

— Je vous ai dit que j'étais désolé.

— Pas tant que moi. En tout cas, pas d'interview.

— Je voudrais bien vous être utile.

— Je ne vois vraiment pas ce que vous pouvez faire. Pour l'instant, ayez l'obligeance de nous laisser passer.

Melez s'écarta à contrecœur.

Soudain Laura s'arrêta et se retourna vers Melez.

— Au fait il y a peut-être moyen.

— Quoi donc? demanda Melez vivement.

Elle lui fit jurer le secret. Puis elle lui fit part du soupçon qui avait fait surface au milieu de la nuit. Melez l'écouta les yeux brillants d'intérêt et de curiosité professionnelle.

— Mais rappelez-vous, ajouta Laura, si vous découvrez

quoi que ce soit vous n'êtes pas libre de le révéler avant que nous en ayons fait état devant le tribunal.

Melez hésita puis il acquiesça.

— Entendu. Tout restera entre nous tant que vous n'aurez pas exposé les faits au tribunal.

— Nous ne pouvons vous donner aucune indication sauf celle que le sens commun nous impose, à savoir que c'est arrivé pendant qu'elle était à la faculté. Elle s'est mariée si vite après ses examens de sortie.

— C'est déjà un point de départ, dit Melez mais vous ne me laissez pas beaucoup de temps.

Cependant les recherches de Melez se révélèrent plus fructueuses que Laura ne l'avait espéré. Au moment où elle quittait le Palais de justice avec Chris, un huissier lui tendit une note ainsi conçue : « Appelez-moi aussitôt après mon émission. » Le message n'était pas signé mais c'était inutile. Ils allèrent chez Laura et elle appela Melez aussitôt après le journal de six heures.

— Eh bien maître, dit-il, je n'ai pas eu beaucoup de temps mais j'ai des tuyaux.

— Qu'avez-vous trouvé?

— Arlene Simpson est restée quatre ans à l'université de Northfield mais elle n'a pas passé le diplôme de sortie.

— Comment? elle a abandonné après quatre ans? demanda Laura incrédule.

— Sans diplôme.

— Que s'est-il passé?

— Elle a quitté la fac deux mois avant l'examen. Si ce que vous supposez est exact c'est arrivé à ce moment-là.

— C'est tout ce que vous avez pu trouver?

— Avec le peu de temps dont je disposais, c'est déjà pas mal. Si j'approfondis davantage je vais être obligé d'utiliser l'histoire pour la radio. Puisque vous voulez que tout reste secret, faites votre enquête à partir de là.

— Merci Juan.

Laura raccrocha et communiqua l'information à Chris.

— L'un de nous doit partir pour cette université aussitôt que possible, dit-elle, et faire sa petite enquête.

— Tu es obligée de passer toute la journée de demain au tribunal.

— C'est juste. C'est toi qui iras là-bas.

Chris Grant arriva à Northfield si tard dans la soirée qu'il dut réveiller le gardien de nuit de la vieille auberge pour avoir une chambre. Le lendemain matin, une bonne douche glacée compensa son manque de sommeil. Vers neuf heures, il traversa le vaste campus de l'université dont la pelouse commençait à reverdir après les abondantes chutes de neige d'un long hiver. Les filles aux longues jambes, vêtues de jeans et de bottes paraissaient toutes jeunes par rapport à ses trente-six ans.

Au bureau de l'administration, Chris prétendit qu'il envisageait de s'installer à Northfield et désirait un poste à mi-temps à la clinique de la faculté. Il s'adressa d'abord à Emily Waterston, recteur de l'université. Il fut extrêmement soulagé de voir qu'elle l'acceptait sur sa bonne mine. Elle lui proposa même d'appeler le médecin chargé du service de l'infirmerie pour l'avertir que Chris se rendait dans son secteur.

Trois étudiantes attendaient quand il entra dans la clinique. Enfin, le docteur Florence Lumpkin le reçut. C'était une femme grande et belle avec de lourdes tresses de cheveux brillants autour de la tête. Elle avait un visage énergique et un regard direct et franc qui inspirait confiance. Chris lui donna une quarantaine d'années.

Elle se cala dans son fauteuil tournant; pendant qu'elle l'écoutait ses yeux bruns et vifs n'exprimaient qu'un vif intérêt pour les qualifications de Chris et son désir de s'installer dans une petite ville.

— A notre époque les soins pré- et post-natals sont beaucoup plus nécessaires dans une université qu'ils ne l'étaient autrefois, remarqua-t-elle quand il eut fini.

C'était l'ouverture que Chris attendait.

— Etes-vous ici depuis assez longtemps pour avoir observé le changement? demanda-t-il.

— Huit ans.

Parfait, songea Chris. Les dates qui l'intéressaient étaient comprises dans cette période.

— Comment procédiez-vous avant la sortie de la loi autorisant l'avortement?

— A cette époque, si la fille ne voulait pas garder son bébé, il fallait qu'elle aille à l'étranger ou recoure à des moyens illégaux, ce que je déconseillais toujours.

— Naturellement. Lorsqu'elles avaient des ennuis de cet ordre la plupart des filles venaient-elles vous trouver?

— La plupart oui mais pas forcément toutes.

— Parce qu'elles avaient peur d'être exclues?

— Aucune fille n'a été exclue pour cette raison depuis des années, dit vivement le docteur Lumpkin.

— Depuis combien de temps cette politique libérale est-elle en usage?

— Depuis assez longtemps pour comprendre la période qui vous intéresse, docteur Grant, dit-elle avec un regard de défi. Pensiez-vous que je ne reconnnaîtrais pas votre nom? (puis elle se fit presque conciliante) vous savez que je ne pourrais pas vous aider même si je le désirais. J'ai des obligations professionnelles vis-à-vis de cet établissement et des patients que je soigne ici.

— C'est bien pourquoi j'ai eu recours à la ruse, dit Chris. J'en suis désolé mais, à ce stade, nous en sommes réduits à des moyens désespérés. A moins de pouvoir prouver le contraire, je vais être injustement condamné pour faute professionnelle.

Le docteur Lumpkin ne se laissa pas attendrir bien qu'elle se montrât compatissante.

— Nous ne sommes pas complètement dans le noir, dit-il dans l'espoir d'éveiller sa curiosité. Nous savons par exemple que, si Arlene Reynolds s'est trouvée enceinte, l'événement s'est produit au cours des derniers mois de sa dernière année de faculté. Avec son argent à l'époque — il y a quatre ans — elle serait sans doute allée à l'étranger où elle aurait pu se faire avorter en toute sécurité. Dans ce cas, ou bien elle a préféré ne pas revenir ici ou bien son père le lui a interdit. Mon hypothèse est-elle exacte?

— Je ne puis vous répondre.

— Parfait; j'ai appris du moins une chose que je ne savais pas. Arlene Reynolds a bien été enceinte et elle est venue *vous* trouver.

— Comment pouvez-vous le savoir?

— Si vous n'aviez pas été au courant alors, vous n'auriez pas à garder le silence maintenant; vous seriez parfaitement libre d'épiloguer.

Elle ne nia pas. Pour la première fois, Chris sentit qu'elle cherchait réellement un moyen de l'aider dans les limites de ses propres contraintes professionnelles.

— Je regrette vraiment de vous mettre dans cette situation, dit-il.

— Si je pouvais faire quelque chose pour vous, je le ferais.

— Auriez-vous un conseil à me donner?

— Continuez votre enquête.

— Avec le temps qui nous reste c'est un conseil qu'il vaut peut-être mieux ne pas suivre.

Chris sortit de l'infirmerie. L'horloge annonça la fin d'un cours et le commencement du suivant. Les étudiantes traversaient le campus dans toutes les directions. Chris essaya de regrouper les quelques données qu'il avait glanées auprès du docteur Lumpkin. Elle lui avait suggéré de continuer son enquête mais comment pouvait-il découvrir une amie intime d'Arlene Reynolds quatre ans après son départ. A moins que le docteur Lumpkin n'ait pas fait allusion à une étudiante. Peut-être un homme, un professeur de faculté. Il fallait qu'il trouve un moyen de se procurer le dossier scolaire d'Arlene Reynolds. Encore une ruse. Peut-être serait-elle plus fructueuse que celle qui avait échoué avec le docteur Lumpkin.

— C'est madame le recteur Waterston qui m'adresse ici, dit Chris avec autant d'aisance qu'il le put. J'ai besoin de quelques renseignements sur une ancienne étudiante de la classe 69 : Arlene Reynolds.

Manifestement, le nom du recteur fit son effet. La jeune fille chargée du bureau des dossiers répéta :

— « Classe 69 », Arlene Reynolds.

Elle disparut. En voyant les minutes passer, Chris craignit qu'elle n'ait décidé de demander confirmation au recteur. Cependant, elle revint avec le dossier.

— Arlene Reynolds, dit-elle en le lui tendant. Mais vous ne pouvez pas l'emporter.

Elle lui désigna une table de métal gris posée dans le coin de la salle d'attente. N'importe où, se dit Chris, du moment que je peux consulter ce dossier.

Il parcourut des yeux l'index des documents. Première année, deuxième année, troisième année, quatrième année. Fiche médicale. Activités. Il y avait une liste de visites de routine à l'infirmerie puis le rapport s'arrêtait brusquement. Pas la moindre petite maladie au cours des derniers mois de la dernière année. Aucune mention d'examen de routine.

C'était compréhensible. L'université ne pouvait vraisemblablement pas mentionner les grossesses illégitimes.

Chris consulta le rapport scolaire d'Arlene. A côté de chacun des six cours suivis était inscrit le nom du professeur. Trois femmes et trois hommes : Henry Wills, philosophie; Gregory Mayer, psychologie appliquée; Arthur Ward, littérature anglaise.

Chris apprit que le docteur Wills avait pris sa retraite deux ans auparavant. La secrétaire du président de la section de philosophie lui proposa de lui donner son adresse mais il ne vit aucune raison d'aller rendre visite à un homme qui avait plus de soixante-cinq ans.

Le docteur Gregory Mayer avait lui aussi passé la soixantaine. C'était un homme grand, à la peau fripée par l'âge. Lorsque Chris prononça le nom d'Arlene Reynolds, il le regarda d'un air pensif.

— Oh oui, dit-il. Une gentille petite, un peu effacée mais pleine de bonne volonté. Elle paraissait timide. Je me suis souvent demandé si ce n'était pas parce qu'elle vivait dans l'ombre d'un père aussi imposant. Elle n'a pas terminé son année. J'aurais dû m'en souvenir.

— Pourquoi une fille pourrait-elle quitter l'université en cours d'année?

— Pourquoi? pour se marier ou à cause d'une crise sentimentale. Les jeunes étudiantes sont sujettes à ce genre de troubles. Mais vous êtes médecin, alors vous devez le savoir.

Chris hésita à poser d'autres questions. En tout cas une chose était certaine : Mayer n'était pas l'homme en cause mais il pouvait être le genre de professeur auquel les filles se confient.

— En tant que médecin je vois une autre raison : une fille peut être enceinte.

— Enceinte! A l'heure actuelle, les filles ne dissimulent pas une grossesse; elles s'en vantent au contraire.

— Oui, mais pas du temps où Arlene Reynolds était étudiante.

— C'est vrai mais, en ce qui la concerne, je doute qu'elle l'ait été. Plutôt jolie, mais pas assez coquette pour attirer un jeune homme.

Décidément, Mayer ne pouvait lui fournir de renseignements utiles. Chris le quitta aussi vite que la courtoisie le lui permettait.

Le registre placé à l'entrée de Croft Hall portait l'inscription DR WARD ARTHUR — Section littérature — Salle 205. En montant l'escalier, Chris entendit un bruit de machine à écrire. La porte 203 était ouverte. Quand il apparut sur le seuil, la secrétaire, une femme d'âge moyen, bien en chair, leva les yeux, visiblement ennuyée d'être dérangée.

— Vous avez rendez-vous avec le docteur Ward? demanda-t-elle.

— C'est le recteur, Mrs Waterston qui m'envoie, expliqua Chris.

— Le docteur Ward est très occupé mais, si vous avez le temps d'attendre, je vais voir s'il peut vous recevoir.

La secrétaire lui désigna un fauteuil de cuir usé. Chris s'assit et, quelques minutes plus tard, la porte du bureau de Ward s'ouvrit. Une jeune femme, vraisemblablement une étudiante, sortit. A voir son expression l'entretien s'était bien déroulé. La secrétaire entra, revint au bout d'un moment et annonça vivement :

— Le docteur Ward va vous recevoir tout de suite.

— Docteur Grant? demanda l'homme de couleur qui se tenait debout derrière son bureau encombré de papiers.

Grand, mince, âgé d'une trentaine d'années, le docteur Ward avait un regard vif et pénétrant. Il était vêtu de façon extrêmement classique : veste en tweed gris, pantalon de flanelle foncée, cravate bleue. Chris se demanda s'il avait su cacher sa surprise ou si Ward s'était habitué à ce genre de réaction au cours de ses années passées dans une faculté à prédominance blanche.

— Docteur Ward, je voulais vous demander... commença Chris.

Ward l'interrompit.

— Docteur Grant, pourquoi avez-vous jugé utile de mentir? Madame le recteur vous a envoyé au docteur Lumpkin. Si vous désiriez me voir, vous n'aviez pas besoin de vous recommander du recteur. Un homme qui a des intentions honnêtes n'utilise pas de subterfuge.

— Désolé, dit Chris mais j'espère que ma ruse ne reflétera que l'urgence de ma requête et que vous ne mettrez pas en doute l'honnêteté de mes intentions.

Ward fit signe à Chris de s'asseoir.

— Je vous écoute, dit-il.

Il avait des traits fins et énergiques, une voix agréable et bien timbrée. Chris le jugea sensible et porté au romantisme.

— Voilà, docteur Ward, je vais vous dire sans ambages que je suis ici pour me renseigner sur Arlene Reynolds.

La lueur d'intérêt qui brilla dans les yeux de Ward confirma à Chris ce qu'il désirait apprendre.

— Que désirez-vous savoir?

— C'est tout à fait personnel mais, comme ma carrière en dépend, il faut que je me renseigne. Je suis poursuivi pour faute professionnelle. Si je perds mon procès, tous mes efforts seront anéantis. Ce sera la ruine d'une œuvre dont les résultats peuvent être extrêmement utiles aux vôtres aux cours des années et des générations à venir.

— Essayez-vous de m'amadouer par des promesses concernant les miens? demanda Ward. (Il se détourna brusquement).

Pourquoi supposez-vous que je ne vous dirais la vérité que si vous faites quelque chose pour les Noirs?

Chris attendit en silence. Debout, devant la fenêtre, Ward fixait des yeux le campus. Puis il dit par-dessus son épaule :

— Que voulez-vous savoir?

— Vous aimait-elle?

— Nous nous aimions, corrigea Ward d'une voix grave.

Chris se rendit compte qu'il était sur la défensive parce qu'il était encore profondément affecté par son expérience.

— Je suis navré, reprit Chris. Je sais que c'est pénible mais nous ne pouvons avancer dans notre défense tant que nous ne connaissons pas la vérité. Toute l'accusation peut être réduite à néant si vous répondez à cette seule question.

— Etait-elle enceinte avant de donner naissance à son premier enfant?

Ward se tut. Le silence devint pesant, oppressant.

— Il est très possible qu'elle ait été enceinte sans que je l'aie su, dit-il enfin.

— C'est vrai, concéda Chris.

— Ecoutez, la situation aurait été déjà assez difficile si elle n'avait pas été riche mais, circonstance aggravante, elle était la fille d'un homme qui possède une fortune colossale. Je ne l'ai jamais vu mais elle m'a assez parlé de lui pour que je sache à quoi m'en tenir sur son compte.

— Moi je l'ai vu; elle n'a rien exagéré.

Ward poursuivit comme s'il n'avait pas entendu la réflexion de Chris.

— Elle était vraiment charmante. Craintive en quelque sorte. C'est ce qui m'a tout d'abord attiré et j'avais pitié d'elle. Pourtant, c'était une fille intelligente et très séduisante. L'avez-vous déjà vue?

Il s'écarta de la fenêtre pour chercher une cigarette. Tenant son allumette encore enflammée, il fixa son regard sur Chris.

— J'ai eu tout le temps de réfléchir et je ne sais toujours pas ce qui nous a attirés l'un vers l'autre.

Il lâcha l'allumette dont la flamme commençait à lui brûler les doigts.

— Peut-être est-ce la conscience de notre vulnérabilité commune, reprit-il; la sienne due à la personnalité de son père, la mienne due à la situation de ma race. Elle m'a beaucoup aidé parce qu'elle m'a aimé. Et la différence de couleur n'avait aucune importance.

« Puis vint le jour où elle s'est sentie sûre de pouvoir dire à son père qu'elle allait m'épouser avec ou sans permission. Elle paraissait soudain si forte. Si j'avais supposé qu'elle ne pourrait lutter contre lui je ne lui aurais jamais permis de l'affronter. Je l'aimais trop pour cela.

— Elle s'est décidée subitement? demanda Chris.

— Très subitement.

— Serait-ce parce qu'elle a découvert qu'elle était enceinte?

— Je ne sais pas, dit Ward vivement, trop vivement, sembla-t-il, car il ajouta :

— Et si je le savais, je ne vous le dirais pas.

Et il se tourna de nouveau vers la fenêtre.

— Le jour où elle est partie pour lui dire, je l'ai conduite à l'aéroport. Je lui avais même offert de l'accompagner mais elle trouva qu'il valait mieux qu'elle le voie seule. Elle était tellement forte et sûre d'elle-même que j'étais convaincu qu'elle reviendrait. J'ai suivi son avion du regard jusqu'au moment où il a disparu à l'horizon.

Ward se tut un moment puis il dit simplement :

— Je ne l'ai jamais revue.

Chris perçut la profondeur de son chagrin. Par cette dernière phrase, Ward avait révélé l'événement le plus intime et le plus douloureux de son existence.

— Elle n'a ni téléphoné ni écrit?

Ward fit un signe de tête négatif.

— C'est le médecin de la faculté, le docteur Lumpkin, qui m'a annoncé qu'elle ne reviendrait pas.

— Professeur Ward, vous êtes-vous jamais demandé pourquoi c'est le docteur Lumpkin qui vous a averti et non le recteur ou le conseiller d'études d'Arlene? sinon parce qu'elle était enceinte?

Chris attendit une confirmation mais, comme Ward gardait le silence, il poursuivit :

— Et c'est parce qu'elle était enceinte qu'elle se sentait

assez forte pour affronter son père. Elle avait une arme contre lui. Malheureusement, il semble bien qu'il s'en soit servi contre elle. Il l'a obligée à partir pour la Suisse ou pour la Suède où l'opération pouvait être pratiquée dans le plus grand secret. On ne vous a même pas dit ce qu'il était advenu de votre enfant!

Chris se tut. Si Ward se décidait à parler c'était le moment ou jamais. La sueur perlait sur le visage d'ébène. Il se laissa tomber dans son fauteuil et prit une autre cigarette. Il était évident qu'il ne dirait rien.

— Docteur Ward, j'ai besoin de vous, reprit Chris. Je ne vous demande pas de mentir. Je vous supplie simplement de dire la vérité.

— Je ne sais pas ce que vous avez fait mais, si c'est une chose qui déplaît au tout-puissant Mr Reynolds, tout ce que je pourrais dire ne vous empêchera pas de perdre.

— Et supposez que vous puissiez égaliser le score avec lui.

— J'ai dépassé le stade où j'ai envie d'égaliser des scores, dit Ward amèrement.

Cette évocation du passé l'avait anéanti.

— Allez-vous accepter qu'il écrase d'autres innocents? demanda Chris.

Il lui fit l'historique des faits depuis le moment où le bébé Simpson lui avait été confié jusqu'à la dernière étape du procès. Ward se contenta de remarquer :

— Reynolds est bien homme à penser qu'il pourrait effacer tout souvenir de la grossesse de sa fille surtout quand le responsable est un Noir.

— Pensez-vous qu'il aurait été capable de lui interdire d'en parler à son propre médecin?

— Oui, et s'il l'avait réduite de nouveau à l'état de passivité où elle était quand j'ai fait sa connaissance, elle lùi aurait obéi.

— Comprenez-vous les conséquences de tout cela?

— Les conséquences?

— En leur cachant la vérité, elle a laissé croire aux médecins qu'ils avaient affaire à une première grossesse. De ce fait, ils se sont entièrement trompés dans leur diagnostic. Des heures d'importance vitale ont passé, et ce retard a été probablement responsable de ce qui s'est passé.

— Les péchés des pères... murmura Ward avec tristesse... ou des grands-pères?

— Une question maintenant : voulez-vous faire quelque chose pour nous?

— Quelque chose? Quoi?

— Venez au tribunal. Témoignez. Faites connaître la vérité.

Ward le fixa du regard.

— Je suis navré, dit-il enfin. Je... je ne peux lui faire cela.

— Vous allez laisser Reynolds triompher? s'écria Chris furieux maintenant que la vérité était virtuellement à sa portée.

— Je me moque bien de lui. Je ne veux pas lui faire de mal à elle. Son enfant est handicapé et c'est pour elle un poids assez lourd à porter. Je ne veux pas détruire les quelques chances qui lui restent de se faire une vie acceptable. Après tout elle est mariée. Que se passera-t-il s'il apparaît qu'avant son mari, elle a connu un homme, un Noir. Non je ne veux pas lui faire cela.

— Peu vous importe le mal que vous ferez à d'autres?

— C'est elle que j'aime, pas les autres. Et quand elle pensera à moi, je veux que ce soit avec amour, avec tendresse. Je vous crois capable de comprendre.

Malheureusement pour Chris il comprenait; il ne put se résoudre à le presser davantage.

— Je regrette d'avoir réveillé ces pénibles souvenirs, dit-il en lui serrant la main, mais nous sommes vraiment désespérés.

Ward sourit.

— Croyez-vous que ce soit votre visite qui ait ressuscité le passé? Croyez-vous réellement qu'il se passe un seul jour sans que quelque chose me le rappelle. Il suffit que j'entende un léger éclat de rire dans le campus et les souvenirs reviennent. Elle riait beaucoup à cette époque. Je vois une silhouette fine et je crois que c'est elle. Non, vous ne m'avez rien rappelé. Vous pouvez partir sans avoir ce poids sur la conscience.

Ward poussa un profond soupir.

— Comment se fait-il que nous révélions à des étrangers ce que nous cachons aux êtres qui nous sont les plus proches? Je suis sûr que ma femme se doute de ce que je ressens mais je ne lui en ai jamais rien dit. En trois ans de mariage je ne lui ai jamais parlé de ce sujet aussi longtemps que je viens de le faire avec vous.

Chris se dirigea vers la porte.

— Voulez-vous dîner avec nous? proposa Ward amicalement.

— Merci mais il faut que je prenne le dernier avion de l'après-midi.

— Dommage. Je regrette de ne pouvoir en faire plus pour vous. J'espère seulement que vous comprenez.

— Oh oui, je comprends, dit Chris sincèrement.

Mais pendant tout le voyage de retour, il ne cessa de penser que sa compréhension n'arrangeait pas sa propre situation. Laura voulait des preuves et il rentrait les mains vides.

Comme Chris l'avait prévu, Mike et Laura étaient terriblement déçus bien que leur hypothèse ait été confirmée.

— Orgueilleux comme il l'est, John Reynolds attache autant d'importance à sa réputation qu'à sa puissance, dit Mike avec tristesse. Naturellement, il aura tenu l'événement secret.

— Tout aurait été tellement différent si Mitchell avait été au courant, commenta Chris.

Seule Laura se taisait. Elle réfléchissait à l'aspect légal de la situation. Chris l'interrogea du regard.

— Sans un témoin qui atteste le fait nous ne pouvons présenter qu'une théorie; rien de concret et il faut un témoin qui connaisse le fait de première main, expliqua Laura.

— Et Arlene Simpson elle-même? demanda Mike.

Laura secoua la tête.

— La peur et la honte l'empêcheront de parler. Peur de son père, honte de ce qu'elle a fait.

— Nous pourrions raconter toute l'histoire à la presse, suggéra Chris. Juan serait ravi.

— Cette publicité n'influencera pas les jurés en notre faveur. Il faut qu'ils entendent la déposition d'un témoin accrédité.

Elle réfléchit un moment et déclara :

— Il n'y a qu'un seul témoin qui connaisse les faits et qui n'ait pas peur de Reynolds.

— Qui donc? demanda Chris.

— John Stewart Reynolds.

— Je connais cet homme depuis vingt ans, dit Mike Sobol. Jamais il n'admettra une chose pareille.

— L'orgueil peut être une faiblesse — ce qui ne plie pas peut se rompre. Tout dépend de la pression que nous pouvons exercer sur lui.

— Laura, mon petit, ne va pas te mettre dans de mauvais draps à cause de notre impatience.

— Mike, dit-elle gravement, je ne me bats pas simplement pour gagner un procès. Si je perds celui-ci, je perds...

Elle n'acheva pas. Ses yeux se remplirent de larmes. Mike observa Chris dont le regard lui révéla la nature des rapports qui les unissaient. S'il avait eu des soupçons, ils venaient de lui révéler qu'ils étaient fondés. Il prit la main de Laura et lui leva le menton.

— Oh, mon petit. Je suis navré, pas que vous vous soyez trouvés mais je n'aurais pas voulu que ce soit dans des circonstances aussi sombres.

— Nous n'avons rien à perdre en nous attaquant à Reynolds, dit Chris dans l'intention de raviver une lueur d'espoir.

— Nous avons tout à perdre, dit Laura mais nous sommes devant une alternative : ou bien nous appelons Reynolds à la barre ou bien nous concluons et nous nous présentons devant le juge avec une défense sans valeur légale.

30

John Stewart Reynolds était assis dans sa bibliothèque. Il attendait sa femme qui devait l'accompagner au Palais de justice. Ce jour-là verrait la fin du procès. Pour lui, la culpabilité était nettement établie. La question des dommages et intérêts ne le préoccupait pas. A présent, il ne s'intéressait plus qu'aux termes de la condamnation. Il espérait qu'elle serait suffisante pour ruiner la carrière de Grant jusqu'à la fin de ses jours.

En entendant les pas de sa femme dans l'escalier, Reynolds se dirigea vivement vers la porte. Ils avaient eu plusieurs discussions pénibles à cause de ses précédents refus d'assister au procès. Elle avait essayé de se dissocier de toute l'affaire. Elle ne comprenait pas qu'il se soit cru moralement obligé d'intenter une action en justice pour protéger le public contre les futures expériences pratiquées par des jeunes gens comme Grant.

Ces derniers temps, il l'avait entendue pleurer une partie de la nuit. Il supposait que c'était sur leur malheureux petit-fils qu'elle versait des larmes. Eh bien, aujourd'hui, ce serait la dernière fois qu'il lui imposerait le sacrifice de venir au tribunal et seulement parce qu'Harry Franklyn avait insisté. Quant à lui, il abordait cette journée avec une énergie farouche.

Arlene Simpson se pencha sur le berceau pour embrasser le petit John. Elle le regarda et lui sourit. L'enfant, qui avait alors plus d'un an, lui répondit par un sourire à peine esquissé puis, son regard se voila et reprit son expression hébétée habituelle.

Elle se tourna vers la gouvernante :

— Essayez de le promener un peu plus longtemps, dit-elle.

— Bien sûr.

La gouvernante savait qu'Arlene pensait que les sorties prolongées contribueraient à stimuler l'enfant. Elle savait aussi que son espoir était vain.

Arlene descendit. Son mari, Laurence, « Laddie » Simpson, l'attendait à la porte. La voiture était dehors, le moteur en marche.

— Dépêche-toi, chérie; nous allons être en retard, dit-il. Nous ne pouvons nous permettre d'arriver après l'entrée de la Cour.

En réalité, il craignait qu'un retard n'irrite son beau-père. Le vieux requin était exact comme une pendule. Laddie l'avait vu quitter une partie de golf au dix-huitième dé pour ne pas faire attendre des hommes qu'il aurait pu acheter ou vendre sans se donner de peine. Et il exigeait des autres la même ponctualité. Donc, aussi longtemps que le vieux serait en vie, il faudrait qu'il se plie à cette règle. Après, les affaires pourraient suivre un rythme plus humain.

Laddie se demandait parfois si John Stewart Reynolds ne s'aviserait pas de lui survivre. Quand on le connaissait bien, on était facilement tenté de croire qu'il était immortel. Physiquement, Reynolds pouvait rivaliser avec son gendre qui avait quarante ans de moins que lui. Intellectuellement, il était plus fort et plus résistant que tous les amalgames que la science avait inventés. Malgré les sentiments de haine qu'il éprouvait à son égard, Simpson ne pouvait s'empêcher de l'admirer.

Laddie voyait venir avec soulagement la fin du procès. Il serait heureux de ne plus être remis en face du fait chaque fois qu'il rencontrait quelqu'un — j'ai un enfant anormal. S'il n'avait tenu qu'à lui, jamais il n'y aurait eu de procès. Quel avantage présentait cette affaire à part la satisfaction du vieux? Mais, comme toujours, depuis qu'il avait épousé Arlene, Laddie Simpson s'était incliné devant la volonté de son beau-père.

Enfin, après la séance d'aujourd'hui, Arlene et lui seraient libres de vivre en paix avec leur chagrin et ils feraient ce qu'ils pourraient pour le petit John. D'autres parents qui connaissaient les mêmes problèmes leur avaient parlé d'excellents établissements appelés « institutions privées » qui s'occupaient d'enfants comme leur fils. Ils étaient bien soignés par un personnel spécialement formé et vivaient dans une ambiance très agréable. Chacun était élevé, suivant son propre rythme, au niveau maximum de ses capacités limitées. Certains étaient même autorisés à aller chez eux pour de courts séjours de quelques jours à quelques semaines et, parfois, aussi longtemps que les parents le désiraient.

Cet arrangement permettait aux parents de vivre leur propre vie et d'avoir d'autres enfants normaux. Evidemment, le tribut financier était lourd : plus de vingt-cinq mille dollars par an mais, quand on s'appelait Reynolds, ce sacrifice n'entrait guère en ligne de compte.

Le grand sacrifice s'imposa à l'heure de la décision initiale. Laddie avait effleuré le sujet avec Arlene et il se sentait déjà coupable de l'avoir abordé.

Comment des parents pouvaient-ils justifier l'abandon d'un enfant et, qui plus est, d'un enfant qui avait besoin d'eux. C'était bien un abandon car les enfants avaient beau être confiés à des professionnels hautement qualifiés, du point de vue des parents c'était une désertion. Ainsi, bien qu'ils eussent envisagé ensemble cette éventualité, ils n'avaient encore pris aucune décision ferme. Laddie se promit qu'après le procès, il soulèverait de nouveau la question avec sa femme. Il se rendait compte qu'elle ne pourrait supporter indéfiniment une confrontation avec le petit John. Pour une raison incompréhensible, elle s'accusait, bien que personne n'eût de raison de se culpabiliser et encore moins après la multitude de preuves produites au procès. Un fait était certain : John Reynolds Simpson avait subi une lésion consécutive à une élévation du taux de bilirubine, au cours des quarante-huit premières heures de son existence.

Il en était là de ses réflexions quand Arlene arriva prête à partir. Qu'allaient-ils se dire pendant le trajet?

— Il me semble que ce matin, son sourire était un peu différent... commença Arlene.

— Tu crois?

Laddie savait qu'elle était à l'affût du moindre signe de progrès. Elle l'appelait souvent au bureau pour lui faire part de ses constatations mais, quand il rentrait, il ne voyait aucun changement. Cependant, pour la réconforter, il faisait semblant d'y croire.

— Oui, reprit-elle. Il a souri plus nettement et il avait une lueur dans les yeux. On aurait dit qu'il essayait de communiquer avec moi.

— Nous pourrions faire venir un autre neurologue. J'ai entendu parler d'un excellent psychopédiatre qui est à l'hôpital des enfants malades à Boston.

Il savait qu'il fallait à tout prix l'empêcher de pleurer avant leur arrivée au tribunal. La journée serait suffisamment éprouvante sans qu'elle commence à se lamenter dès le début de la matinée.

C'était la faute du vieux requin. Reynolds n'aurait jamais dû obliger Arlene et sa mère à assister au procès. A quoi leur présence pouvait-elle bien servir? A certains moments, Simpson se surprenait à plaindre Chris Grant. Quelles qu'aient été ses failles, il n'était pas de ces médecins cupides qui exercent leur métier pour le profit. Laddie Simpson ne pouvait s'empêcher de penser que, malgré les erreurs qu'il avait pu commettre, Chris Grant avait agi en toute bonne foi, convaincu de l'efficacité de son traitement.

Depuis son mariage, il se promettait chaque jour de réparer les injustices du vieux quand il serait à la tête de l'entreprise Reynolds. En tout cas, il ne serait jamais aussi dur, aussi implacable, aussi vindicatif.

Arlene poursuivit :

— L'autre jour, j'ai rencontré Melba Sloane. Il paraît que sa belle-sœur a le même problème et qu'elle a consulté un médecin de Mexico extrêmement compétent. Nous devrions peut-être nous renseigner. Papa a bien un bureau à Mexico, n'est-ce pas?

Il eut envie de répondre : « Ton requin de père a même un bureau à Moscou » mais il se contenta de dire :

— Oui, je vais me renseigner dès demain.

— Cette histoire ne va pas durer plus d'une journée? Je veux parler des conclusions.

— Je ne le pense pas.

— Tant mieux!

Ils gardèrent le silence pendant tout le reste du trajet.

Les rumeurs se répandent vite autour des tribunaux. Lorsqu'un procès intéressant atteint son maximum d'intensité, les spectateurs affluent comme les foules d'autrefois affluaient vers les colisées, prêts à observer et à juger.

Ce fut le cas ce matin-là. La salle était déjà bondée une demi-heure avant l'ouverture de la séance. Une certaine agitation se produisit lorsque la famille Reynolds défila dans le prétoire. John Reynolds tenait sa femme par le coude comme s'il la guidait sur le bas-côté d'une chapelle ardente. Les spectateurs les suivaient des yeux, impressionnés par la stature du chef de famille, touchés par l'air abattu de Mrs Reynolds qui n'osait regarder autour d'elle. Derrière eux, venait Arlene Simpson la main posée sur le bras de son mari.

Au premier rang de la presse, Juan Melez prenait des notes. Si les autres journalistes ne paraissaient pas passionnés à ce stade, Melez griffonnait avec une excitation contenue. Il avait observé l'entrée de la famille Reynolds. Il attendait l'arrivée de la défense.

Laura, Chris et Mike entrèrent dans la salle et gagnèrent leur place. Laura posa ostensiblement sur la table plusieurs gros livres de code à reliure bleue. Elle voulait montrer à Harry Franklyn qu'elle était prête elle aussi à formuler ses conclusions.

L'huissier réclama le silence. Bannon fit son entrée, vêtu de sa longue robe noire. Avant de s'asseoir, il fit sortir « toutes les personnes n'occupant pas de siège ». Une vingtaine de spectateurs se retirèrent en grommelant. Comme le règlement prévoyait que la partie qui ouvrait le procès concluait en dernier ressort, Bannon s'adressa à Laura :

— La défense est-elle prête à conclure?

— Non, votre Honneur, répondit Laura. En reconsidérant

la question, la défense a décidé de rappeler à la barre John Stewart Reynolds.

— Qu'est-ce que la défense espère établir qui n'ait déjà été établi? demanda le juge.

— Après enquête, certaines déclarations de Mr Reynolds se sont révélées sujettes à caution.

— Votre Honneur, nous avons déjà assisté à une mise en scène de ce genre, intervint Franklyn. Son insistance à rappeler le docteur Coleman n'a servi qu'à produire un document qui n'a aucun rapport avec la décision du docteur Grant. S'il s'agit encore d'une ruse de miss Winters, je m'oppose énergiquement à sa requête.

Bannon allait statuer en faveur de Franklyn mais Laura souleva l'un des codes à reliure bleue.

— Votre Honneur, il n'existe aucun précédent qui dénie à un avocat le droit de contre-interroger un témoin à charge. Si vous en décidez ainsi, le cas constituerait certainement une erreur qui donnerait matière à révision du procès.

Bannon accepta à contrecœur.

— Le témoin John Stewart Reynolds est prié de se présenter à la barre, décréta-t-il.

31

Reynolds leva la main droite, posa la gauche sur la Bible et prêta serment. Il s'assit dans la chaire des témoins avec un air méprisant. La jeune avocate avait perdu la partie et elle cherchait une dernière occasion de se venger mais il était homme à relever le défi.

Laura s'approcha de lui avec sa liste de questions soigneusement préparées.

— Mr Reynolds, il y a déjà quelque temps que vous avez témoigné. Puis-je vous rafraîchir la mémoire?

— Ma mémoire est excellente mais, si vous y tenez, allez-y, dit Reynolds avec agacement.

— Vous avez déclaré, alors, que le docteur Grant ne vous avait pas expliqué tous les risques que peut entraîner la photothérapie.

— C'est exact.

— Vous avez également déclaré qu'il avait placé l'enfant sous photothérapie aussitôt après avoir prélevé un échantillon de sang.

— En effet.

— Avez-vous protesté à ce moment-là?

— Pas à ce moment-là mais plus tard quand il m'a expliqué que c'était la partie principale du traitement.

— C'est-à-dire?

— Quand il m'a emmené dans son bureau après avoir envoyé l'échantillon de sang et donné ses instructions à l'infirmière.

— Et vous êtes sûr qu'il ne vous a pas exposé alors les risques éventuels?

— Tout à fait sûr.

— Etes-vous sûr aussi que vous n'avez pas autorisé cette forme de thérapie?

— Absolument sûr. J'ai trouvé que c'était une forme de traitement ridicule et je le pense toujours.

— Malgré le témoignage des nombreux experts qui sont venus affirmer jour après jour que la photothérapie est une forme de traitement parfaitement acceptable.

— Les médecins que j'ai entendus témoigner ont dit que c'était une thérapie diantrement contestable dans ce cas précis.

— N'auriez-vous pas entendu les autres?

— Je les ai entendus mais il était évident qu'ils mentaient par complaisance pour leur ami, le docteur Sobol.

Laura marqua un point : Reynolds commençait à perdre son sang-froid.

— Mr Reynolds, si la photothérapie vous inspirait une telle méfiance, pourquoi n'avez-vous pas protesté?

— J'ai exprimé assez clairement ma désapprobation. Je ne vois pas ce que j'aurais pu faire de plus.

— Vous connaissez bien le docteur Sobol : l'idée de l'appeler ne vous est pas venue à l'esprit?

— Il m'avait dit qu'il se fiait entièrement à Grant. D'ailleurs, Grant semblait très sûr de lui. C'est le garçon le plus arrogant que j'aie jamais vu.

— Voulez-vous dire qu'il vous a contraint à accepter?

— Je dis qu'il m'a convaincu parce qu'il ne m'a pas dévoilé les dangers que comporte ce traitement.

— Vous voulez dire en réalité qu'il ne vous a pas exposé les risques théoriques.

— Bon Dieu! Ce qui est arrivé à mon petit-fils n'a rien de théorique.

— Je vous demande si, pendant que le docteur Grant attendait les résultats du laboratoire, vous vouliez vraiment qu'il vous expose tous les risques théoriques?

— J'attends d'un médecin ce que j'attends d'un homme d'affaires — des explications détaillées et honnêtes.

Laura sentit que le moment était venu de lancer une attaque de diversion.

— Mr Reynolds, prenez-vous parfois de l'aspirine? Quand vous avez la grippe, par exemple?

— Quand j'ai la grippe, oui. J'ai horreur des médicaments quels qu'ils soient. Je n'en prends que sur ordre médical.

— Un médecin vous a-t-il jamais dit que, dans certains cas, l'aspirine peut provoquer des saignements d'estomac, voire des hémorragies?

— Non, admit Reynolds.

Franklyn se leva :

— Votre Honneur, dit-il, j'aimerais bien savoir, et certainement le jury le voudrait aussi, à quoi mènent toutes ces absurdités?

Impassible, Laura leva les yeux vers la Cour.

— Je vais bientôt établir la relation, Votre Honneur.

— Vous feriez bien...

Bannon faillit ajouter « jeune fille » mais Laura lui lança un regard de défi qui arrêta les paroles sur ses lèvres. Elle se tourna vers le témoin :

— Mr Reynolds, si un médecin ne vous met pas en garde contre ces dangers réels et non théoriques de l'aspirine, le jugeriez-vous coupable de faute professionnelle?

— Il existe une énorme différence entre ce cas et ce qui s'est passé pour mon petit-fils, fulmina Reynolds. Quand il s'agit d'un enfant en bas âge, seul un exposé complet et détaillé est conforme à la saine pratique de la médecine.

— Croyez-vous que les révélations complètes soient indispensables dans tous les cas médicaux?

— Dans tous les cas médicaux, affirma Reynolds.

— Révélations complètes de la part du médecin *et* révélations complètes de la part du patient?

Laddie Simpson sentit sa femme s'appuyer sur lui. Il supposa que l'interrogatoire prolongé de son père commençait à la fatiguer. Il lui prit le bras mais elle se dégagea.

— Je ne vois pas ce que vous voulez dire.

Reynolds paraissait un peu démonté. Voyant qu'elle avait

troublé l'ennemi, Laura saisit l'occasion de tenter une autre diversion.

— Je veux dire ceci : est-il possible que le cerveau de votre petit-fils ait été lésé à cause de quelque tare génétique de la famille Reynolds?

Franklyn bondit :

— Voilà qui dépasse les limites permises d'un contre-interrogatoire, gronda-t-il. Mon client ne s'y soumettra pas.

Laura lui fit face et remarqua :

— Au moins, nous aurons pu établir qui est réellement votre client, Mr Franklyn.

La réflexion n'avait pas une grande importance pour le dénouement mais Laura estimait qu'elle avait bien droit à cette petite satisfaction morale.

Elle se tourna vers la Cour :

— Votre Honneur, comme aucune autre preuve n'a pu être produite quant à la cause de la lésion cérébrale de ce malheureux enfant, je pense que nous avons le droit de rechercher toutes les causes possibles même celles qui ont pu être délibérément tenues secrètes.

Avant que Bannon ait eu le temps de se prononcer, Reynolds vociféra :

— Il n'y a pas l'ombre d'une tare dans la famille Reynolds! Je répondrai à toutes les questions qui me seront posées.

Ainsi, Reynolds lui-même exigeait qu'elle poursuive. Satisfaite, Laura demanda :

— Mr Reynolds, combien d'enfants votre mère a-t-elle mis au monde?

— Huit, répondit Reynolds vivement, cinq garçons, trois filles, tous en parfaite santé.

— Mr Reynolds, combien d'enfants avez-vous?

Il la foudroya du regard.

— Un seul, une fille, dit-il enfin.

— Un seul? Pour un homme qui vient de nous dire que son père a donné naissance à huit enfants en parfaite santé? Un seul, pour un homme qui a déclaré qu'il avait tellement désiré des fils!

Franklyn intervint. Bannon s'apprêta à soutenir son point de vue.

— Jeune fille, ce genre de questions constitue un abus du droit de contre-interrogatoire.

— Votre Honneur, si vous tenez à me témoigner du mépris, libre à vous mais je suis décidée à poser toutes les questions qui me paraissent nécessaires pour découvrir les causes de lésion cérébrale qui peuvent jouer un rôle dans cette affaire.

— Approchez, jeune fille, ordonna Bannon, rouge de colère.

— Je ne bougerai pas tant que vous ne me traiterez pas conformément à mon statut au barreau.

Chris l'observa avec un certain amusement. Cette jeune femme, cette jeune fille, qui savait être si douce, si tendre, avait un ressort d'acier dans le corps. Finalement, Bannon fut forcé de s'incliner.

— Maître, veuillez approcher.

Franklyn se hâta de se joindre à la discussion et chuchota avec fureur :

— Votre Honneur, si cette forme d'interrogatoire ne doit pas conduire à des révélations spécifiques, je m'oppose à ce que la défense continue à l'employer.

Bannon se tourna vers Laura avec impatience.

— Avant que la Cour ne vous autorise à poursuivre, je demande des informations sur ces révélations spécifiques.

Laura fixa Bannon du regard :

— Je promets à la Cour que j'aurai établi le rapport entre ces révélations et ma forme d'interrogatoire avant que le témoin n'ait quitté la barre.

— Vous refusez de dévoiler la nature de ces informations?

— *Fichtre* oui, que je refuse.

— Jeune fille, je vous avertis que, si vous n'établissez pas ce rapport, je vous accuserai devant le Conseil de l'ordre d'avoir délibérément menti à la Cour.

Considérant qu'elle était autorisée à poursuivre, Laura se tourna vers le témoin.

— Mr Reynolds, vous nous disiez donc que vous n'aviez eu qu'un seul enfant.

— C'est la faute de ma femme; je veux dire c'est à cause de l'état de ma femme, corrigea-t-il aussitôt.

Il effleura sa femme du regard comme pour lui demander pardon pour l'aveu qu'il allait faire.

— Nous avons eu un premier enfant... un garçon mort-né. L'accouchement a été difficile. Pour le second, ma fille, il a fallu faire une césarienne. Les médecins ont dit qu'après cette opération, une nouvelle grossesse serait risquée...

Laura ne s'attendait pas à cette déclaration. Elle resta un instant sans voix puis elle se ressaisit :

— Vos amis ou associés savaient sans doute que vous désiriez des fils. N'étaient-ils pas étonnés que vous n'en ayez pas? Ou les avez-vous mis au courant?

— Je ne parle pas de mes affaires de famille à mes amis ou associés.

— Mr Reynolds, êtes-vous partisan convaincu du secret de la vie privée?

— Je suis peut-être vieux jeu pour vos pareils mais, oui, je crois que la vie privée d'un individu doit rester secrète.

— Dans quelle mesure?

— Dans quelle mesure? répéta Reynolds intrigué.

— Dissimule-t-on certaines choses seulement à ses amis?

Avant que Reynolds ait eu le temps de répondre, elle enchaîna :

— Ou également à son avocat? Peut-être même à son *médecin?*

Les yeux bleu acier de Reynolds se fixèrent sur elle. Pour la première fois, il se demanda si toutes ses questions ne tendaient pas vers un but. Il évita de répondre directement.

— L'ennui à notre époque, dit-il, c'est qu'il y a trop de publicité autour des gens. La presse, la télévision mettent leur nez partout.

Reynolds commençait à respirer avec peine. Il avait le visage congestionné sans doute à cause d'une élévation de sa tension.

Laura vit que le moment était venu de le pousser dans ses derniers retranchements.

— Mr Reynolds, je suis sûr que la plupart des gens pensent comme vous. Pourtant, comment expliquez-vous que la télévision ait fait tant de battage autour du mariage de votre fille?

— Eh bien, il y a des moments où il est impossible d'écarter les journalistes.

— Et aussi des moments où on les invite.

Reynolds se hérissa :

— C'était un événement mondain de grande importance. Le public était très curieux.

— Aussi avez-vous convié la presse pour cet événement spécial. Voyons, Mr Reynolds, auriez-vous mis autant d'empressement à l'inviter si, au lieu d'épouser Mr Simpson, votre fille s'était mariée avec un homme qui n'appartenait pas à votre milieu, un Juif par exemple?

Reynolds ne répondit pas.

— Ou un Noir? insinua Laura.

Reynolds essaya de rester impassible mais il ne put s'empêcher de serrer les mâchoires. Puis il réfléchit que la question était peut-être purement accidentelle.

— Puisque tel n'est pas le cas, je ne vois pas la nécessité de répondre, dit-il.

Laura n'insista pas. Il lui suffisait de l'avoir sérieusement touché. Elle pensa qu'il était temps de passer à un autre sujet.

— Mr Reynolds, bien que selon votre témoignage, vous ayez désapprouvé le traitement du docteur Grant, et qu'il ne vous ait pas donné toutes les informations voulues sur la photothérapie ne lui avez-vous pas offert un présent quand votre petit-fils a quitté l'hôpital?

— Oui, je lui ai offert un cadeau.

— Voudriez-vous dire au jury ce qu'était ce cadeau?

— Une Continental Mark IV.

— Pouvez-vous nous dire le prix de cette voiture?

— Entre neuf et dix mille dollars.

— N'était-ce pas un cadeau bien somptueux pour un homme qui avait refusé de vous expliquer ce que vous vouliez savoir?

— A l'époque, je croyais que mon petit-fils était guéri et ce présent était l'expression de ma satisfaction.

— Le docteur Grant l'a-t-il accepté?

— Non.

— Qu'avez-vous fait alors?

— J'ai écrit une lettre au conseil d'administration du Metropolitan.

— Mr Reynolds, je vais vous lire cette lettre; vous me direz si le texte est bien exact.

« Au Conseil d'administration du Metropolitan General. Messieurs, je tiens à vous féliciter de compter le docteur Grant parmi les membres de votre personnel. Non seulement, c'est un pédiatre de premier ordre mais c'est un homme sensible qui compatit aux soucis de la famille de ses petits malades. Votre hôpital et le service de pédiatrie peuvent être fiers de lui. Sincèrement. John Stewart Reynolds. » C'est bien ce que vous avez écrit, n'est-ce pas?

— Quand j'ai écrit cette lettre, je ne connaissais pas la vérité. Il m'avait dit que mon petit-fils était guéri. Je n'ai compris que quatre mois plus tard qu'il ne l'était pas.

— Mais vous avez écrit cette lettre volontairement?

Reynolds garda le silence. Laura pensa qu'il était temps d'en venir à l'objet réel de la défense.

— Mr Reynolds, au cours de votre déposition, vous avez déclaré que vous étiez allé à la bibliothèque médicale pour vous documenter sur la photothérapie et certaines autres questions intéressant l'état de votre petit-fils. Voudriez-vous rafraîchir la mémoire du jury à ce sujet?

Soupçonnant Laura de vouloir prendre Reynolds en flagrant délit de contradiction, Franklyn se leva.

— Votre Honneur, dit-il, le procès-verbal est là. Je ne vois pas la nécessité d'imposer de nouveau au témoin cette pénible épreuve. Pourquoi ne pas demander au greffier de relire ce passage de sa déposition?

Bannon allait accéder à cette demande mais Laura intervint :

— Mr Franklyn craint-il que son témoin ne se souvienne pas des leçons qu'il a apprises?

Reynolds mordit à l'hameçon.

— Si vous croyez qu'un homme a besoin de recevoir des leçons pour une chose pareille!

Comme Reynolds lui-même insistait, Bannon l'autorisa à répondre.

Quand il eut terminé, Laura laissa passer quelques instants et fit semblant de feuilleter ses notes. En réalité, elle rassemblait ses forces pour le dernier assaut. Avec une précision de chirurgien, elle fit la première incision.

— Mr Reynolds, n'étiez-vous jamais entré dans une bibliothèque à des fins de recherche?

— Non, répondit Reynolds d'une voix rauque.

— Saviez-vous que votre fille appartenait à un groupe sanguin négatif?

— Oui, oui, je le savais.

— Et pourtant, vous n'êtes pas allé vous renseigner à ce sujet, n'est-ce pas?

— Pourquoi l'aurais-je fait? Elle était entre les mains d'un médecin très compétent.

— Avez-vous discuté de ce problème avec lui?

— Je savais que le docteur Mitchell serait capable de résoudre tous les problèmes qui pourraient se poser.

— Même s'il n'en possédait pas toutes les données?

Laura commençait à attaquer plus vivement.

Reynolds la regarda avec inquiétude. Elle soutint son regard. Peu lui importait désormais qu'il la soupçonnât d'être au courant de tout. Ce fut lui qui détourna les yeux. Elle reprit :

— Mr Reynolds, vous êtes-vous jamais renseigné sur la question de l'avortement?

Chris Grant et Mike Sobol jetèrent un coup d'œil discret du côté d'Arlene Simpson. Le visage blême, les traits crispés, elle retenait sa respiration.

A la barre, John Reynolds posa son regard sur Laura puis sur sa femme et sa fille. Laura répéta :

— Mr Reynolds, vous êtes-vous ou non renseigné sur la question de l'avortement?

— Je n'ai jamais eu besoin de faire des recherches à ce sujet.

— Dans ce cas, il serait peut-être bon que je rappelle à la barre un expert qui pourra nous éclairer.

Bien qu'il ne comprît absolument pas les intentions de Laura, Harry Franklyn se leva pour protester mais elle lui fit face.

— Mr Franklyn, dit-elle, dans l'intérêt même de votre client, je vous conseille de retirer votre objection.

Franklyn sentit une main qui le tirait par la manche. Il regarda Mrs Reynolds. L'expression de son visage l'avertit de ne pas insister. Il se rassit.

Avec l'autorisation de Bannon, Laura rappela Chris à la barre.

— Docteur Grant, voudriez-vous expliquer au jury les problèmes que pose une parturiente ayant un rhésus négatif et notamment les troubles que peut présenter son enfant?

Chris se plaça face au jury. Il expliqua que le sang de la mère peut être sensibilisé et produire des anticorps soit si elle a subi une transfusion de sang positif soit en cas de précédente grossesse. Une fois ces anticorps entrés dans son courant sanguin, ils peuvent altérer la santé de tous les enfants qu'elle portera par la suite. En fait, si les mesures nécessaires n'ont pas été prises, le bébé risque des lésions graves ou même la mort.

Lorsqu'elle fut convaincue que le jury avait bien compris, Laura demanda :

— Docteur Grant, supposons qu'une femme ait été sensibilisée par une précédente grossesse ou une transfusion de sang positif, si son médecin en est averti, modifiera-t-il son traitement?

— Complètement puisqu'il saura qu'il y a incompatibilité de rhésus chez l'enfant.

— Et que fera-t-il dans ce cas?

— Il guettera un signe de jaunisse et prendra bien soin de pratiquer une bilirubine toutes les deux heures, même si le teint de l'enfant paraît normal.

— Pourtant, le docteur Coleman reconnaît qu'il ne l'a pas fait.

— C'est compréhensible. Il *croyait* qu'il avait affaire à un premier-né.

— Mais, docteur, d'après la déposition du médecin traitant, c'était un premier-né, n'est-ce pas?

— En effet. Mais il n'est pas nécessaire qu'une femme mette un enfant au monde pour être sensibilisée; il suffit qu'elle ait eu une précédente grossesse, quelle qu'en ait été l'issue.

John Reynolds blêmit. Sa fille s'appuya contre le dossier de sa chaise.

— Docteur, si une femme qui a subi un avortement cache délibérément le fait à son médecin, celui-ci peut-il le déceler à l'examen?

— Absolument pas.

— Donc, si une femme à rhésus négatif qui s'est fait avorter se voit contrainte de dissimuler le fait à son médecin, celui-ci ne peut pas savoir que son sang a été sensibilisé?

— Non, répondit Chris en fixant John Reynolds du regard.

— D'après la déposition du docteur Coleman, l'infirmière lui a signalé que l'enfant présentait des signes cliniques de jaunisse. Il a aussitôt prescrit une biliburine et un Coombs. A-t-il bien fait?

— Oui. Malheureusement, selon son propre témoignage, il s'est passé plusieurs heures avant qu'il n'ait pris connaissance du résultat de ces tests.

— Pourtant, en cas de danger, n'est-il pas nécessaire de faire une analyse de bilirubine toutes les deux heures?

— Le docteur Coleman partait du principe que la mère n'était pas sensibilisée. Aussi a-t-il cru qu'il avait de la marge.

— En somme, le docteur Coleman travaillait dans le noir?

— Au moment où il a vu le bébé, soit sept à huit heures plus tard, la bilirubine était probablement montée à plus de vingt. La lésion cérébrale s'est incontestablement produite *avant* que l'enfant n'arrive au Metropolitan.

— Alors, docteur, à votre avis, qui est responsable de l'état actuel de John Reynolds Simpson?

Chris regarda John Reynolds dans les yeux :

— Celui qui a pris la décision de dissimuler l'avortement d'Arlene Simpson à son médecin.

Le visage de John Reynolds devint couleur de cendre.

Arlene murmura une accusation que seul son père put entendre.

John Reynolds haletait, sa respiration se faisait saccadée. Sa bouche se tordit. Enfin, il articula :

— Je... un médecin...

Laura se tourna vers le tribunal.

— Votre Honneur, Mr Reynolds est manifestement sous l'effet d'un choc. Je demande une suspension d'audience immédiate.

Harry Franklyn appela Mike Sobol.

— Je vous en prie, occupez-vous de lui.

Mike s'approcha de John Reynolds, lui tâta le pouls, déboutonna son col de chemise pour lui permettre de respirer plus facilement. Reynolds ne réagit pas. A la demande de Mike, quelques personnes le soulevèrent pour le transporter dans le vestiaire des juges. Mrs Reynolds les suivit. Arlene Simpson se leva et longea l'allée latérale. Son mari lui emboîta le pas. Harry Franklyn demeura seul à la table des avocats.

Laura s'adressa à Bannon :

— Votre Honneur, ne croyez-vous pas que nous devrions nous réunir à huis clos au début de l'après-midi?

Avec le consentement de Franklyn, Bannon leur fixa un rendez-vous pour quatorze heures et libéra le jury.

32

Le même jour, à deux heures de l'après-midi, Laura, Chris et Mike Sobol furent introduits dans le bureau du juge Bannon. Harry Franklyn arriva avec un quart d'heure de retard. Il expliqua qu'il venait de quitter ses clients. Avec le consentement de Laura, il fut autorisé à faire une déclaration hors de la présence du greffier.

— Conformément aux instructions de mes clients, je retire la plainte. Je suis également chargé de présenter aux docteurs Grant et Sobol toutes les excuses publiques qu'ils sont en droit d'exiger. Néanmoins, Mrs Simpson espère qu'une amende honorable n'entraînera pas de révélations susceptibles de causer du tort à des innocents.

Tous comprirent. Franklyn poursuivit :

— Mrs Simpson ne nourrit aucun sentiment de haine à l'égard de la personne concernée. Elle désire qu'il ne lui soit porté préjudice ni sur le plan personnel ni sur le plan professionnel.

— Mrs Simpson n'a rien à craindre de nous, répondit Laura.

— Merci, dit le petit avocat.

Puis il ajouta d'un air à la fois étonné et mortifié :

— Jamais je n'aurais cru qu'après tant d'années, je me serais laissé abuser aussi facilement par un client.

Il hocha la tête et reprit :

— Si j'ai encore un peu d'influence sur la famille Reynolds, je lui conseillerai d'exercer une surveillance constante sur

John Reynolds. Je crains qu'il n'essaie d'attenter à ses jours.

Il se dirigea lentement vers la porte. La main sur la poignée, il se tourna vers Laura :

— Jeune fille, dit-il, et je peux me permettre de vous appeler ainsi, j'ai deux filles plus âgées que vous — jeune fille, vous avez un sacré talent. J'ai moins de regrets à l'idée de prendre ma retraite quand je vois des jeunes comme vous prendre la relève.

Laura Winters, Chris Grant et Mike Sobol descendirent les marches du Palais de justice pour la dernière fois. Juan Melez les attendait à mi-chemin. Son photographe braquait déjà son objectif sur eux.

— Une belle journée de travail, maître, dit Melez rayonnant; et maintenant, voudriez-vous nous faire une déclaration?

Laura lança un coup d'œil à ses compagnons. Elle s'avança d'un pas pour permettre de faire la mise au point sur elle.

— Miss Winters, voudriez-vous révéler à nos correspondants ce qui s'est réellement passé dans les coulisses du tribunal. Pour quel motif Reynolds a-t-il retiré sa plainte aussi brusquement?

Laura sourit à l'objectif puis elle répondit doucement :

— Désolée mais toujours pas de commentaires.

Le sourire de Melez s'effaça et la déception se peignit sur son visage. Il fit signe à son photographe d'arrêter les frais.

— Ecoutez, nous avions conclu un accord, protesta-t-il. Rappelez-vous.

— Juan, si jamais nous révélions les dessous de cette affaire, ce serait à vous mais pas au prix de plusieurs vies.

Melez ne semblait pas d'accord.

— Les vôtres retrouvent leur *Medico,* dit Laura. Voilà qui devrait vous satisfaire.

Le jeune homme finit par s'incliner et s'écarta pour les laisser passer.

Laura, Chris et Mike fêtaient leur victoire à La Scala. Dès qu'il avait appris la nouvelle, Guido s'était hâté de téléphoner à Mike pour l'inviter à célébrer l'événement. Il les installa à la table favorite de Mike et claqua des doigts. Le garçon arriva aussitôt. Il n'avait pas plus de seize ans mais il était beaucoup plus grand que Guido et plus mince que le restaurateur qui appréciait manifestement son excellente cuisine. Pourtant, la ressemblance était frappante. Guido le présenta avec fierté.

— Mon petit-fils, dit-il, Mike, celui que vous avez sauvé. Regardez-le maintenant. Son grand-père a l'air d'un moucheron à côté de lui.

Il s'adressa au jeune homme et lui donna une bourrade affectueuse dans le dos :

— Le jour de ta naissance, j'ai servi des pigeons qui étaient bien plus gros que toi. Remercie le docteur Sobol.

Le jeune Giovanni marmonna un remerciement et masqua son embarras en posant un ravier de beurre et un panier de pain italien sur la table.

Le visage rayonnant, Guido reprit sur un ton sans réplique :

— Ce soir, c'est moi qui commande le repas. Et le *vino,* une bouteille spéciale pour un festin spécial.

Guido s'éloigna d'un pas pressé. Mike tira furtivement de sa poche un flacon rempli d'un liquide rouge rubis.

— La fin de la dernière bouteille de vin que Rose réservait pour la Pâque, dit-il.

Il en restait assez pour trois. Quand il eut vidé le flacon il admira la couleur du vin et leva son verre en regardant Laura.

— Chris, portons un toast à notre petite fille, dit-il. Une excellente avocate et une femme adorable. Croyez-en ma vieille expérience de la vie conjugale, elle fera une excellente épouse.

Ils trinquèrent et burent.

— Nous avons d'autres choses à célébrer ce soir, annonça Mike. Il y a des années qu'on me demande de lâcher un peu de lest, de devenir professeur emeritus. Ce n'est pas un mince honneur. Cet après-midi, j'ai déclaré que j'acceptais à la condition que mon successeur soit Christopher Grant.

— Mike, je vous dois déjà tellement, protesta Chris.

— Jeune prétentieux, ce n'est pas pour vous que je le

fais, c'est pour l'hôpital. Alors, dites oui et nous allons boire à ces événements. D'accord?

Chris acquiesça d'un signe de tête et ils levèrent de nouveau leurs verres.

— Et maintenant, reprit Mike, je compte sur vous pour me donner des petits-fils et aussi une petite-fille toute pareille à sa mère.

Chris et Laura s'apprêtèrent à porter leurs verres à leurs lèvres mais Mike arrêta leur geste :

— Non, je vous en prie, cette fois-ci, nous boirons seuls Rose et moi.

Le lendemain matin, le docteur Christopher Grant arriva à l'hôpital Metropolitan pour reprendre son travail. Il passa devant la grande plaque de bronze sur laquelle se dessinait le profil énergique de John Stewart Reynolds. En poussant la porte d'entrée du pavillon de pédiatrie, il entendit l'interphone nasiller :

— Docteur Grant, docteur Christopher Grant, appelez immédiatement la salle des soins intensifs.

Il se dirigea vers le bureau des admissions et décrocha le téléphone.